KB035589

걸프 사태

의료지원단 및
수송단 파견 2

걸프 사태

의료지원단 및
수송단 파견 2

| 머리말

　걸프 전쟁은 미국의 주도하에 34개국 연합군 병력이 수행한 전쟁으로, 1990년 8월 이라크의 쿠웨이트 침공 및 합병에 반대하며 발발했다. 미국은 초기부터 파병 외교에 나섰고, 1990년 9월 서울 등에 고위 관리를 파견하며 한국의 동참을 요청했다. 88올림픽 이후 동구권 국교 수립과 유엔 가입 추진 등 적극적인 외교 활동을 펼치는 당시 한국에 있어 이는 미국과 국제사회의 지지를 얻기 위해서라도 피할 수 없는 일이었다. 결국 정부는 91년 1월부터 약 3개월에 걸쳐 국군의료지원단과 공군수송단을 사우디아라비아 및 아랍 에미리트 연합 등에 파병하였고, 군 · 민간 의료 활동, 병력 수송 임무를 수행했다. 동시에 당시 걸프 지역 8개국에 살던 5천여 명의 교민에게 방독면 등 물자를 제공하고, 특별기 파견 등으로 비상시 대피할 수 있도록 지원했다. 비록 전쟁 부담금과 유가 상승 등 어려움도 있었지만, 걸프전 파병과 군사 외교를 통해 한국은 유엔 가입에 박차를 가할 수 있었고 미국 등 선진 우방국, 아랍권 국가 등과 밀접한 외교 관계를 유지하며 여러 국익을 창출할 수 있었다.

　본 총서는 외교부에서 작성하여 30여 년간 유지한 걸프 사태 관련 자료를 담고 있다. 미국을 비롯한 여러 국가와의 군사 외교 과정, 일일 보고 자료와 기타 정부의 대응 및 조치, 재외동포 철수와 보호, 의료지원단과 수송단 파견 및 지원 과정, 유엔을 포함해 세계 각국에서 수집한 관련 동향 자료, 주변국 지원과 전후복구사업 참여 등 총 48권으로 구성되었다. 전체 분량은 약 2만 4천여 쪽에 이른다.

2024년 3월

한국학술정보(주)

│ 일러두기

· 본 총서에 실린 자료는 2022년 4월과 2023년 4월에 각각 공개한 외교문서 4,827권, 76만 여 쪽 가운데 일부를 발췌한 것이다.

· 각 권의 제목과 순서는 공개된 원본을 최대한 반영하였으나, 주제에 따라 일부는 적절히 변경하였다.

· 원본 자료는 A4 판형에 맞게 축소하거나 원본 비율을 유지한 채 A4 페이지 안에 삽입하였다. 또한 현재 시점에선 공개되지 않아 '공란'이란 표기만 있는 페이지 역시 그대로 실었다.

· 외교부가 공개한 문서 각 권의 첫 페이지에는 '정리 보존 문서 목록'이란 이름으로 기록물 종류, 일자, 명칭, 간단한 내용 등의 정보가 수록되어 있으며, 이를 기준으로 0001번부터 번호가 매겨져 있다. 이는 삭제하지 않고 총서에 그대로 수록하였다.

· 보고서 내용에 관한 더 자세한 정보가 필요하다면, 외교부가 온라인상에 제공하는 『대한민국 외교사료요약집』 1991년과 1992년 자료를 참조할 수 있다.

| 차례

머리말 4

일러두기 5

걸프사태 : 의료지원단 및 수송단 파견, 1990-91. 전6권 (V.5 군수송단 파견,
1991.1-4월) 7

걸프사태 : 의료지원단 및 수송단 파견, 1990-91. 전6권 (V.6 군수송단 영공통과 국
가 협조) 285

정 리 보 존 문 서 목 록					
기록물종류	일반공문서철	등록번호	2020120228	등록일자	2020-12-29
분류번호	721.1	국가코드	XF	보존기간	영구
명 칭	걸프사태 : 의료지원단 및 수송단 파견, 1990-91. 전6권				
생 산 과	중동1과/북미1과	생산년도	1990~1991	담당그룹	
권 차 명	V.5 군수송단 파견, 1991.1-4월				
내용목차	1.29 미국의 걸프사태 관련 추가 지원 요청 관련, 군수송기 파견 원칙 결정 통보 1.30 정부, 공식 발표 4.6 및 4.9 군수송단 철수				

0001

	분류번호	보존기간

발 신 전 보

번 호 : WUS-0354   910129 2006 CG   종별 : 진급

수 신 : 주   미   대사. 초여사

발 신 : 장 관   (미북)

제 목 : 걸프 사태 관련 대미 추가 지원

대 : USW-0452

1. 정부는 표제 추가 지원에 관하여 아래와 같이 ~~방금~~을 결정하였음.

　가. 추가 지원은 2억8천만불로 합(따라서 작년도 지원 약속액
　　　2억2천만불과 합하면 총 5억불이 됨.)

　나. 이번 추가 지원에는 주변국 경제 지원은 포함되지 않고 다국적군
　　　(미국) 지원만을 위한 것임.

　다. 추가 지원액 2억8천만불의 집행 용도와 내역은 한.미 양국간 협의를
　　　통하여 정하게 될 것임.

　라. 상기 추가 지원과는 별도로 군 수송기(C-130) 수대를 파견키로
　　　원칙적인 결정을 하였음. 다만, 수송기 파견은 기술적인 사항에
　　　관한 협의를 요하므로 이에 관하여 아국 국방부와 주한 미군측간에
　　　협의를 하게 될 것임.

/계속/

보안통제		

앙고재	91년 1월 29일 북미과	기안자 성명		과장	심의관	국장	제1차관보	차관	장관	외신과통제

0002

2. 귀직은 상기 정부 결정 내용을 즉시 국무부 고위 당국자에게 통보하고 백악관, 국방부등 기타 관계 부처에도 적의 설명 바람.

3. 이와 동시에 귀직은 미 의회 상.하원 중진 의원들과도 시급히 접촉하여 걸프 사태 관련 아국의 지원 내용을 설명하고 우리의 적극적인 지원 의지에 대한 인식을 제고토록 각별한 노력을 경주바람.

4. 상기 정부 결정 설명에 있어서는 아국이 최근 경상 수지 적자 시현등 경제적으로 어려운 사정임에도 불구하고 유엔 안보리 결의에 의거한 미국의 군사적 행동을 우리의 능력 범위내에서 최대한 지원하기 위한 성의 표시임을 ~~특히~~ 강조 바람.

5. 또한 귀직은 미 행정부 및 의회 지도자들과의 접촉시 최근 한.소간에 타결된 경협 30억불의 내용은 상업 베이스 은행 차관 10억불, 향후 3년간에 걸친 원료 및 소비재 수출용 전대차관 15억불 그리고 자본재 수출용 연불수출 5억불임을 설명하여 아국의 대소 경협이 무상 원조가 아니라 상업적 베이스에 의한 차관임을 강조바람. 특히 은행 차관 10억불은 한국산업은행 ~~및 한국수출입은행과~~ 소련 대외경제 은행간에 차관협정에 의한 것임을 설명, 혹시 있을지도 모를 미측의 오해를 불식시키는 노력도 병행하기 바람.

6. 2.5(화) 귀지 개최 예정인 걸프 사태 재정지원 공여국 조정위 회의에는 유종하 외무차관을 수석대표로 하는 대표단을 파견키로 하였음.

~~7.~~ 상기 귀직의 접촉 결과는 수시 보고바람.

~~8.~~ 한편, 본직은 금 1.29(화) 20:00 그레그 주한 미 대사를 초치하여 상기 정부 결정 내용을 통보하였음을 참고 바람.   끝.

(장 관 이 상 옥)

예 고 : 91.12.31. 일반   검 토 필 (1991. 6. 20.)

0003

걸프戰 關聯 한국 정부의 追加 支援 決定

公式 發表

1991. 1. 30.

18:15

1. 政府는 지난해 8.2. 걸프 事態가 發生한 이래 武力에 의한 侵略은 容認될 수 없다는 國際 正義와 國際法 原則에 따라 유엔 安保 이사회 決議를 支持하고 이의 履行을 위한 國際的 努力을 支援하여 왔음. 이러한 立場에서 政府는 지난해 9.24. 多國籍軍 및 周邊國 經濟 支援을 위해 2億2千万弗의 支援을 發表한 바 있으며 또한 지난 1.24. 사우디에 軍 醫療 支援團을 派遣한 바 있음.

2. 그러나 유엔을 비롯한 全世界 平和 愛好國들의 努力에도 불구하고 지난 1.17. 걸프 戰爭이 勃發하여 中東 地域은 물론 全世界의 平和 및 安定에도 큰 威脅이 되고 있으며, 더우기 이번 戰爭이 예상보다 오래 계속될 조짐이 나타남에 따라 多國籍軍은 이에 따른 막대한 戰費와 財政 需要에 직면하게 되었음.

0004

3. 이에 따라 정부는 다음과 같은 추가 지원을 제공키로 결정하였음.

　ㅇ 追加 支援 規模는 2億8千万弗로함.

　　- 이중 1億7千万弗 相當은 國防部 在庫 軍需物資 및 裝備 提供으로
　　　하고 나머지 1億1千万弗은 現金 및 輸送 支援으로 함.

　　　* 具體的 執行 用途 및 內譯은 韓.美 兩國間 協議를 거쳐 決定

　　- 今番 追加 支援은 多國籍軍 특히 美國을 위한 것이며 周邊國 經濟
　　　支援은 不包含.

　　- 我國의 總 支援 規模는 今番 追加 支援으로 昨年 約束額 2億2千万弗을
　　　包含, 總 5億弗이됨.

　ㅇ 上記 支援과는 別途로 국회의 동의를 받아 후방 수송 지원 목적을 위하여
　　軍 輸送機(C-130) 5대를 派遣키로 원칙적으로 결정하였으며, 이를 위한
　　기술적인 사항은 아국 國防部와 駐韓 美軍間에 협의 예정임.

0005

多國籍軍 派遣 現況

91. 1. 30. 現在

國 家	軍事力 派遣 및 參戰	備 考
美 國	○ 兵 力 : 492,000 名 ○ 탱 크 : 2,000 臺 ○ 航空機 : 1,300 臺 ○ 艦 艇 : 60 隻 (航空母艦 7隻)	
GCC (6個國)	○ 兵 力 : 150,500 名 ○ 탱 크 : 800 臺 ○ 航空機 : 330 臺 ○ 艦 艇 : 36 隻	사우디, 쿠웨이트, 바레인, 오만, UAE, 카타르
英 國	○ 兵 力 : 35,000 名 ○ 탱 크 : 170 臺 ○ 航空機 : 72 臺 ○ 艦 艇 : 16 隻	

0006

國家	軍事力 派遣 및 參戰	備考
프랑스	○ 兵力 : 10,000 名 ○ 탱크 : 40 臺 ○ 航空機 : 40 臺 ○ 艦艇 : 14 隻	
이집트	○ 兵力 : 35,000 名 ○ 탱크 : 400 臺	
시리아	○ 兵力 : 19,000 名 ○ 탱크 : 300 臺	
파키스탄	○ 兵力 : 7,000 名	6千名 追加派遣 豫定
터키	○ 兵力 : 5,000 名 ○ 艦艇 : 2 隻	國境配置 約10万名
방글라데시	○ 兵力 : 2,000 名	3千名 追加派遣 豫定

0007

國 家	軍事力 派遣 및 參戰	備 考
카나다	○ 兵 力 : 2,000 名 ○ 航空機 : 24 臺 ○ 艦 艇 : 3 隻	
모로코	○ 兵 力 : 1,700 名	
세네갈	○ 兵 力 : 500 名	
니제르	○ 兵 力 : 480 名	
이태리	○ 航空機 : 8 臺 ○ 艦 艇 : 6 隻	
濠 洲	○ 艦 艇 : 3 隻	
벨기에	○ 艦 艇 : 3 隻	
네델란드	○ 艦 艇 : 3 隻	
스페인	○ 艦 艇 : 3 隻	
아르헨티나	○ 兵 力 : 100 名 ○ 艦 艇 : 2 隻	

0008

國 家	軍事力 派遣 및 參戰	備 考
그리스	◇ 艦 艇 : 1 隻	
포르투갈	◇ 艦 艇 : 1 隻	
노르웨이	◇ 艦 艇 : 1 隻	
체 코	◇ 兵 力 : 200 名	
總 計 (總 28個國)	◇ 兵 力 : 760,480 名 ◇ 탱 크 : 3,710 臺 ◇ 航空機 : 1,774 臺 ◇ 艦 艇 : 154 隻	※ 蘇聯은 艦艇 2隻을 參戰 目的이 아니라 觀察 目的으로 派遣

0009

各國의 支援 現況

가. 經濟 支援

國　家	戰爭 勃發 前	戰爭 勃發 後
日　本	. 40億弗(20億弗：多國籍軍 支援, 20億弗：周邊國 支援)	. 90億弗(對美 現金 支援)
獨　逸	. 20.8億弗(33億 마르크)	. 10億弗(1億6千7百万弗의 이스라엘 支援額 및 1億1千4百 万弗의 英國軍 支援額 包含) . 55億弗(對美 支援)
E C	. 19.7億弗	
英　國	. EC 次元 共同 步調	
불란서	〃	
이태리	. 1.45億弗(1次 算定額), 〃	
벨기에	. EC 次元 共同 步調	. 1億1千3百5拾万 BF
네델란드	〃	. 1億8千万弗(戰前 支出 包含)
스페인	〃	
폴투갈	〃	
그리스	〃	

0010

國　家	戰爭 勃發 前	戰爭 勃發 後
카 나 다	. 6千6百万弗	
노르웨이	. 2千1百万弗	
濠　洲	. 8百万弗(難民救護)	
G.C.C.國	. 사 우 디 : 60億弗 . 쿠웨이트 : 50億弗 . U.A.E. : 20億弗	. 사 우 디 : 135億弗 . 쿠웨이트 : 135億弗

나. 醫療 支援

國 家	內 譯
美 國	. 사우디 담맘港에 病院船 2隻 派遣(1,000 病床) . 사우디 알바틴에 綜合 醫療團 運營 (專門醫 35 名, 350 病床)
英 國	. 野戰病院 派遣(醫師 200名, 400 病床) (有事時 對備 約 1,500名의 追加 軍 醫療陣 派遣 準備中)
濠 洲	. 2個 醫療團 派遣 檢討中
방글라데쉬	. 2個 醫務 中隊 300名 派遣
카 나 다	. 野戰病院 派遣(醫療陣 550名, 225 病床)
덴 마 크	. 軍 醫療陣 30-40名 英國軍에 配置
헝 가 리	. 自願 民間醫療陣 30-40名 英國軍에 配置
체 코	. 自願 醫療陣 150名 派遣
파키스탄	. 1個 醫務 中隊 100名 派遣
오스트리아	. 野戰 앰블란스 1臺 派遣
필 리 핀	. 民間 醫療支援團 270名 派遣

0012

國　　家	內　　　　　　　譯
폴 란 드	. 病院船 1隻　派遣 準備中
뉴질랜드	. 民間 醫療陣 50名 , 바레인 駐屯 美 海軍 病院에 勤務 . 軍 醫療團 20名　追加 派遣 決定
싱 가 폴	. 醫療支援團 30名 , 英國軍 病院에 勤務
벨 기 에	. 民.軍 自願 醫療 支援團 50名 派遣 . 醫療 裝備 支援(野戰 寢臺 2,800個 , 앰블란스 1臺 , 負傷兵 護送用 航空機 2臺)

0013

국 방 부

전협 24742-   (3242)   1991. 2. 1.

수신 외무부장관

참조 중동아프리카 국장

제목 공군수송단을 위한 현지협조단 파견 관련 협조요청

1. 관련근거: 공군 수송단 파견계획

2. 위 계획에 의거 현지 협조단이 출발 예정인 바 귀부의 관련 협조를
요청합니다.

첨부: 현지 협조단 파견 관련 협조요청 1부.
     현지 협조단 명단 1부. 끝.

국 방 부 장 관

정책기획부장 전결

0014

FEB 02 '91 18:29 R.O.K MFC P.2

첨부 1

현지 협조단 파견 관련 협조요청

1. 출발일시: '91.2.5 22:30(대한항공 □□□기)

2. 협조단 구성: 외무부 5명, 공군본부 10명

3. 출장기간: '91.2.5~2.12

4. 현지 도착지: 아부다비 국제공항

5. 협조요청사항

가. 협조단 구성에 외무부 1명 포함(일반지휘휘경 관련)   장관, 발복장 보고필
                                                        예.

나. 현지 대사관에 협조 지시 요망

   1) 협조단 요원 숙소 여맥(2단 1실 기준)
      (공군본부요원 10명은 기지내 숙소 가능시 기지내 숙소 여행)

   2) 외무부 요원에 대한 교통편의 제공

   3) 협조팀 요원의 대사관 전문 발송 편의 이용

   4) 협조팀 도착전 AL AVN 기지 사령관과 협조 창구 개설

다. 관련국 대사관에 상기 내용 통보(사우디, 오만, UAE 등)

1

0015

증서 2　　인적 협조팀 명단

순번	군별	계급	군번	성　명	생년월일	영문이름
1	공군	대령	▮	박 영 기	44. 2. 10	Park Young Ki
2	"	"	▮	송 원 섭		
3	"	중령	▮	신 승 덕	51. 8. 17	
4	"	소령	▮	임　호	50. 10. 27	
5	"	소령	▮	김 일 태	57. 2. 5	Kim Il Tae
6	"	중령	▮	김 형 오	47. 1. 16	Kim Hyung Oh
7	"	소령	▮	이 한 호	56. 2. 10	Lee Han Ho
8	"	소령	▮	최 상 일	55. 8. 5	Choi Sang Il
9	"	중령	▮	고 덕 천	53. 9. 2	Ko Deog Chun
10	"	중령	▮	김 성 대	46. 9. 25	Kim Sung Dae
11	국방부	중령	▮	정 인 호	53. 3. 26	Jung In ho
12	"	중령	▮	오 진 교	49. 4. 27	Oh Jin Kyo
13	"	중령	▮	유 재 송	57. 3. 2	
14	"	대령	▮	이 성 우	46. 1. 21	

2

0016

	분류번호	보존기간

발 신 전 보

번   호 : WAE-0092   910202 0515 BX   종별 : 지급

수   신 : 주 UAE   대사. 총영사 (사본 : 주사우디 대사)
WSB -0283

발   신 : 장 관 (중근동)

제   목 : 공군 수송단 파견

1. 국방부는 C-130기 5대와 운영요원 150명을 귀지 알 아인 미군기지에 파견하여
   현지 미군 수송지원 임무를 수행할 계획임.

2. 동 계획 관련, 아래사항 파악 지급 보고 바람.
   가. 입국비자, 예방접종
   나. 지위협정 체결 필요성
   다. UAE 이외 타국가 비행 임무 수행 필요성에 대비, 사우디등 타국과의
       별도 지위협정 체결 필요성
   라. 타국 공군(수송단)의 예
   마. 기체결된 의료지원단 지위협정 보완, 적용 가능 여부(사우디)
   바. 미국은 현재 사우디 및 다국적군 참가국과 포괄적 STANDARD AGREEMENT를
       약정했다 하는바, 동 협정의 아국 준용 여부 . 끝.

(중동아국장   이 해 순)

예 고 : 91. 6. 30. 일반
        의거 일반문서로 재분

보 안
통 제

앙 고 재	91년월일 중근동	기안자성명		과 장	심의관	국 장		차 관	장 관

외신과통제

0017

수 신 : 외무부 장관
발 초 : 걸프 ⬤⬤ 비상대책반장
발 신 : 국방부장관 (정책기획관)
제 목 : 한국 공군수송단 중동파견에 관련 협조(요청)

1. 국방부는 C-130기 5대, 운용요원 150명을 UAE 내 셈 아인 미군기지에 파견하여 현지 미군 수송지원 임무를 수행함

2. 동 계획 추진을 위해 아래사항에 대한 외무부측 ⬤⬤⬤ 으로하니 관련 재외공관을 통하여 지급 확인, 회보해 주시기

    가. 동 수송기 및 운용요원들의 UAE 입국 및 현지 임무수행을 위해 필요한 외교적 행정적 조치 (비자관계, 예방접종, 지원협정 체결 필요성 등)

    나. UAE외 타국가 비행임무 수행 필요성에 대비, 사우디등 타국과 별도의 지원협정 체결 필요성 또는 기 파견 의료지원단 지원협정을 보완, 가능성 여부

3. 동 계획과 관련, 당부가 주한미군사와 접촉결과, 현재 미국은 사우디 및 다국적군 참가국과 표괄적 Standard Agreement를 약정했다고 하는 바, 이 협정의 아국 준용여부를 ⬤ ⬤지시기 바람. 끝

○/UAE 의 통보 — 타국 공군(권총태)의 예 조사
○사별 → 국제기구약 ③ (협정)

0018

국　방　부

근기 24411-215 　　　　　(795-6217)

수 신　외무부장관　　　　　　　　　91 · 2 · 2
　　　　　　　　　　　　　　　　　　(1ㅇ2)

참 조　중동국장

제 목　공군 수송단 파견에 따른 현지 확인 협조

1. 관련근거 : 한국 공군수송단 파견 (대통령 재가)

2. 상기 근거 관련 공군수송단 파견에 따라 파견 예정국가인 UAE 에 당부
　　관계도 귀부 대사관을 통해 아래사항을 확인 의뢰 하오니 협조 바랍니다.

　　가. 파견 개요

　　　　1) 기종/대수/인원 : C-130/5대/150명
　　　　2) 파견위치 : UAE, 알아인 (동충 미공군기지내)

　　나. 확인 요망 사항

　　　　1) UAE 가 미군에 지원하고 있는 사항
　　　　　 (예 : 슈유, 급식, 급수, 기설, 세탁, 목욕 등

　　　　2) 한국 공군 파견시 UAE 가 지원해 줄수 있는 사항

　　　　3) UAE 내 기타 다국적군 배치 현황 및 이들에 대한
　　　　　 UAE 지원사항

　　　　4) 상기 위치 주둔 미공군에 관한 기타 모든 사항.　끝.

국　　　　　방　　　　　부　　　　　장

분류번호	보존기간

발 신 전 보

번 호 : WSB-0288   910202 1241 CG   종별 : 긴급

WAE -0096   WJD -0071

수 신 : 주 수신처 참조 //대사//총영사/

발 신 : 장 관 (중근동)

제 목 : 군 수송기 파견

연 : WAE ~~0092~~, ~~WSB-00283~~   WSB-0287
-095, WJD-0070

　　연호 공군 수송기 다국적군 지원 관련, 사전 조사단을 4차 KAL특별기편에 편승 파견할 것을 검토중인바, 동 특별기의 UAE착륙이 어려울 경우에 대비 2.6 젯다에서 아부다비로 갈수 있는 항공편 (직행편이 없을시 카이로등 경유) 과 동 조사단이 임무를 마친후 2.12 귀국할 수 있는 항공편을 ~~조속~~ 조사 보고 바람. 끝.　　아부다비에서

(중동아국장　　이 해 순)

수신처 : 주 사우디, UAE 대사, 주 젯다 총영사

예 고 : 1991.6.30. 일반
의거 일반문서로 재분류

보안
통제 7h

앙 고 재	일 년 월 일	기안자 성명		과 장	심의관	국 장		차 관	장 관

외신과통제

0020

외 무 부

종 별 :

번 호 : AEW-0082   일 시 : 91 0202 1100

수 신 : 장관(중근동)

발 신 : 주 UAE 대사

제 목 : 군 수송기 파견

대:WAE-0094,96

1. 대호, 사전 조사단 당지 파견관련 아래 사항 우선 긴급회시바람.

가. 동조사단의 활동내용

나. 동조사단의 숙박및 교통

다. 기타 공관지원사항

2. 동조사단 입국시는 필히 주한 UAE 대사관으로부터 사증을 취득토록 조치바람.

끝.

(대사 박종기-국장)

중아국   장관   차관   1차보   2차보

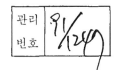

<table>
<tr><td>분규번호</td><td>보존기간</td></tr>
<tr><td></td><td></td></tr>
</table>

발 신 전 보

번   호 :   WAE-0098   910202 2004   DA   종별 :

수   신 :   주 U A E   대사. 송영서

발   신 :   장 관 (중근동)

제   목 :   군수송기 파견

연 : WAE-0092
대 : AEW-0082

1. 연호 조사단 (15명 명단 별첨)은 주재국 정부 및 알아인 미군 기지
   사령부측과 군수송기 파견과 관련한 제반사항을 협의하기 위해
   2.6.-2.12.간 귀지 방문 예정이니 하기사항 조사 보고 바람.
   가. UAE가 미군에 지원하고 있는 사항 (예 : 급유, 급수, 급식,
       시설, 숙소 제공등)
   나. 아국 공군 파견시 UAE가 지원 가능한 사항
   다. 기타 다국적군에 지원하고 있는 사항
   라. 알아인 기지 미 공군에 관한 기타 참고사항

2. 동 조사단은 귀지 방문중 국방성 관계관 면담을 희망하고 있으니,
   주선 바라며, 또한 2인 1실을 기준 적당한 호텔 예약 바람.

3. 또한 조사단 방문기간중 교통 편의 활동에 필요한 제반 협조 제공
   바람. 끝.

첨부 : 조사단 명단. 끝.

(중동아국장 이 해 순)

예고 : 91.12.31. 일반

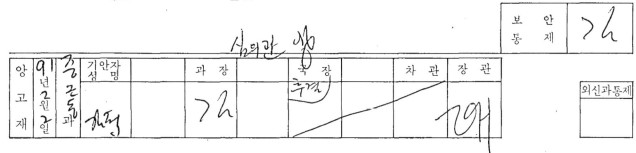

첨부 2 : 현지 협조팀 명단

양태규 Tae Kyu Yang

순 번	군 별	계 급	성 명	영문이름	생년월일
1	공 군	대 령	박 영 기	Park Young Ki	
2	"	"	송 원 섭	Song won sup	
3	"	중 령	신 승 덕	K	
4	"	소 령	임 호	Lim Ho	
5	"	"	김 일 태	Kim Il Tae	
6	"	중 령	김 형 호	Kim Hyung Oh	
7	"	소 령	이 한 호	Lee Han Ho	
8	"	"	최 상 일	Choi Sang Il	
9	"	중 령	고 덕 천	Ko Keog Chun	
10	"	"	김 성 대	Kim Sung Dae	
11	국방부	"	정 인 호	Jung In Ho	
12	"	"	오 진 교	Oh Jin Kyo	
13	"	"	유 재 풍	You Jae pung	
14	"	대 령	이 성 우	Lee Sung Woo	

※ 외무부 직원 1인 동행 인적사항 추후 통보

0023

관리번호 91/123

외 무 부

종 별 : 초긴급

번 호 : AEW-0087

일 시 : 91 0203 1000

수 신 : 장관(중근동,조약,미북,기정)

발 신 : 주 UAE 대사

제 목 : 군수송기 파견

대:WAE-0092,93

연:AEW-0082

1. 대호, 소직은 2.2. 당지 미국대사와 주재국 정무국장을 각각 방문(오참사관 수행), 대호 내용을 논의하였는바, 각인 반응 아래와 같음.

가. 미국대사

1)동내용을 공식적으로 본부로부터 접한바는 없으나 한국 수송단의 미군지원을 위한 당지파견을 환영함

2)미군의 당지주둔이 주재국과의 협정에 의하여 체류하고 있는것은 아님.미측은 동 주둔미군에 대한 지위문제에 관하여 협정체결을 희망하였으나 주재국측이거부하였음

3)따라서 미군주둔은 주재국 연방정부와는 무관하며 각토후국(아부다비(알아인), 두바이, 샤자)과의 독립적인 양승하에 이루어진 것임(미대사 표현 SHAKE HANDS 방식)

나. 외무성 KINDI 정무국장

1)미군의 주재국 주둔문제는 외무부와는 무관하며 미군과 각토후국의 군당국과의 협의에 의해 이루어 진것임

2)동건 외무부는 관계당국에 전달기능밖에 없는바 필요시 군당국과 직접접촉바람

3)한국 공군수송단이 주재국내 미군을 지원하기 위하여 파견되는 것을 환영하나 본인 생각으로는 동수송단이 미군의 작전수행을 지원하는데 일차적인 목적이있으므로 세부사항(지원문제등)은 주재국보다는 미측과 협의하는것이 바람직한 것으로 생각되며 상세한것은 군당국과 협의바람

2.WAE-0098 호 문의차 재차 미대사관측및 주재국 군당국과도 접촉을 시도중이나 당관 업무수행상 필요하오니 동조사단의 당지방문이 사전에 미측과 합의하에 이루어져 당지 알아인 공군기지 당국도 동조사단의 방문을 알고있는지 여부를회시바람. 끝.

중아국 국방부	장관	차관	1차보	2차보	미주국	국기국	청와대	안기부

PAGE 1

91.02.03   16:07

외신 2과 통제관 CH

0024

(대사 박종기-국장)
예고:91.12.31 일반

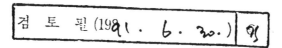

Unreadable handwritten document.

분류번호	보존기간

발 신 전 보

번 호 : ___WBH-0078___ 910203 1939 FF   종별 긴급

수 신 : 주   수신처 참조 (대사//총영사)

발 신 : WU장 -04관   WJA -0475 중반동 -0103   WPH -0097   WMA -0137

제 목 : WDJ 군0슈송 단T파 견195   WBM -0043   WND -0115   WPA -0089

WOM -0063   WAE -0099   WSB -0294   WKA -0029

1. 국방부는 C-130기 5대와 공군 요원 150명을 UAE내 알아인 미군기지에 파견하여 현지 미군 수송지원 임무를 수행할 계획임.

2. 동 계획 관련 자료 상세는 아래와 같음.

    가. 수송기 출발 계획 (KST) 제1진

      1) 1991년2월19일 06:00 : 2대

                  (KST) 제2진

      2) 1991년2월20일 06:00 : 3대

      3) 출발기지 : 서울기지

    나. 비행경로

      서울-클라크-방콕-카라치-알아인

    다. 영공동과 (13국)

      일본, 대만, 필리핀, 말레지아, 인니, 태국, 미얀마, 인도, 파키스탄, 오만, 예맨, 바레인, UAE, 사우디. 싱가폴

    라. 착륙허가 및 연료 보급지

      클라크, 방콕, 카라치, 알아인   투원   투원

    마. 숙소 예약 : 방콕 (2월19일 37실, 20일 37실)

    바. 문항일정 (GMT시간, 괄호안은 2진)

보 안 통 제 |
---|---

앙고재	91년2월3일	중근동과	기안자성명		과장	섬의란	국장 전결		차관	장관		외신과통제

0027

○ 일정 (제1,2진 하루간격으로 동일항로, 동일시간 운항)

2.18(19)	21:00	서울	출발	
2.19(20)	03:00	클라크	도착 연료공급	19일 6만 LBS 20일 9만 "
2.19(20)	05:00	"	출발	
2.20(20) 19	11:10	방콕	도착 연료공급	19일 7만 LBS 20일 10만 "
2.20(21) 20	02:00	"	출발	
2.20(21) 20	10:10	카라치	도착 연료공급	20일 6만 LBS 20일 9만 " 21
2.20(21) 20	12:10	카라치	출발	
2.20(21)	~~16:10~~ 15:20	알아인	~~출발~~ 도착	(현지임무 수행)

~~2) 비행운영~~
~~19일 C-130기 2대 출발~~
~~20일 C-130기 8대~~
~~동일구간, 동일시간으로 비행 운영~~

사. 호출 부호

1) 제 1진 KAF 81, KAF 83

제 2진 KAF 85, KAF 86, KAF 78

2) 속도/고도 : 290KTS/24,000 피트

3) 항 로 : A586 CJU B576 APU B591 SAN TR20

아. 영공통과 ~~(GMT 시간임)~~ (GMT, 제1, 제2진 순)

1) 일본-클라크 (일본, 미국, 대만, 필리핀)

RORG (ATOTI) 22:42 Z (18일, 18일)

ROTP (SALMI) 23:10 Z (18일, 18일)

RPMM (DOREX) 01:03 Z (19일, 20일)

2) 클라크-방콕 (필리핀, 미국, 싱가폴, 인니, 말레지아, 태국)

필리핀 ADIZ : 06:11 Z (19일, 20일)

WSJC (싱가폴 NISOR) 06:50 Z (19일, 20일)

VTBB (방콕 BELER) 09:35 Z (19일, 20일)

인니 06:30 Z (19일 20일)

0028

3) 방콕 - 카라치 (태국, 미얀마, 인도, 파키스탄)

    VBRR (미얀마 LIMLA) 02:45 Z (20일, 21일)

    VECF (인도 CALCUTTA) 04:30 Z (20일, 21일)

    VEBF (인도, 봄베이, PORUS) 07:00 ㄹ(20일, 21일)

    POKR (파키스탄 KARACHI) 09:00 Z (20일, 21일)

4) 카라치 - BURAYMI, DAUDI(파키스탄, 사우디, 바레인, 오만,

  UAE)

    OOMM(무스캇 오만 ALPOR) 13:30 Z (20일, 21일)

    OMAE(UAE, GOLNI) 14:50 Z (20일, 21일)

자. 항공기 호수 및 조종사 명단

1) ~~9.19일 출국~~ 제1진

    ○ 1번기

        항공기 : 81호(호출부호: KAF 81)

        조종사 : 중령 김영곤 (KIM. Y. K)

                소령 고석목 (KO. S. M)

    ○ 2번기

        항공기 : 83호(호출부호: KAF 83)

        조종사 : 소령 김석종 (KIM. S. J)

                대위 김창래 (KIM. C. R)

2) ~~9.20일 출국~~ 제2진

    ○ 1번기

        항공기 : 85호 (호출부호 : KAF 85)

        조종사 : 소령 임 호 (LIM. H)

                대위 서희창 (SU. H. C)

    ○ 2번기

        항공기 : 86호 (호출부호 : KAF86)

        조종사 : 중령 신승덕 (SHIN. S. D)

                대위 류노형 (RYU. B. H)

o 3번기

항공기 : 78호(호출부호 :KAF 78)

조종사 : 소령 김찬수 (KIM. C. S)

대위 박수철 (PARK. S. C)

3. 국방부에서는 출발 일정상 영공 통과 및 이.착륙 허가를 2월 12일
까지 접수 요망하고 있으니, 허가번호와 기착지의 연료 공급 조치 (카라치 경우는
1시간내 급유완료 희망) 숙소 예약 및 교통편 마련 (방콕 경우)등 상기 자료를
참조 공관별 조치하고 결과 보고 바람.   끝.

(중동아국장 이 해 순)

싱가폴

수신처 : 주바레인, ~~바레인~~, 미국, 일본, 대만, 필리핀, 말레지아, 인니,
태국, 미얀마, 인도, 파키스탄, 오만, UAE, 사우디 대사. 주카라치총영사

예 고 : 91.12.31.일반   검 토 필 (198 91.6.30.) X

0030

外務部 걸프灣事態 非常對策 本部

政府綜合廳舍 810號　　電話 : 730-8283/5, 730-2941. 6. 7. 9, (구내) 2331/4, 2337/8　Fax : 730-8286

조사단 파견 관련 통보내용

○ 조사단 파견 관련 국방부측의 중간 회신 내용을 2.3. 22:10
　 UAE 오기철 참사관에게 통보

○ 국방부측의 공식 회신 접수후 공관에 통보 하겠음을 알린바, 오기철 참사관은
　 동건 관련 UAE 주재 미군사 당국으로 부터 정보를 얻어 필요
　 조치를 취하였으며, 구체 사항은 곧 발송 예정인 전문 참고
　 하도록 답변.　　　끝.

0031

관리
번호 계/25

외 무 부

종 별 : 긴 급

번 호 : AEW-0091   일 시 : 91 0203 2200

수 신 : 장관(중근동,조약,미북,기정)

발 신 : 주 UAE 대사

제 목 : 군수송단 파견(자료응신10호)

대:WAE-0098,92

연:AEW-0087

1. 대호,2,3. 당관 오참사관은 미대사관 무관 JACKSON MCGUINESS 대령과 재접촉한바, 동인 언급사항 아래와 같음.

가. 한국수송단 파견예정 사실은 대사관측에는 상금 통보받은바 없음

나. 동수송단의 파견은 우선 주재국정부의 승인을 얻어야할 것으로 생각됨

다. 알아인 미공군에 대한 주재국의 지원은 현재 전기, 물, 연료밖에 없으며 텐트, 음식등 기타일체는 미측이 자체조달하고 있음

2. 이어 동인은 즉석에서 알아인 미공군기지 사령관과 통화, 아래사항을 알려줌.

가. 한국공군 수송단이 조만간 알아인 공군기지에 도착할 것이라는 통보를 며칠전 미공군 사령부로부터 받았음

나. 현재 미공군 C-130 수송기 141 대가 알아인기지에서 작전을 수행하고 있으며 약 150 동가량이 250 개의 텐트에 수용되고 있음

다. 한국공군 수송단이 도착시 텐트, 침대, 취사시설등 주둔에 필요한 지원을 미측이 제공할것임(현재로서 전혀 준비가 안되있음)

라. 사전조사단의 알아인기지 방문을 환영함

3. 또한 동무관은 미군이 GCC 지역내 군사지역 또는 군공항을 이용할시에는여권없이 자유로이 출입할수 있으며 STANDARD AGREEMENT 는 없는것으로 알고있다하고 한국수송단에게도 동일하게 적용될것이라함. 다만 법적문제가 발생시 ISLAM COURT 대신 REGULAR COURT 에서 다루어지도록 주재국정부와 합의는 본적이 있다함.(현재 연인원 약 10 만명의 미군이 체재한바 있으나 단지 두건의 경미한 사건만 있었으며 벌금형으로 풀려났다함)

중아국   장관   차관   1차보   2차보   미주국   국기국   정문국   안기부

4. 당관의견및 건의사항

가. 전시하의 현주재국 상황과 평소관행으로 미루어 주재국의 군당국 요로와 미군당국자들과의 접촉이 원활하지는 않을것으로 사료되는바, 「실질적이고 효율적인 조사단규모의 파견을 재검토하시기 바람」

나. 참고로 호텔숙박료도 2 인 1 실 단위로 아부다비 힐튼호텔은 125 불, 알아인 힐튼호텔은 80 불정도이며 동조사단의 업무수행상 알아인 힐튼호텔에 예약함이 좋을것으로 사료되는바 본부회시바람.(아부다비-알아인거리는 180KM 이며자동차 소요시간 2 시간정도임)또한 버스 25 인승 대여요금은 일일 165 불에서250 불정도임을 참고바람. 끝.

(대사 박종기-국장)

예고:91.12.31 일반　　결　재　필(1991　6　30　재)

PAGE 2

외 무 부

종 별 : 지 급

번 호 : AEW-0088

일 시 : 91 0203 1100

수 신 : 장관(중근동)

발 신 : 주 UAE 대사

제 목 : 군 조사단 일정

대:WAE-0096

1. 대호,2.12. 당지 아부다비발 귀국 항공편은 아래 일정뿐임을 보고함.

아부다비/봄베이 AI702 1010 1430 (화/화)

봄베이/방콕 AI302 1600 0010 (화/수)

방콕/서울 KE636 0840 1705 (수/수)

2. 동일정에 따른 항공운임(편도)은 1인당 5,610 디람(1,532 달러상당)임을 참고로 첨언함.

3. 현재 당지의 어려운 항공사정등 감안, 동조사단의 예약여부 조속회시바람. 끝.

(대사 박종기-국장)

예고:91.6.30 일반 예고문에 의거 일반문서로 재분류됨

중아국

91.02.04   05:09

외신 2과   통제관 FF

0034

외 무 부

종 별 : 지 급

번 호 : SBW-0381

일 시 : 91 0203 1400

수 신 : 장관(중근동,국방부)

발 신 : 주 사우디 대사

제 목 : 공군수송단

대:WSB-283

대호 군수송기 및 운영요원 UAE 파견과 관련, 2.3 주재국 외무부 관계자와 접촉, 파악한 내용 아래보고함

-군수송단의 체류지가 UAE 미군기지이고 주업무가 수송지원이므로 동수송단과 관련 사우디와 별도의 지위협정을 체결하거나, 의료지원단 협정을 보완 적용할 대상이 아니라고 봄

-동수송단의 비행임무 수행과 관련, 사우디에의 입출국 문제 및 기타사항 발생시는 동사안별로 협의 처리하면 될것으로봄

(대사 주병국-국장)

예고 : 91. 12. 31. 일반

전 보 필(1991. 6. 30.)

중아국   2차보   국방부

外務部 걸프事態 非常對策 本部

題 目 : 조사단 파견   1991. 2 . 3 .

수 신   국방부 전략 기획부장

관 련 : 군계 - 24413 (91.2.2)

　　위 관련 공문으로 요청하신 건에 대한 관계 현지 공관의 요청이 있으니

(1) 기지결정 경위, (2) 조사단의 현지 방문에 대해 사전에 미측과 합의어부

(3) 동 방문이 현지 공군 기지 당국에 통보 되었는지 여부를 지급 회보

바랍니다.   끝.

외무부 중동아 국장

0036

政府綜合廳舍 810號　　電話 : 730-8283/5, 730-2941. 6. 7. 9, (구내)2331/4, 2337/8　Fax : 730-8286

外務部 걸프事態 非常對策 本部

題 目 : 조사단 파견에 관한 중간 회신   1991.   .   .

통화일시 : 91. 2. 3. 20:40
송 화 자 : 국방부 군사 협력과
           정진호 중령
           (798-7591)

수 화 자 : 박규옥 사무관

(1) 기지 결정 경위

　o 아측의 파견 계획 협조시 주한 미 7공군이 추천

　　- 이 유 : 동 기종이 해당 기지에서 기작전 수행중임.

(2) 조사단의 현지 방문에 대해 사전 미측과 합의 여부

　o 미측에 현지 조사 계획 통보 완료 되었음.

　o 주한 미 7공군 관계관을 통해서 들은바로는 현지 조사단 파견
　　계획에 대해서 미측은 긍정적으로 생각하고 있음.

　o 주한 미 7공군과 주한 미군사 참모장이 UAE 주재 현지부대와
　　협조중인 것으로 사료됨.

(3) 현지 공군기지 당국에 동 방문 통보 여부

　o CENTCOM(중동관할 미최고사령부) 예하 관련 참모 또는
　　부서와 주한 미 7공군간 일차 접촉 했을 것으로 추정됨.

※ (참고)

　- 파악 요청한 사항을 현지 기지관계관이 알고 있을것으로
　　생각 되는바,

　- 내일 (2.4) 출근죽시 미측관계자와 접촉, 확인후 정식 통보
　　하겠음.

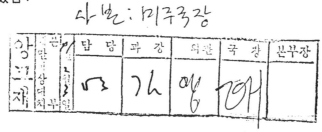

政府綜合廳舍 810號   電話 : 730-8283/5, 730-2941. 6. 7. 9, (구내)2331/4, 2337/8   Fax : 730-8286

0037

인계 사항

1. 조사단 파견 관련, 국방부측 전화 회신 내용

2. 조사단중 신승덕씨가 제외되어 파견인원은 15명에서 14명으로
   줄어듬

   - 대한항공에 예약 **취**소요(김용옥 중령 : 790-3547)

0038

분류번호	보존기간

발 신 전 보

WAE-0100 910204 1859 BX   종별 : 초긴급

번 호 :

수 신 : 주 UAE   대사 . 총영사

발 신 : 장 관 (중근동)

제 목 : 군 수송기 파견

대 : AEW-0087

1. 대호 2항에 대하여 국방부는 아측의 동 계획 수립시 주한 미 7공군이 귀지 미군기지를 추천 하였으며 주한 미 7공군은 동 조사단 UAE 방문에 대하여 CENTCOM에 통보하였기 때문에 귀지 미군 사령관이 통보를 받았을 것이라 함.

2. 귀지 미군기지로 결정된 배경은 동 기종의 미군 수송기가 귀지 기지에서 작전 수행중이며 이 기지가 SCUD-B 미사일 사정권 밖에 위치하고 있기 때문이라 함.

3. 동건에 대한 아국 정부의 미국정부에 대한 정식 통보가 조만간 전달될 것이나 내밀적으로 위 경위와 같이 귀지 미 기지에 사전 통보되었다 하니 현지 협조단의 귀지 방문 협조에 참고 바람.

4. 알아인에 동 조사단 숙소로 싱글 4개, 다불 5개 예약 바람.

5. 동 현지 협조단의 업무협조를 위하여 중동아국 양태규 심의관을 파견함.

6. 비자는 주한 UAE 대사관에 신청 하였으나 본국 지시를 받아 발급하겠다 하니 촉박한점을 감안, 본부에서 지시가 속히 내려질수 있도록 조치 바람. 끝.

(중동아국장   이 해 순)

예 고 : 91.12.31. 일반

검 토 필(19 91 . 6 . 30.)

보 안	
통 제	

앙고재	91년 2월 4일 중근동과	기안자 성명		과 장	국 장 전결		차 관	장 관		외신과통제

관리
번호 A/1236

외 무 부

종   별 : 초긴급

번   호 : AEW-0093   일   시 : 91 0204 1430

수   신 : 장관(중근동,미북,기정)

발   신 : 주 UAE 대사

제   목 : 군수송단 파견

대:WAE-0099

연:AEW-0087,91

　1. 연호, 소직은 2.4. 주재국 AL BADI 참모총장(CHIEF OF STAFF UAE ARMED FORCES)을 방문(오참사관 배석), 아래사항 언급함.

　가. 한국정부는 미국정부와의 협의하에 미공군 수송업무협조 일환으로 C-130 수송기 5대와 비전투요원 150명을 알아인공항에 주둔시키게 되었음을 알리고 한국군 주둔에 따른 주재국의 승인과 동주둔에 따르는 주재국정부의 지원과 협조를 요청하였음

　나. 또한 이들의 주둔을 위한 사전실무 조사단의 방문에 따른 관계당국자와의 면담주선등도 요청하였음

　2. 이에 대해 동참모총장은 아래와 같이 답하였음.

　가. 원칙적으로 한국군이 다국적군을 도와주기 위하여 취한 조치는 환영하나 당지의 외국군 주둔문제, 특히 알아인공항 사용문제는 동공항의 비행기, 인원 수용능력 및 주재국 공군의 작전수행등을 감안해서 결정할 사항이므로 검토후 수일내 알려주겠음

　나. 미군주둔이래 최근 여러국가들로부터 주재국의 공항사용에 대해 요청받은바 있었으나 전술한 공항사정등을 감안, 이태리공군에 대한 사용을 제외하고는 전부 거절한바 있음

　다. 따라서 한국 실무조사단의 당지파견에 따르는 업무협의문제도 원칙적인 주둔문제가 결정된후에야 검토될수 있을것임

　3. 당관의견및 건의사항

　가. 주재국은 동수송단의 주재국파견은 어디까지나 미국의 작전수행을 도와주는데

중아국	장관	차관	1차보	2차보	미주국	청와대	안기부	주미대사

그 일차적 목적이 있으므로 주재국이 직접적인 수혜당사자라고는 생각하지 않고 있으며, 따라서 전적으로 환영하는것만은 아닌것으로 판단됨

나. 따라서 동문제는 미국으로 하여금 주재국정부와도 측면지원 교섭토록함이 좋을 것으로 사료되며, 또한 주한 UAE 대사관을 통해서도 협조를 요청토록 건의함

다. 상술한 사항을 감안, 실무조사단의 당지파견도 규모및 시기등 재검토하기를 재차 건의하오며, 만일 예정대로 당지방문을 할시에는 현시점에서는 알아인 미공군기지 당국자정도와의 업무협의에 그칠것으로 판단됨. 끝.

(대사 박종기-국장)

91.12.31 일반

검 토 필(19 91 . 6 . 30 .)

UAE 대사관
OUI - 911-2
334 211 (26)
338 331
322 55

PAGE 2

0041

군 수송단 사전 협조단

항 공 일 정

2.5 (화)	22:30	KE	서 울	발		8인
6 (수)	02:10	"	방 콕	착		
" "	04:40	"	방 콕	발		
" "	08:20	"	아부다비	착		
2.11 (월)	14:00	GF	아부다비	발		
" "	16:55		카라치	착		
" "	18:45	PIA	카라치	발		
12 (화)	01:10		방 콕	착		
" "	11:40	KE	방 콕	발		
" "	18:20		서 울	착		

0042

외 무 부

종 별 : 지 급

번 호 : AEW-0094   일   시 : 91 0204 1500

수 신 : 장관(조약,미북,중근동,기정)

발 신 : 주 UAE 대사

제 목 : 공군수송단 파견에 따른 지위협정체결

대:WAE-0093

연:AEW-0087

연호, 미국측이 협정체결을 제안할시 준비하였던 하기 협정초안을
미국대사관으로부터 입수하였는바, 업무에 참고바람.

AGREEMENT ON DEPLOYMENT OF FORCES

(1)AT THE REQUEST OF THE GOVERNMENT OF THE UNITED ARAB EMIRATES, THE
GOVERNMENT OF ------- IS DEPLOYING FORCES TO THE SOVEREIGN TERRITORY OF
THEUNITED ARAB EMIRATES IN THE EXERCISE OF THE INHERENT RIGHT OF INDIVIDUAL
AND COLLECTIVE SELF-DEFENSE RECOGNIZED IN ARTICLE 51 OF THE UNITED
NATIONSCHARTER.

(2)THE MISSION OF ------ FORCES IN THE UNITED ARAB EMIRATES IS TO ASSIST IN
DETERRING THE AGGRESSION WHICH THREATENS THE UNITED ARAB EMIRATES AND OTHER
COUNTRIES IN THE REGION, AND IN PRESERVING THE TERRITORIAL INTEGRITY AND
POLITICAL INDEPENDENCE OF THE UNITED ARAB EMIRATES.

(3)----- FORCES ARE ODLIGATED TO RESPECT THE LAWS AND REGULATIONS OF THE
UNITED ARAB EMIRATES, AND SHALL HAVE A DUTY NOT TO INTERFERE IN THE INTERNAL
AFFAIRS OF THE UNITED ARAB EMIRATES.

(4)THE ----- FORCES IN THE UNITED ARAB EMIRATES, WHETHER MILITARY OR
CIVILIAN, SHALL BE ACCORDED THE STATUS OF ADMINISTRATIVE AND TECHNICAL
PERSONNEL OF THE ----- EMBASSY.

(5)----- FORCES SENT TO THE UNITED AR(828)B EMIRATES UNDER THIS AGREEMENT,
WHETHER MILITARY OR CIVILIAN, MAY ENTER THE UNITED ARAB EMIRATES WITH-----

국기국   1차보   2차보   미주국   중아국   안기부

IDENTIFICATION CARDS, AND THEIR ORDERS, PASSPORTS AND VISAS WILL NOT BE REQUIRED.

(6)MILITARY AND CIVILIAN PERSONNEL OF THE ----- FORCES MAY OPERATE VEHICLES OWNED OR LEASED BY THE ----- GOVERNMENT WITH A VALID ----- DRIVING LICENSE AND MILITARY IDENTIFICATION.

(7)MILITARY PERSONNEL OF THE ----- FORCES, AND OTHER PERSONNEL AS AGREED, MAY POSSESS AND CARRY ARMS IF REQUIRED IN THE PERFORMANCE OF THEIR DUTIES.

(8)THE TWO PARTIES MAY ESTABLISH A JOINT CONSULTATIVE COMMITTEE(JCC) TO ENSURE THE SOUND IMPLEMENTATION OF THIS AGREEMENT.

(9)THE GOVERNMENTS OF THE UNITED ARAB EMIRATES AND THE ----- WAIVE ANYAND ALL CLAIMS AGAINST EACH OTHER FOR PROPERTY, OR DEATH OR INJURY TO ANYMEMBER OF THE ARMED FORCES OF EITHER PARTY IN THE CONDUCT OF ACTIVITIES CONTEMPLATED BY THIS AGREEMENT.

(10)THIS AGREEMENT WILL ENTER INTO FORCE UPON THE DATE OF SIGNATURE. IT MAY BE TERMINATED BY EITHER PARTY ON SIX MONTHS NOTICE. 끝.

(대사 박종기-국장)

예고:91.12.31 일반

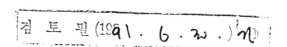
검 토 필(1991. 6. 20.)

	분류번호	보존기간

발 신 전 보

WUS-0456   910205 1425 DP   종별 **긴 급**

WAE-0104   WPA-0095

번 호 :

수 신 : 주   미   대사. 총영사 (사본 : 주UAE대사, 주파키스탄대사)

발 신 : 장   관   (미북, 중근동)

제 목 : 군 수송단 파견

연 : WUS-0354

1. 연호, 아국정부의 군 수송단 파견문제와 관련, 주UAE대사는 2.4.
Al Badi UAE 참모총장을 접촉, 아국의 군 수송단의 UAE 주둔에 대한 UAE 정부의
승인과 주둔에 따른 지원 및 협조를 요청하였음.

2. 이에대해 Al Badi 참모총장은 원칙적으로 아측의 군 수송단 파견
결정은 환영하나 외국군의 UAE 주둔문제, 특히 알아인공항 사용문제는 동 공항의
수용능력 및 UAE 공군의 작전수행 등을 감안해서 결정할 사항이므로 검토후 수일내
UAE의 방침을 아측에 통보하겠다고 하면서 미군주둔 이래 최근 여러 국가들로부터
UAE의 공항사용에 대해 요청받은 바 있었으나 공항사정 등을 감안, 이태리 공군에
대한 사용을 제외하고는 전부 거절한 바 있다고 부언하였음.

3. 상기 UAE측의 반응에 비추어 아국 군 수송단을 조속히 파견, 다국적군에
대한 수송지원을 하기 위해서는 미국 정부가 UAE 정부에 대해 우리의 군 수송단의
주둔을 승인하고 이에따른 지원과 협조를 제공토록 요청하는 등, 미측의 측면 지원이
긴요하다고 판단됨.

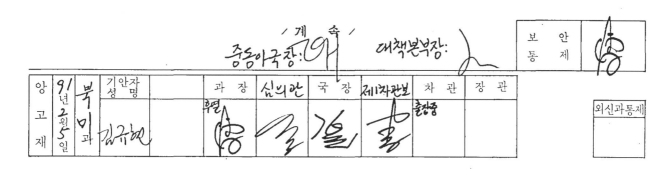

/계 속/

중동아국장: 대책본부장:

보 안 통 제	

앙 고 재	91 년 2 월 5 일	북 미 과	기안자 성명	김규현	과 장	심의관	국 장	제1차관보	차 관	장 관	
								출장중			외신과통제

0045

따라서 귀직은 미 국방부등 관계기관을 접촉, 미측이 사우디 주둔 미군 사령부 등을 통하여 UAE에 대해 아국의 군 수송단 파견을 위한 협조를 제공토록 측면 지원을 해줄 것을 요청 바람.(이와 관련, 이종구 국방장관은 체니 국방장관에게 우리 군 수송단의 UAE 파견 관련 협조를 요청하는 서한을 별도로 발송한 바 있다함.)

4. 한편, 아국 군 수송단의 UAE 파견을 위해서는 재급유를 위한 카라치 기착이 필요한 바, 파키스탄 정부는 우리의 기착 허가요청에 대해 아국의 군 수송기는 지난번 의료지원단 수송시와는 달리 UAE에서의 다국적군 지원을 위한 군사적 임무를 띠고 있어 파키스탄 정부에 정치적으로 곤란한 사태를 초래할 가능성이 있다는 이유를 들어 다소 난색을 표하고 있음.

이와관련 귀관은 미 국무부 등 관계기관을 접촉, 우리의 군 수송단 파견이 유엔 안보리 결의에 따른 조치임에 비추어 파키스탄 정부가 아국 군 수송기의 기착 및 재급유를 허용토록 미측이 측면 지원을 해줄 것을 요청바람. 끝.

(장   관)

예 고 : 91.12.31.일반

일반문서로 재분류(1991.12.기)

검 토 필 (1991.6.30.)

0046

외 무 부

관리번호 A/1274

종 별 : 초긴급

번 호 : AEW-0095

일 시 : 91 0205 1000

수 신 : 장관(중근동,미북,기정)

발 신 : 주 UAE 대사

제 목 : 군수송단 파견(자료응신12호)

연:AEW-0093

1. 연호건, 주재국 AL BADI 참모총장은 금 2.5. 소직에게 전화로 한국군의 주재국 주둔에 대한 주재국 정부의 승인을 통보하여 왔음을 보고함.

2. 따라서 한국군 사전 조사단의 당지 방문시에는 주재국 공군 당국자와의 면담도 주선할 것이라고 함을 첨언함. 끝.

(대사 박종기-국장)

91.12.31 일반

검 토 필 (199 1 . 6 . 30.)

중아국	장관	차관	1차보	2차보	미주국	정문국	안기부

PAGE 1

91.02.05   15:54

외신 2과 통제관 BN

0047

국 방 부

전협 24742-20   (3241)   1991. 2. 5.

수신 외무부장관

참조 중동아프리카 국장

제목 공군수송단 파견 관련 협조요청

1. 관련근거

   가. 연방 24105-9(`91.1.31) 공군수송단 파견 준비 지시

   나. 전구 24111-11(`91.2.1) 한국 공군수송단 파견 추진계획

2. 위 근거에 의거 공군수송단 파견 관련 아랍에미리트연방(UAE)의
   사전 승인을 위한 협조를 요청하오니 조치하여 주시기 바랍니다.

첨부 : 협조요청 요지 1부. 끝.

국 방 부 장 관

0048

협 조 요 청 요 지
----

1. 공군수송단 중동지역 파견 관련 아랍에미리트연방(UAE)의
   사전 승인이 필요함

2. 미국방부는 한국공군의 C-130 공수지원 계획은 환영하나 UAE내
   한국공군의 기지사용은 UAE와 한구정부와의 양해사항인 바
   UAE의 허가가 선행되어야 후속조치를 취할 수 있다는
   미국의 기본입장을 전달해왔음.

3. 공군수송단 편성은 5개의 C-130H와 150명(장교 56, 하사관 8,
   병 86)이며 기본계획은 대령을 단장으로 단본부(25). 비행단(33),
   정비대(67), 지원대(25)로 편성됨.

4. 아 공군수송단은 알란기지에 주둔하면서 미군과 협조,
   후방지원은 미군의 체제를 이용하면서 다국적 군에 필요한
   군수물자 공중수송 임무를 담당할 것임.

5. 귀부는 상기와 같은 아 수송단의 파견계획을 외교경로를 이용
   UAE 정부 당국에 공식 제의하고 조속한 입국 승인 조치를
   취해줄 것을 요청함.

6. 아 수송단 파견예상지역인 AL AYN기지 사령관은 RISHAD 준장
   (UAE 공군)이며 동인은 아 수송단(인원, 장비)의 주둔을
   반대하지 않음.

7. 국방부는 주사우디 국방무관에게는 전문으로 지시, 동 사실을
   미 중앙사에 공식 통보하고, 미 중앙사가 AL AYN 주둔
   미군사령관에게 아 협조단과의 협의를 개시하도록
   지시할 것을 요청할 것임.

0049

참모총장

부 대 편 성(안)

1991.2.4

작 전 참 모 부

0050

1. 단본부

부서 / 직책	특 기	계 급	성 명	현 보 직	비 고
ㅇ 단장실					
단 장	조 종	대 령	이재기	공본/정책처장	F - 5
보좌관	인 행	중 위	김홍진	공본/편제처담당장교	
ㅇ 참모장	조 종	대 령	송원섭	공본/항사 획득2과장	C -130
ㅇ 운영과					
- 과장	관 리	중 령	유신영	공본/경리회계처담당관	
- 인사장교	인 사	소 령	김기일	공본/인참부	
- 정훈장교	정 훈	소 령	박홍부	1비/정훈관실장	
- 인사하사	인 사	상 사	조홍래	5비/인사처	
- 관리하사	관 리	상 사	김효석	73전/관리처	
- 정훈하사	사 진	하 사	이어진	18비/기지전대사진반	사 진
ㅇ 계획과					
- 과장	조 종	중 령	고덕천	작사/연합연습과	아랍어
- 연락장교	조 종	대 위	한고희	5비/258대대	ALCC
- 봉역	방 공	소 령	홍성은	30단/무기배정담당관	영어
- 전발	조 종	중 령	기예호	공본/전발단 무기체계	
- 전발	조 종	소 령	심평기	29전대/전자전교관	
- 기록하사	인 사	하 사	송인준	5비/인사처	

부서 / 직책	특 기	계 급	성 명	현 보 직	비 고
ㅇ 정작과					
- 과장	조 종	중 령	김영혁	공본/작훈처 담당관	C - 123
- 작전계장	조 종	소 령	노진하	공본/작훈처	F - 4
- 정보계장	정 보	소 령	김일태	공본/정참부	
- 봉제장교	조 종	대 위	윤종오	8비/238대대	A - 37
- 봉제장교	조 종	대 위	김웅구	5비/256대대	C - 123
- 기록하사	관 제	중 사	유재선	공본/작훈처	
- 기록하사	관 제	하 사	김영삼	8비/봉신대대	
ㅇ 군수과					
- 과장	보 급	소 령	이한호	5비/보급대대장	
- 담당관	보 급	대 위	윤봉구	군수사/보급관리부	
- 보급하사	보 급	상 사	김경희	군수사/보급관리부	
- 보급하사	보 급	하 사	조성수	5비/보급대대	

0052

2. 비행대

부서 / 직책	특기	계급	성명	현 보 직	비 고
○ 비행대장					
대 장	조 종	중 령	김영곤	5비/ 255대대장	C -130
○ 작전계					
- 작전계장	조 종	소 령	유보형	5비/251대대 편대원	C -130
- 관리담당	관 리	대 위	추상체	공본/ 예산처담당장교	
- 작전하사관	관 제	중 사	김민수	5비/251대대작전하사관	
- 작전병	관 제	상 병	서현식	5비/256대대 기록병	
○ 제 1 편대					
- 편대장	조 종	중 령	신승덕	5비/251대대 비행대장	
- 편대원	조 종	소 령	김찬수	5비/251대대 편대장	
- 편대원	조 종	소 령	고성복	5비/255대대 편대원	
- 편대원	조 종	대 위	김창래	5비/251대대 편대원	
- 편대원	조 종	대 위	조규진	5비/251대대 편대원	
- 편대원	조 종	대 위	서희창	5비/251대대 편대원	
- 편대원	조 종	대 위	이장용	5비/251대대 편대원	
- 편대원	조 종	중 위	집해용	5비/251대대 편대원	
- 편대원	항 법	소 령	한종희	5비/255대대 편대장	
- 편대원	항 법	대 위	원광용	5비/공·운·대대	
- 편대원	항 법	중 위	김기상	5비/공·운·대대	
- 편대원	항 법	중 위	안병규	5비/255대대 편대원	

0053

부서 / 직책	특 기	계 급	성 명	현 보 직	비 고
ㅇ 제2편대					
- 편대장	조 종	소 령	김석총	5비/255대대 편대장	
- 편대원	조 종	소 령	임 호	5비/251대대 편대장	
- 편대원	조 종	대 위	박수철	5비/255대대 편대장	
- 편대원	조 종	대 위	이해원	5비/251대대 편대원	
- 편대원	조 종	대 위	김대중	5비/255대대 편대원	
- 편대원	조 종	대 위	조소연	5비/251대대 편대원	
- 편대원	조 종	중 위	홍석모	5비/255대대 편대원	
- 편대원	항법사	소 령	유헌주	5비/공운대대 편대원	
- 편대원	항법사	소 령	김길수	5비/공운대대 편대원	
- 편대원	항법사	소 위	이동규	5비/공운대대 편대원	
ㅇ 기상/정보중대					
- 중대장	기 상	소 령	김광수	교육사/기상교육대대장	
- 기상하사관	기 상	상 사	정만영	8비/기상대/관측반장	
- 기상하사관	기 상	중 사	이광우	73전대/기상분석하사관	
- 정보 장교	정 보	대 위	전광준	공본/계획보안처	
- 정보하사관	정 보	중 사	권성철	37전대	
- 정보하사관	정 보	하 사	김대호	37전대	

0054

3. 정비대

부서 / 직책	특 기	계 급	성 명	현 보 직	비 고
o 정비 대장	정 비	중 령	김성대	5비/6전대 정비대대장	
o 봉제관실					
- 봉 제	정 비	대 위	이덕수	5비/정비관리실	
- 봉제하사	정 비	상 사	박병진	5비/야대 행정선임	
- 봉제하사	정 비	하 사	임우석	5비/검사증대 검사관	
o 부대정비중대					
- 중대장	정 비	대 위	송무근	5비/251정비대장	
- 기상정비사	정 비	상 사	김작수	5비/기상정비사	
- 기상정비사	정 비	상 사	김상한	5비/기상정비사	
- 기상정비사	정 비	상 사	김영일	5비/기상정비사	
- 기상정비사	정 비	상 사	정구민	5비/기상정비사	
- 기상정비사	정 비	상 사	전봉진	5비/기상정비사	
- 기상정비사	정 비	상 사	최대성	5비/기상정비사	
- 기상정비사	정 비	상 사	장서영	5비/기상정비사	
- 기상정비사	정 비	상 사	배태규	5비/기상정비사	
- 기상정비사	정 비	중 사	한병구	5비/기상정비사	
- 기상정비사	정 비	중 사	김소하	5비/기상정비사	
- 기상정비사	정 비	중 사	이주희	5비/기상정비사	
- 기상정비사	정 비	중 사	고경식	5비/기상정비사	

0055

부서 / 직책	특기	계급	성명	현 보 직	비고
- 기상적재사	정 비	중 사	십기택	5비/기상적재사	
- 기상적재사	정 비	중 사	김진욱	5비/기상적재사	
- 기상적재사	정 비	중 사	이상섭	5비/기상적재사	
- 기상적재사	정 비	하 사	장용원	5비/기상적재사	
- 기상적재사	정 비	상 사	정은우	5비/기상적재사	
- 기상적재사	정 비	상 사	최종천	5비/기상적재사	
- 기상적재사	정 비	상 사	최정식	5비/기상적재사	
- 기상적재사	정 비	중 사	김백환	5비/기상적재사	
- 지상정비사	정 비	준 위	박숭택	5비/지상정비사	
- 지상정비사	정 비	준 위	박윤수	5비/지상정비사	
- 지상정비사	정 비	중 사	윤석희	5비/지상정비사	
- 지상정비사	정 비	하 사	노재명	5비/지상정비사	
- 지상정비사	정 비	하 사	최철식	5비/지상정비사	
- 지상정비사	정 비	하 사	허석훈	5비/지상정비사	
- 지상정비사	정 비	하 사	박음달	5비/지상정비사	
- 지상정비사	정 비	하 사	정대영	5비/지상정비사	
- 지상정비사	정 비	하 사	김민수	5비/지상정비사	
- 지상정비사	정 비	하 사	이정훈	5비/지상정비사	

0056

FEB 09 '91 16:05 5-1-523

부서 / 직책	특기	계급	성명	현 보 직	비고
ㅇ 야대정비중대					
- 중대장	정비	대위	송무근	5비/정비 중대장	겸무
- 정비사	기관	상사	김철수	5비/ 정비사	
- 정비사	기관	상사	이승영	5비/ 정비사	
- 정비사	기관	중사	임경택	5비/ 정비사	
- 정비사	전기	준위	이두진	5비/ 정비사	
- 정비사	전기	상사	홍상덕	5비/ 정비사	
- 정비사	계기	상사	윤한창	5비/ 정비사	
- 정비사	계기	하사	조희섭	5비/ 정비사	
- 정비사	유압	상사	최상미	5비/ 정비사	
- 정비사	유압	상사	고영희	5비/ 정비사	
- 정비사	페라	상사	이종식	5비/ 정비사	
- 정비사	페라	중사	김춘기	5비/ 정비사	
- 정비사	봉신	중사	이상섭	5비/ 정비사	
- 정비사	봉신	중사	김영태	5비/ 정비사	
- 정비사	항전	상사	이수희	5비/ 정비사	
- 정비사	항전	중사	박용	5비/ 정비사	
- 정비사	항전	중사	양유석	5비/ 정비사	
- 정비사	장구	중사	김효연	5비/ 정비사	
- 정비사	장구	하사	엄금욱	5비/ 정비사	
- 정비사	타이어	중사	선규원	5비/ 정비사	
- 정비사	장비	준위	김이후	5비/ 정비사	
- 정비사	산소	상사	황성원	5비/ 정비사	
- 정비사	제작	하사	김문희	5비/ 정비사	

0057

4. 지원대

부서 / 직책	특기	계급	성명	현 보 직	비 고
○ 대장	시설	중령	은영기	3훈비/ 시설대대장	
○ 보급수송반					
- 반장	보급	소령	최종북	공본/장비처 무장화력	
- 보급담당	보급	준위	손수랑	3훈비/자재관리감독관	
- 수송담당	수송	준위	김광률	15비/수송대대 감독관	
- 수송하사관	수송	상사	유성종	17비/수송대대 배치	
- 수송하사관	수송	하사	문창준	교육사/수송대대	
- 보급하사관	보급	하사	이상룡	5비/보급대대	
- 보급대 병	수송	상병	박창우	교육사/수송대대	
○ 봉신반					
- 반장	봉신	소령	최상일	7항보/기지봉신 과장	
- 무선장비	봉신	상사	조판술	7항보/항공봉신 정비	
- 암호운용	봉신	중사	허경	7항보/암호하사관	
- 봉신운영	봉신	하사	차광수	30단/봉신하사관	
- 암호운영	봉신	하사	최민	30단/암호하사관	

0058

부서 / 직책	특기	계급	성명	현 보 직	비 고
o 경비반					
- 반장	헌병	소령	양승주	교육사/헌병교육대장	
- 경비주임	헌병	소위	이정수	5비/타격대소대장	
- 경비반	헌병	상사	전상현	3훈비/수사하사관	
- 경비반조장	헌병	하사	손우영	5비/경비소대반대장	
- 경비반조장	헌병	하사	강건호	5비/군견반반대장	
- 경비병	헌병	병장	배정수	5비/타격대반대원	
- 경비병	헌병	상병	남성욱	5비/타격대반대원	
- 경비병	헌병	상병	구대흥	5비/타격대반대원	
- 경비병	헌병	상병	박기영	5비/타격대반대원	
- 경비병	헌병	일병	최용섭	5비/타격대반대원	
- 경비병	헌병	일병	이운영	5비/타격대반대원	
o 공수처급단					
- 반장	수송	소령	고지영	군수사/70전대	
- 반원	수송	상사	박회용	군수사/70전대	
- 반원	수송	하사	서진원	군수사/70전대	
o 화학지원대					
- 반장	회생방	소령	정명완	17비/회지대장	
- 반원	회생방	상사	최창완	공본/작전지원처	
- 반원	시설	상사	지용관	16비/시설대대	

0059

부서 / 직책	특 기	계 급	성 명	현 보 직	비 고
ㅇ 의무반					
- 반 장	의 무	소 령	임판식	30단/의무대대	내 과
- 반 원	의 무	중 사	조용연	16비/의무전대	

0060

//

① 미측에서는

② <u>UAE 동의 권례하</u> 공군수송기 ~~C-150~~ C-130×5

+150 명 = 알아인 기지 환영

③ 리야드 까지 앉아도 좋겠다.

리야드 무관이 쎈트콤과 협조하면

(주사우대)

출발한다.

⑴ UAE 에 ∅ 공식통보 - 받아주도록

요청 -

③ 사우대 수락

박철언장군

0061

분류번호	보존기간

발 신 전 보

번 호 : WSB-0309   910205 1824 FC   종별 : 긴급

수 신 : 주 사우디   대사. ~~행영사~~ //

발 신 : 장 관 (중근동)

제 목 : 군 수송기 파견

대 : SBW-0381

회명부측이

1. 군수송단 및 운영요원 UAE 파견 관련, 주한 미군 사령관을 접촉한바, 미측에서는 UAE 정부 동의 전제하 아국 공군 수송단의 알아인 기지 주둔을 환영한다 함.

2. 또한, UAE 정부는 2.5. 아국 수송단의 UAE기지 주둔 승인의사를 주 UAE대사에게 구두 통보하여 왔으므로 아국 수송단이 ~~이라크~~ 리야드에 가지 않아도 되게 되었으니, 귀관 무관으로 하여금 CENTCOM과 접촉, 수송단 본대가 UAE 알아인 기지에 주둔, 활동하는데 측면 지원토록 협조요청 바람. 끝.

(중동아국장   이 해 순)

예 고 : 91.12.31. 일반

정 보 필 (1991. 6. 20.) 제

보 안 통 제	72

앙 고 재	91 년 2 월 5 일 공군동	기안자 성명		과 장	심의관	국 장 후결		차 관	장 관	
				72						외신과통제

0062

	분류번호	보존기간

발 신 전 보

번 호 : WSB-0311   910205 2020 CG   종별 : 지급

WUS-0463   WAE-0107

수 신 : 주 사우디   대사. ~~총영사~~ (사본 : 주미대사)
                                                주UAE ~~"~~

발 신 : 장 관 (중근동)

제 목 : 군수송기 파견

연 : WSB-0309

　　　1. 연호 공군수송단은 C-130기 5대, 150명(장교 56, 하사관 8, 병 86)
으로 편성되며, 대령을 단장으로 단본부(25명), 비행대(33명), 정비대(67명)
지원대(25명)로 구성됨.

　　　2. 공군 수송단은 UAE 알 아인 기지에 주둔하면서 미군과 협조, 후방
지원은 미군의 체제를 이용하게 되며 다국적군에 필요한 군수물자 공수 임무를
담당하게 됨을 참고 바람.　끝.

(중동아국장　이 해 순)

예 고 : 1991.12.31. 일반

검 토 필 (1991. 6. 30.)

사본 ― 장관실
미주국장

			보 안 통 제	74

앙고재	91년2월일 중근동과	기안자성명 천○○	과 장	심의관 출장	국 장 전결	차 관	장 관	외신과통제

0063

분류번호	보존기간

발 신 전 보

WAE-0103   910205 1416 AO

번   호 : _____   종별 : 긴급

수   신 : 주   UAE   대사. ~~총영사~~

발   신 : 장   관   (중근동)

제   목 : 군수송기 파견

연 : WAE-0098

~~대 : AEW-0098~~

1. 연호 ~~사전주와~~단중 신승덕 중령어 ~~취소~~(경조)되었으며 ~~참고바라며~~ 확정된(은 제외)
단원명단 및 여권번호 아래와 같~~음~~읍~니 사증받을협고 요청시 참고바람.

계 급	성 명	영문이름	여권번호	발급일자
중동아국심의관	양태규	Tae Kyu Yang	▓	91. 2.2
공군대령	박염기	Park Young Ki	▓	91. 2.2
✓ "	송원섭	Song Won Sup	▓	잔류 89 10.6
✓ 공군소령	임 호	Lim Ho	▓	잔류 90. 11. 13
"	김일태	Kim Il Tae	▓	90 4.10
공군중령	김형호	Kim Hyung Oh	▓	91. 2.2
✓ 공군소령	이한호	Lee Han Ho	▓	잔류 91. 2.2
✓ "	최상일	Choi Sang Il	▓	" 91. 2.2
✓ 공군중령	고덕천	Ko Deog Chun	▓	" 91. 2.2

보안 통제	2

앙 고 재	91 년 2 월 4 일	중 근 동 과	기안자 성명		과 장	심의관	국 장	전결	차 관	장 관		외신과통제	

0064

V 공군중령	김성대	Kim Sung Dae	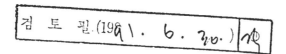	잔류	91. 1. 28
육군 〃	정인호	Jung In Ho			91. 2. 2
〃	오진교	Oh Jin Kyo			91. 2. 2
〃	유재풍	Yoo Jae Pung			91. 2. 2
육군대령	이성우	Lee Sung Woo			90. 8. 20

2. 상기 조사단은 KAL 특별기편 2.6. 08:20(현지시간) 귀지 도착 예정임. 끝.

(중동아국장 이 해 순)

예고 : 91.12.31.일반.

검 토 필.(1991. 6. 30.)

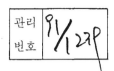

분류번호	보존기간

발 신 전 보

번 호 : WAE-0106　　910205 1825　FC종별 : 긴급

수 신 : 주　UAE　　　대사 · ~~총영사~~

발 신 : 장 관　(중근동)

제 목 : 군수송단 파견

대 : AEW-0093, 0095

연 : WAE-0099

　　1. 대호 관련, 주한 미군 사령관 접촉 결과, 미측에서는 UAE 동의 전제하 아국 공군 수송기 C-130기 5대 및 운영요원 150명의 알아인 미군기지 주둔을 환영한다함.

　　~~2. 따라서 상기 아국 공군 수송단 본대의 미군 알아인 기지 주둔을 위한 귀지 파견 계획을 주재국 정부에 공식 통보하고 이에대한 주재국 정부의 허가를 요청 바람.~~

　　~~3. 연호 내용과 같이 아국 정부의 본건에 대한 정식 통보가 미국 정부에 전달되면 미측의 주재국 정부에 대한 협조가 있을 것임을 참고 바람.~~

　　~~2.~~ 3. 사전 조사단의 입국 사증은 금일 취득하여 예정대로 출발 예정이니 본대의 귀지 주둔 및 활동을 위하여 사전조사단과 협조 바람.

　　　　　　　　　　　　　　(중동아프리카국장　이 해 순)

예 고 : 1991. 12.31. 일반

검 토 필(1991 . 6 . 30.)

		기안자 성명		과 장	심의관	국 장		차 관	장 관		외신과통제
앙 고 재	91 년 2 월 5 일					후결					

보 안 통 제

0066

외 무 부

종 별 : 지 급

번 호 : USW-0619
일 시 : 91 0205 1915

수 신 : 장관(미북,중근동)(사본:국방부장관)

발 신 : 주 미 대사

제 목 : 군수송단 파견

대:WUS-0456

1. 표제 아국 군 수송단의 UAE 주둔 및 카라치 중간 기착문제 관련, 당관은금일 우선 국무부 한국과에 대호 측면 지원 요청을 전달하였는바, 당관 무관보를 통해 미합참 관련부서에도 협조 요청예정임.

2. 한편, 당지 시간 금일 오후 국무부가 접수한 주 UAE 미대사의 보고에 따르면 UAE 측이 아국 군수송단의 자국내 주둔을 허용하였다하는바, 동건 사실여부회보 바람.(대사 박동진-국장)

O.K. yes. 국방대사해외

예고:91.12.31 일반

일반문서로 재분류(19   .12   )

검 토 필 (19 .6.30)

미주국   장관   차관   1차보   2차보   중아국   정와대   안기부   국방부

PAGE 1

91.02.06 10:25

외신 2과 통제관 FE

0067

외 무 부

종 별 : 지 급

번 호 : USW-0624   일 시 : 91 0205 2004

수 신 : 장관(조약,미북,중근동)사본:주UAE대사

발 신 : 주 미 대사

제 목 : 공군 수송단 지위 협정

　　대:WUS-0420

　　연:(1)USW-0223,(2) USW(F)-0170

　　대호관련, 금 2.5 당관 임성남 서기관이 국무부 법률자문관실 SEAN MURPHY
자문관으로부터 탐문한바를 하기 요지 보고함.(이하 동인 언급 사항)

　　1. 미 -UAE 간 교섭 경과

　　가.90.9. 미측이 UAE 주둔 미군지위관련 각서 초안을 UAE 측에 기 전달한바있으나,
UAE 측은 상금 아무런 반응을 보이지 않고 있는 형편임.

　　나. UAE 측이 여사한 태도를 취하고 있는 이유를 구체적으로 알수는 없으나,
걸프사태라는 국제적 위기에 직면해서 UAE 정부가 절차적 성격의 문제에 까지는 큰
관심을 갖지못하기 때문인것으로봄.(주 UAE 미 대사관도 동문제 관련 적극적인 교섭
활동을 벌이지 못하고 있는 것으로 국무부 본부에서는 평가하고 있다함.)

　　다.UAE 외에 미해군이 주로 주둔하고 있는 바레인, 카탈과도 미군
주둔관련지위협정 문제를 교섭해왔는바, 바레인과는 최근 2 월 초순 연호(2)와 동일한
형식으로 각서 교환 방식에 의해 동문제를 타결함.(바레인과 교환한 각서
내용도연호(2)의 각서 내용과 거의 동일한바, 미군의 법적 지위 문제와 청구권 포기
관련 사항을 주 내용으로 하고 있으며, 양국간 합의에 따라 비공개키로 하였음.)

　　2. 미측 제시 각서 초안의 내용

　　미측이 UAE 측에 제시한 각서 초안의 형식과 내용은 연호(2)와 거의 동일한바,
주요 내용은 다음과같음.

　　가. 법적지위

　　대사관의 행정, 기술직원에 상응하는 지위 향유

　　나. 청구권 포기

국기국	장관	차관	1차보	2차보	미주국	중아국	청와대	안기부

PAGE 1

작전 관련 행위로 인해 발생한 정부 차원의 청구권은 상호 포기

다. 지휘권

관련조항없음.(따라서 , UAE 주둔 미군에 대한 지휘 및 작전봉제는 현지 미군사령관의 배타적 관할하에 놓인 것으로 해석됨. 연호 (1) 미-사우디간 지위협정상에는 기보고한바와같이, 원칙론적인 차원에서 사우디 주둔 미군이 미측의 봉제하에 놓인다는점이 명시되어 있으나, 사우디 영토를 벗어나는 북정 군사행동에대해서는 양국간에 협의를 하기로 규정되어 있다 함.)

라. 출입국문제

관련 조항 없음.

3. 기타 참고사항

가. 전기 주요 내용에 나타난 바와같이 미측의 최대 관심 사항은 법적 지위확보와 청구권 포기 문제임.

나. UAE 주둔 미군이 현재 주둔국정부의 출입국 관계법령의 적용으로부터 면제되고 있는것으로 알고 있는바, 미군 주둔의 임시적 성격과 대규모 미군의 이동이라는 현실적 여건등을 감안, UAE 측이 동법적용의 면제에 대해 UNWRITTEN CONSENT 를 부여하고 있는것으로 간주할수 있을 것임.(대사 박동진-국장)

예고:91.12.31 일반

검 토 필 (1991. 6. 30.)

PAGE 2

관리
번호 91/1203

외 무 부

종 별 : 긴 급

번 호 : AEW-0098

일 시 : 91 0206 1100

수 신 : 장관(중근동),사본:국방부장관

발 신 : 주 UAE 대사

제 목 : 군수송단 파견

대:WAE-0106

1. 대호, 사전 조사단 일행(14 명)은 예정대로 당지도착, 당관방문(주재국 상황청취)후 숙소인 알아인으로 향발하였음.

2. 동사절단을 위하여 주재국 AL BADI 참모총장은 의전관및 차량 5 대를 동원, 영접 호송케 하였으며 경호원 2 인을 수행토록 하고 있음을 보고함. 끝.

(대사 박종기-국장)

91.12.31 일반

검 토 필 (1991. 6. 30)

중아국	장관	차관	1차보	2차보	청와대	안기부	국방부

91.02.06   17:12

외신 2과 통제관 BN

0070

| 관리
번호 | 91/1266 |

외 무 부

종 별 : 긴 급

번 호 : AEW-0102

일 시 : 91 0206 1700

수 신 : 장관(대책반,중근동),사본:국방부 장관

발 신 : 주 UAE 대사

제 목 : 사전조사단 연락처

연:AEW-0099

연호, 사전조사단 연락처는 아래와 같음.

-숙소:AL AIN HITON HOTEL

-전화:00971-3-686666

-FAX:00971-3-686888

-양태규 심의관:217 호

-박영기 대령:213 호.끝.

(대사 박종기-국장)

91.12.31 일반

| 검 토 필(198 91.6.20.) |

대책반   국방부

PAGE 1

91.02.06   23:33

외신 2과 통제관 FI

0072

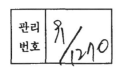

외 무 부

종   별 : 초긴급

번   호 : AEW-0103

일   시 : 91 0206 2240

수   신 : 국방부장관,사본:장관(대책반,중근동)

발   신 : 비마 사전조사단장

제   목 : 비마보고(1)

1. 비마 사전조사단 무사현지도착, 공항에 주재국대사와 UAE 국방성의 안내장교 영접있었음(UAE 국방성은 본조사단의 현지까지 수송을 위해 승용차5 대를 제공하였음).

2. 한국대사관을 방문, 주재국대사로부터 현황청취후 현지로 이동하여 1400-1700 간 알아인 비행기지 방문.

3. 기지방문결과

가. 우선 기지내 미군지휘관(WINGFIELD 공군대령)과 UAE 측 책임자를 만나 방문목적을 설명하고 협조를 요청하였음

나. 아측요청에 대해 미측은 본대의 동기지파견및 사전조사팀 방문에대해 알고는 있으나 공식적인 협조지시는 받지못하였다하여 업무토의는 하지못했음. 그러나 기지견학요청에 대해서는 미측의 적극협조로 담당장교안내와 설명하에 견학을 실시하였음

다. 본조사팀은 우선 숙식문제해결에 최우선 관심을 가지고 확인조사한바 결과는 다음과같음.

0 미군은 사막용으로 특수제작된 텐트시설사용(강력냉방시설, 사막색)

0 동기지는 현대건설이 87 년부터 시공한기지이며 현재 큰공사는 모두끝나고 하자보수를 위해 8 명이 남아있는 상태로서 현대건설이 사용하던 각종숙영시설과 장비들이 그대로 있었음(1,500 명 수용시설이며 6 개월간 비어있어 대폭보수를 요함)

0 본조사단은 이의 본대숙영시설로 이용할것을 검토한바

-현지현대건설소장은 본사의 지시만있으면 군이 요구하는데로 전부제공할수있다는 의견을 표명하였고

-주기장과 1KM 이내로서 업무에 편리하고

국방부   장관   2차보   중아국   정와대   안기부   대책반

-미군과 적절한거리로 이격되어있어 독자적인 지휘통제가 가능하고

-모든시설, 장비를 현지해결가능하므로

-현대건설시설을 인수하면 본대숙영시설이 해결될것으로 판단됨

0 본대도착전 보수가 될수있도록 현대건설에 보수협조및 보수소요예산을 판단토록 요청했음(선보수 후정산)

0 미군으로부터 급식지원관계:미군시설견학결과 미군자체 급식시설도 모든시설이 텐트로 되어있고 매우협소하고 제한되여 현대건설 취사여건보다 열악하므로 자체단독취사가 적합하다고 판단하여 이에대한 방안을검토중임.참고로 현지에서 모든종류의 주부식조달은 가능하며, 대형냉장고를 비롯 모든 취사기구가 갖추어져있으므로 취사병만 3-4 명 있으면 단독취사가 가능하겠음

0 사무비품인수도 가능한것으로 판단되며 인수시 추가비품은 필요없을것으로 판단됨(책상, 의자, 케비넷, 서류함, 복사기, 영문타자기등 수량충분)

0 침대는 현지획득가능으로 판단되며 침구는 휴대함이 좋겠음

0 현대건설이 사용하던 차량중에서 본대소요차량확보가 가능할것으로 판단됨(수리후 사용승용차 3-4 대, 당장사용가능찦 2-3 대, 앰브란스 1 대, 버스 1 대)

4. 명일활동계획

0 단장외 3 명은 오전에 아부다비소재 UAE 참모총장(한국의 합참의장에해당)및 공군사령관을 예방할예정임:파견승인 사의표시및 UAE 측지원 가능분야협의(전기, 식수, 연료, 기지부지사용등)

0 비행기지 재방문 세부사항협의계속

5. 본국조치요망사항

0 미국방성에 현지미군기지에 본조사단과의 협조지시요청

0 현대건설본사에 군이요망하는 현지현대건설 시설, 장비, 비품인게 협조요청

0 시설및차량보수 소요예산 반영(별도파악보고). 끝.

예고:91.12.31 일반 검 토 필 (19 91. 6.30.) 完

외 무 부

원 본

(handwritten notes)

종 별 : 지급

번 호 : USW-0636

일 시 : 91 0206 1712

수 신 : 장관(미북,중근동,아서) (사본:국방부장관,주파키스탄대사)

발 신 : 주 미 대사

제 목 : 군수송단 파견(카라치 중간 기착문제)

연:USW-0619

1. 연호관련, 금 2.6 당관 임성남 2 등서기관이 국무부 한국과 MCMILLION 부과장으로 부터 파악한바를 하기 요지 보고함.

가. 금일 국무부에 접수된 주 파키스탄 미국대사의 보고에 따르면, 동대사의 표제관련 요청에 대해 파키스탄 외무성의 SHAHARYAR KAHN 외무차관(FOREIGN SECRETARY)은 SYMPATHETIC 한 반응을 보였다하며, 이문제와 관련 옳바른 결정을 내리도록 하겠다고 (WILL WORK ON THE CORRECT DECISION)언급하였다함.

나. 전기 주 파키스탄 미국대사의 외무차관 접촉은 국무부 본부의 명시적인훈령하에 이루어진것은 아닌바, 표제건 관련 주한 미대사의 측면 지원건의가 주파키스탄 대사관에도 자동 통보됨으로써 주파키스탄 대사가 여사한 조치를 취한것으로 보임.

다. 국무부로서는 당관의 연호 요청에 따라 주파키스탄 대사에게 측면 지원 훈령을 하달코자 하였으나, 미합참에서 아군 수송기 운항 지원문제등에 관한 한미군 당국간 협의가 완료되지 않은 점을 이유로 동훈령의 시행 보류를 희망했다함.

라. 한편, 본부 훈령 부재하에, 주파키스탄 미국대사는 전기 가 항 접촉 말미, 표제건 관련 미측이 더 이상의 중개인 역할을 하지는 않겠다고 언급하고 한-파 양국간 직접 대화에 의해 이문제가 해결되기를 바란다는 희망을 표시하였다 함.

마. 주파키스탄 미국대사가 이처럼 소극적인 자세를 보인 이유는, 파키스탄내의 반미 감정등을 고려할때 표제 문제에 미측이 적극 개입하는것이 오히려 부정적 효과를 가져올수도 있을 것으로 판단했기 때문이라 함.

2. 한편, 파키스탄내의 반미 감정등을 감안, 미측으로서는 걸프 사태 발발 이후 파키스탄을 군 수송기등의 중간 기착지로 이용하지 않고 있으며, 오히려 인도의

미주국	장관	차관	1차보	2차보	아주국	중아국	청와대	안기부

MADRAS 와 AGRA 를 중간기착지로 이용하고 있다 함. 다만 인도 역시 전기 2 개 도시를 미군 수송기의 중간 기착지로 완전 개방해 놓고 있는것은 아니며, CASE-BY-CASE 로 중간기착 필요시마다 인도 정부의 착륙 허가를 받고 있다 함.

또한 파키스탄은 걸프 사태 관련, 자국 지상군을 다국적군의 일부로 사우디에 파견하면서도, 사우디측이 동지상군의 수송을 위해 군용기가 아닌 민간 항공기를 보내줄것을 요청하는등 자국내 외국 군대의 PRESENCE 에 대해 다소 과민 반응을 보이고 있다함.

3. MCMILLION 부과장은, 사견임을 전제로, 한국군 수송기가 전부작전에 직접 참여하는것은 아니므로 이점을 내세워서 파키스탄을 계속 설득해 보되, 여의치 않은 경우는 미국과 같이 인접국인 인도를 중간 기착지로 이용하는 방안도 우선 기술적인 차원에서 검토하는것이 좋을것으로 보인다는 의견을 표시함.

(대사 박동진-국장)

예고:91.12.31 일반

일반문서로 재분류(19(.(2.5).5)

검 토 필 (19(1.6.기

분류기호 문서번호	조약20401- 48 (	협 조 문 용 지 ( )	결 재	담 당	과 장	심의관
시행일자	1991 · 2 · 7 ·					
수 신	중동아프리카국장	발 신 국제기구조약국장 ~~(서명)~~				
제 목	공군수송단파견에 따른 지위협정체결건					

표제건과 관련하여, 국방부측이 2·7 당국에 송부하여온

아측 협정시안을 별첨 송부합니다·

첨부: 협정시안 1부 (지위협정및 합의각서)

0077

1505 − 8 일 (1)
85. 9. 9 승인 "내가아낀 종이 한장 늘어나는 나라살림"

190mm×268mm (인쇄용지 2 급 60g / ㎡)
가 40-41 1990. 7. 9.

국   방   부

법송 01600-249   (793-9088)   1991. 2. 7.

수신   외무부장관

참조   국제기구조약국장(조약과)

제목   공군수송단 파견 관련 지위협정등 초안 송부

        1. '91.2.1. 공군수송단 파견 국무회의 의결

        2. 위와 관련하여 우리 부가 작성한 아랍에미레이트와의 주둔군

지위협정 및 사우디아라비아와의 합의각서 초안을 송부하오니 업무에 참고

참고하시기 바랍니다.

        3. 우리 부로서는 공군수송단 파견과 관련한 지위협정 체결등이

본대 출발전까지 일정계획에 따라 조치가 이루어지기룰 희망합니다.

첨부 :   (1) UAE 와의 주둔군지위협정(안) 1부.

        (2) 사우디아라비아와의 합의각서(안) 1부. 끝.

        국   방   부   장

0078

아랍에미레이트 연방 영역내에서의 한국공군 수송단의 활동에 관한 한국정부와 아랍에미레이트 연방 정부간의 협정

아랍에미레이트 연방(이하 'U.A.E.'이라 한다)정부와 한국정부(이하 '당사국'이라 한다)는 걸프지역의 안보를 위협하는 현재의 불확실한 상황으로 말미암아 그 지역 평화의 중대한 침해와 유엔 안전보장이사회의 결의를 인식하고 양국간의 긴밀하고 오랜 유대에 의하여 아래와 같이 협정을 체결한다.

제1조
한국정부는 걸프지역의 평화와 안보회복을 위한 국제적인 노력을 지원하기 위하여 U.A.E.에 한국공군수송단(이하 '수송단'이라 한다)을 파견하고, U.A.E.정부는 수송단 의 U.A.E.영역내의 주둔에 동의한다.

제2조
수송단의 임무는 공군수송기 및 그 운영요원의 형태로 미군 및 다국적군에 대하여 수송지원을 제공함에 있다.

제3조
수송단에 의하여 임무수행목적으로 운영되는 수송기는 U.A.E.의 관련기관에 적절한 통보를 함으로써 U.A.E.의 어떠한 공항에도 이·착륙할 수 있고, U.A.E.영공을 비행 할 수 있다.

제4조
일방당사국이 더이상 수송단의 U.A.E.주둔이 더이상 필요하지 아니하다고 판단한 경우 미국을 포함한 관련당사국간의 협의를 거쳐 수송단을 U.A.E.에서 철수할 수 있다.
다만, 일방당사국은 긴급한 경우를 제외하고는 타방당사국에 적절한 기간의 사전통보를 한 후 수송단을 철수시킬 권리를 보유한다.

/

0079

제5조

수송단에 대한 지휘권은 한국정부에 의하여 임명된 수송단장에게 있다.
(수송단장은 그 지휘권을 행사함에 있어서 미공군 ○○○지지 사령관의 전략지침을
존중한다.)

제6조

수송단은 U.A.E.의 법률 및 규정,관습과 전통을 존중하며 U.A.E.의 내정을 간섭하지
아니할 의무가 있다.

제7조

1. U.A.E.에 파견된, 한국정부의 고용민간인을 포함한 수송단 구성원들은 1961년 외교
   관계에 관한 비엔나협정에 의거하여 외교사절단의 행정 및 기능직원들이 향유하고
   있는 특권과 면제를 향유한다.

2. 수송단장은 1961년 외교관계에 관한 비엔나협정에 의거하여 외교사절단의 외교관들
   이 향유하고 있는 특권과 면제를 향유한다.

제8조

한국정부의 고용민간인을 포함한 수송단 구성원은 U.A.E.에의 출입국시 U.A.E.당국이
구성원들의 신분을 확인할 수 있는, 한국정부가 발행한 신분증과 개인적 또는 집단적
여행증명서를 소지하는 경우 U.A.E.의 여권 및 사증에 관한 법률이나 규정의 적용을
받지 아니한다.

제8조

U.A.E.에 파견된, 한국정부의 고용민간인을 포함한 수송단 구성원들은 U.A.E. 내에서의
임무수행에 필요한 모든 장비 및 물자를 U.A.E.정부의 사전허가 없이 수입할 권리를
가진다. 수송단 구성원들은 모든 관세,조세로부터 면제받으며 그 장비 및 물자들은
압수당하지 아니하고 징발당하지 아니한다.
면세권은 모든 구성원의 개인적인 사용과 소비에 필요한 개인적인 소지품 및 물자에도
적용된다. 이 협정에 의하여 관세 및 조세가 면제되어 수입된 모든 물품은, 관세 및
조세가 면제되는 사람들이외의 U.A.E.내에서 다른 사람에게 매도되면 과세되고 관세의
적용을 받는다.

ユ

0080

제10조

일방당사국은 (1)타방당사국의 군구성원이나 고용인의 공무수행 중 발생한 일방당사국의 재산에 대한 손해나,(2)일방당사국의 군구성원이나 고용인이 공무수행중 당한 부상이나 사망에 대하여 타방당사국에게 보상을 청구하지 아니한다. 각 당사국은 타방당사국의 군구성원이나 고용인들의 공무수행중 작위 또는 부작위로 인하여 발생되는 자국민의 모든 청구를 해결할 책임을 진다.

제11조

이 협정의 시행을 보장하기 위하여 각 당사국은 공동협의위원회를 설치한다.

제12조

U.A.E.정부는 한국정부의 요청에 따라 수송단의 임무를 수행하는데 필요한 모든 장비,물자 및 용역을 제공한다. 한국정부는 수송단의 임무수행과 관련하여 U.A.E.정부가 제공한 장비,물자 및 용역과 관련된 비용을 부담한다. 위 비용에 대한 대금지불과 관련된 구체적인 사항은 양당사국의 소관부서에 의하여 체결되는 별개의 협정에 의하여 정하여진다.

제13조

1. 한국정부는 미공군이 사용하고 있는 ○○○공군기지내에서,미공군에게 공여된 것과 동일한 수준 및 조건으로 수송단의 임무수행에 필요한 시설과 구역을 U.A.E.로부터 공여받는다.

2. 한국이 사용하는 시설과 구역은 본 협정의 목적을 위하여 더이상 필요가 없게 된 때에는 본 협정 제11조에 규정된 공동협의위원회를 통하여 합의된 조건에 따라 U.A.E.에 반환된다.

3. 한국은 이 시설과 구역안에서 그 운영,경계 및 관리에 필요한 모든 합리적인 조치를 취할 수 있다.

4. 한국정부는 한국에 공여되어 사용되는 시설과 구역의 유지 및 관리에 필요한 경비를 부담한다.

제14조

U.A.E.는 그 영토내에서 수송단 구성원의 적절한 안전 및 보호를 보장하는데 필요한 적절한 조치를 취하여야 한다.

0081

제15조

본 협정에 따라 수송단의 활동에 관한 구체적인 사항 및 절차를 규정하는 실무약정을 양당사국의 소관부서간에 체결한다.

제16조

본 협정의 해석 및 적용에 관한 양당사국간의 모든 분쟁은 외교경로를 통하여 해결한다.

제17조

본 협정은 각 당사국의 국내법 절차와 합치되는 승인을 받고, 그 승인을 확인하는 각서를 교환하는 날로부터 그 효력이 발생한다.

위 내용을 증명하기 위하여, 각 당사국 정부로부터 적법한 권한을 위임받은 서명권자가 본 협정을 서명한다.

위 협정은 1991년 1월 ＿＿＿일에 영어를 원본으로 하여 2통을 작성한다. 본 협정의 한국어와 아랍어로 된 공식적 번역문을 외교경로를 통하여 교환한다.

대한민국정부를 대표하여   U.A.E.정부를 대표하여

＿＿＿＿＿＿＿＿＿＿＿＿＿＿   ＿＿＿＿＿＿＿＿＿＿＿＿＿＿
주U.A.E.한국대사   U.A.E.외무부장관

4

0082

AGREEMENT BETWEEN THE GOVERNMENT OF THE UNITED ARAB EMIRATES AND THE GOVERNMENT OF THE REPUBLIC OF KOREA ON THE ACTIVITIES OF THE KOREAN AIR FORCE TRANSPORT SUPPORT TEAM IN THE TERRITORY OF THE UNITED ARAB EMIRATES

The government of the United Arab Emirates(UAE) and the government of the Republic of Korea, hereinafter referred to as "the contracting parties";

pursuant to close and longstanding ties and as a result of the present unsettled conditions in the Gulf area; and

In recognition of the grave breach of peace of the Gulf area and of the United Nations Security Council Resolutions;

have reached the following agreement:

Article I

The government of the Republic of Korea will send a Korean Air Force transport support team (hereinafter referred to as "the transport support team") to the UAE to support the international efforts for the restoration of peace and security in the Gulf area and the government of UAE consents to the stationing of the transport support team in its territory.

Article II

The mission of the transport support team in the UAE is to provide support in the form of military transport planes and operation personnel for the assistance of the United States and multinational forces in the Gulf area.

Article III

Upon proper notification to the appropriate authorities of the UAE, any aircraft operated by the transport support team shall be accorded access to the territorial air space and to any airports of the UAE.

0083

Article IV

Where a contracting party concludes that the presence of the transport support team in the UAE is no longer necessary, the transport support team may be withdrawn from the UAE after consultation between the contracting parties and the United States.　Notwithstanding the foregoing, each party reserves the right to have the transport support team withdrawn after providing reasonable advance notice to the other party, which notice may be dispensed with in cases of emergency.

Article V

The command authority with respect to the members of the transport support team will rest with the head of the transport support team as appointed by the government of the Republic of Korea. (필요한 작전 지휘 내용 삽입)

Article VI

The transport support team will respect the laws and regulations, customs and traditions of the UAE and will have a duty not to interfere in the internal affairs of the UAE.

Article VII

1. The members of the transport support team , including civilians employed by the government of the Republic of Korea and sent to the UAE, will enjoy the same privileges and immunities in the UAE as are enjoyed by the members of the administrative and technical staff of a diplomatic mission under the 1961 Vienna Convention On Diplomatic Relations.
2. The head of the transport support team will enjoy the same privileges and immunities in the UAE as are enjoyed by the members of the diplomatic staff of a diplomatic mission under the 1961 Vienna Convention On Diplomatic Relations.

Article VIII

6

0084

The members of the transport support team, including civilians employed by the government of the Republic of Korea, will be exempt from passport and visa laws and regulations of the UAE, provided that they are in possession of personal identity cards and individual or collective travel orders issued by the government of the Republic of Korea so that their status may be verified by the appropriate authorities of the UAE upon their entry or departure from the UAE.

Article IX

The members of the transport support team, including civilians sent by the government of the Republic of Korea to the UAE, have the right to import to the UAE, without any prior permission from the government of UAE, all equipment and materials which the transport support team needs to carry out its mission in the UAE. These equipments and materials, including all personal belongings and materials necessary for personal use and consumption by the members of the transport support team, will be exempted from all customs and taxes and will not be confiscated or seized by the UAE authorities. All belongings whatsoever which are imported without customs and exempted from taxes and customs according to this agreement will be subject to taxes and customs if sold in the UAE to any persons, aprat from those who are exempted from paying taxes and customs.

Article X

A contracting party will not assert any claims against the other contracting party for compensation for (A) damage to property owned by it if such damage was caused by the armed forces personnel or employed personnel of the other contracting party in the performance of their official duties, or (B) injuries to or death of its armed forces personnel or employed personnel while such personnel were engaged in the performance of their official duties. Each contracting party will be responsible for settling all claims asserted by its own citizens and arising out of acts or ommissions of the armed forces per-

7   0085

sonnel or employed personnel of the other contracting party during the perfor-
mance of their official duties.

Article XI

The contracting parties will establish a Joint Consultative Committee to ensure
the implementation of this agreement.

Article XII

The government of the UAE will provide, upon request by the transport support
team, all equipment, materials and services necessary to carry out the mission
of the transport support team in the UAE. The government of the Republic of
Korea will bear all costs relating to the activities of the transport support
team. The details of payment for all the above costs will be settled in a
separate agreement to be concluded by the competent authorities of the con-
tracting parties.

Article XIII

(1) For the carrying out by the transport support team of its mission, the Re-
public of Korea is granted the use of facilities and areas in the U.S. Air
Force base in the UAE under the same conditions as the U.S. Air Force is
granted the use of facilities and areas in the UAE.

(2) The facilities and areas used by the Republic of Korea will be returned to
the UAE under such conditions as may be agreed through the Joint Consultative
Committee of this agreement whenever they are no longer needed for the purposes
of this agreement.

(3) The Republic of Korea may take all reasonable measures within the facili-
ties and areas which are necessary for their operation, defense or control.

(4) The Republic of Korea will bear all necessary costs relating to the main-
tenance and management of the facilities and areas provided to and used by the
Republic of Korea.

0086

Article XIV

The government of the UAE will take such measures as are necessary to ensure the adequate security and protection of the personnel of the transport support team within its territory.

Article XV

An implementing arrangement setting forth the details and procedures of operation of the transport support team under this agreement will be concluded between the competent authorities of the contracting parties.

Article XVI

All disputes that may arise between the contracting parties in connection with the interpretation and application of this agreement will be settled through diplomatic channels.

Article XVII

This agreement is subject to approval in accordance with the internal legal procedures of each contracting party and will enter into force from the date of exchange of notes confirming such approval.

In witness whereof, the undersigned, duly authorized thereto by their respective governments, have signed this agreement.

Done in duplicate on February ( ), 1991, corresponding to ( ) in the English language, which will be the authoritative language. An official translation of this agreement into Korean and Arabic will be exchanged through the diplomatic channels.

For the government of the
Republic of Korea

For the government of the
UAE

_____
(title)

_____
(title)

9

0087

국방의 총비부장관보
91. 2. 7.

한 / UAE 주둔군지위협정에 대한 의견

▲ 한국공군 수송지원단의 UAE 주둔과 관련
하여 한 / 사 간의 한국의료지원단
주둔협정과 같이 외무부에서 기본안을
준비 조약체결 절차를 밟으리라고
믿습니다만,
저희 국방부에서는 기존의 한 / 사
주둔군 지위협정에 준하는 지위협정이
한 / UAE 간 체결 되기를 희망하고
있습니다.

▲ 그에 따라 국방부에서는 위 주둔군
지위협정안을 작성하여 외무부에 송부하였
는바, 당부의 검토 내용이 외무부의 기본안
에 구체적으로 반영될 수 있도록 조치하여
주시기 바랍니다.

0088

한국공군수송단의 주둔군지위협정에 대한 의견

▲ 주둔군지위협정은 접수국과 파견국간
주둔군의 지위에 관한 조약으로 접수국의
형사재판관할권 문제나 청구권 관련 문제가
발생할 때 그 해결의 준거를 막연한 국제
관행에 의존하는 것은 불필요하게 문제를
확대하거나 우리 요원의 신분상 지위를
불안하게 할 염려가 있습니다.

▲ 비록 미국이 UAE와의 관계에 있어서 주둔군
지위를 HANDSHAKE AGREEMENT로 문서화 하지
아니하였다 해서 우리도 막연한 상대방의
호의를 기대하여 이에 의존한다는 것은 문제
가 있다고 봅니다.

0089

▲ 따라서 현지조사 / 협상팀의 보고를 토대로
주둔군지위협정을 UAE와 체결할 것인가
여부를 판단하되, 가급적이면 불필요한
분쟁을 피하고 우리요원의 신분상 지위를
보장하기 위하여 또 서로간의 편의를
위하여 외교적인 노력을 경주하여 UAE와
주둔군지위협정을 맺도록 설득하는 것이
필요하다고 생각합니다.

0090

국 방 부

795-0217

문 제 24411- 7/

수 신 덕무부비상대책반장

참 조 김동억 서기관

제 목 UAE 대사관에 전문 발송 의뢰

91. 2.

1. 첨부와 같이 UAE 대사관에 전문 발송을 의뢰 하오니 한국 공군수송단
현지 조사단 요원에게 첨부 전문을 배부하여 대사관측과 공동으로 파악토록
조치 바랍니다.

첨부 : 전문 내용 1부. 끝.

국 방 부 장 관

0091

525-P780

문건 24011-

제목 현대건설 현지 시설 사용에 대한 자유 보고

1. 앞아인 현지 현대건설 시설 사용에 관한 검토 사항을 다음과 같이
연급 보고하기 바랍니다.

　가. 검토 내용

　　1) 대지 사용허가는 UAE정부 승인 사항으로 현지 대사관과
　　　협조하여 승인 획득 (공공사업성(PWD)와 협의)
　　2) 사용해야할 사무실, 내무반, 식당 등 건물 소요 판단
　　3) 취사시설(취사도구, 등), 오락기구(T.V등), 비품
　　　(침상, 의자 등) 사용 소요량 판단
　　4) 전기, 수도시설 연결에 따른 현지 승인 여부 및 공사방
　　　판단과 공사에 대한 UAE정부나 미군측의 지원 여부
　　　확인 보고
　　5) 현지식당(예 : 아리랑식당)의 용역계약 이용 여부
　　6) 현지 식료품 공급원 확인 및 가격실태 조사
　　7) 미측의 급식 재료 지원 가능 여부

2. 임대료 및 용역계약은 현대 본사와 국방부간 체결 예정임. 끝.

0092

발 신 전 보

WAE-0111   910207 2206 DQ   종별 : 지급

번   호 :

수   신 : 주   아랍에미레이트사. 총영사 // (사본 : 현지조사단장)

발   신 : 장 관 (중근동)

제   목 : 현대 건설 현지시설 사용

1. 국방부측의 요청이 있으니 표제관련 하기 사항 파악 보고 바람.

    1) 대지사용 허가는 UAE 정부 승인 사항으로 현지 대사관이 협조
       하여 승인 획득 (공공사업성과 협의)

    2) 사용해야할 사무실, 내무반, 식당등 건물 소요 판단

    3) 취사 시설(취사도구등), 오락기구(TV등), 비품(책상, 의자등)
       사용 소요량 판단

    4) 전기, 수도시설 연결에 따른 현지 승인 여부 및 공사량 판단과
       공사에 대한 UAE 정부나 미군측의 지원여부 확인 보고

    5) 현지 식당(예:아리랑 식당)의 용역 계약 이용 여부

    6) 현지 식료품 공급원 확인 및 가격 실태 조사

    7) 미측의 급식 재료 지원 가능 여부

2. 임대료 및 용역계약은 현대본사와 국방부간 체결 예정임.

(중동아국장 이 해 순)

예   고 : 90.6.30.일반에 예고
         의거 일반문서로 대체

보안통제	2h

양고재	기안자 성명		과 장	국 장	차 관	장 관
91년2월7일				후결		

외신과통제

0093

외   무   부

종   별 : 초긴급

번   호 : AEW-0106   일   시 : 91 0208 0130

수   신 : 국방부장관, 사본:장관(중근동)

발   신 : 주 UAE 사전조사 단장

제   목 : 비마보고(2)

　　1. 조사단장외 5 명(양심의관, 오참사관포함)은 오전에 UAE 참모총장(육군소장 AL BADI)과 공군사령관(공군준장 AL RAYMAY)을 예방하고 오후에 UAE 담당참모 (공군작전훈련부장 중령 ABRAHIM)와 UAE 관련사항을 협의

　　0 군사 실무 약정서관련

　　-한국수송단의 현대건설시설부지 사용동의(UAE 공공사업부와 협의)

　　-급수, 전기, 연료를 미군수준으로 제공(연료는 UAE 석유회사 ADNOC 을 통해공급)

　　-항공기연료는 우리항공기가 기착하는 UAE 내의 모든 미군기지에서공급

　　-영외운전면허: 30 명정도 UAE 면허없이 운전가능토록조치

　　-기지경계: 기지 외곽경비는 UAE 군이 담당

　　-미군과 마찬가지로 한국군 비자 필요없음

　　-기타 필요사항은 한국수송단장과 UAE 작전훈련부장이 협의처리

　　0 본약정서 체결계획

　　-2.9. 아측초안 UAE 전달및 본국보고후 양측검토

　　-양국당국승인되는대로 가능한 조기체결합의

　　-서명은 한국대사와 UAE 참모총장이 실시

　　0 참고사항

　　-UAE 참모총장은 수회 한국을 방문하였으며 대단히 호의적이 었고 한국군 파견을 환영하였음. 방문시 상호선물교환

　　-지위협정문제도 거론하였으며 내용은 별도보고

　　2. 기타요원은 비행기지를 재방문하여 미군기지 사령관및 관계참모와 한국공군수송단 파견에 따른 세부사항을 협의한바, 미측은 상부로 부터 협의지시를 전화로 받았음을 얘기하며 작일은미측의 소극적인 반응으로 충분한 확인및

국방부　　　　장관　　　　차관　　　　1차보　　　　2차보　　　　중아국　　　　청와대　　　　안기부

91.02.08　　07:56

외신 2과　통제관　BT

0094

협의가불가능 하였으나 금일은 다음과같이 한국군 수용을 위해 대단히 적극적으로나왔음

    0 미측은 미군수준의 숙영및 제반시설을 전량지원 하겠음. 텐트의 현재고는없으나 후속보급품 도착예정일이 22-23 일이므로 도착을 단축하도록 최대 노력중임.만일 본대 도착전까지 미확보시 2-3 일정도 미군 격납고 시설 이용을 제안함

    0 기타급식, 연료, 차량, 용수, 전기, 세탁, 목욕, 침구류, PX, 우편등 제반시설, 장비, 편의시설에 대해 한측 요구대로 전량지원이 가능하다고함

    0 세부적인 지원사항은 문서지시수령후 협의하여확정

    0 상기제안과 관련고려할사항

    0 미군기지사령관은 현재 현금 지불 행위없이 급식, 연료, 차량, 급수, 전기등을 전량 UAE 로부터 지원받고 있으나, 이는 무상지원은 아닌것으로 판단되며다국적군의 전비로 부담되거나 개별 참전국이 부담하든가 하는것이 추후에 참전국간의 협의로 정해질 것이라 하였음

    0 현대건설시설은 비행기지 경계선 밖에 위치 하여 자체경계 (시설포함) 소요가 있으며 미군및 UAE 지원을 이용할수없고 시설보수 경비부담이 있음

    0 따라서 현 조사단은 미군지원 이용방안과 현대건설 시설 이용 방안을 비교검토 해본 결과 미군텐트및 급식지원을 받는것이 기지경비, 예산절감, 편의시설이용등 제반면에서 유리 하다고 판단되나 본국의 조속한 회신을바람

    0 참고사항: 현대숙영지 보수비용(2 억 4 천만원), 쏘나타 750 만(신차), 픽업 280 만(수리및양도), 미니버스 500 만(")

    픽업미니버스: 닛산 '86 형

    3. 기타확인, 협의사항

    0 봉신분야

    -알아인-비행기지: 무선망, 비행기지내: 유무선

    -국제전용회선(TELEX, VOICE), 알아인 시내전화, 미군전화 청약완료 (현대건설주소이용,2.10. 경 개봉예정)

    -전기는 220V,50HZ 임.미군은주로 발전기사용

    0 정비분야

    -BOMB JACK1 개, TOW BAR1 개 휴대요

    -항공기 세척 고려요 (미군 45 일마다 민간용역이용실시, 대당 3,000 불)

PAGE 2

0095

4. 건의사항

당지 대사관에 공군 중령급(무관) 파견 검토 요망 (UAE 국방성, 미군및 다국적군과협조, 수송단업무지원)

첨부(비행정보)

OAL AIN INT'L AIRPORT 비행정보사항

REFERENCE POINT:24 도 15'60"N 55 도 36'00"E

ELEV'890'

ICAO DESIGNATOR:OMAL

TIME VARIATION:GMT4HOURS

통신:AL AIN TWR 131.0 245.0

ABU DHABI APP' 124.4 290.8(FLIGHT INFORMATION REGION)

MUSCAT 123.95 336.1

MUSCAT NORTH 124.55 355.0

AL DHAFRA 118.3 289.9

W.O.C 141.2 313.0

U.A.E FIRE DEPT. 121.975

R/W 01-19(13120'X150')

장주:CONVENTIONAL 1900'(R/W01:LEFT TURNS.R/W19:RIGHT TURNS)

LIGHTINGR/W END IDENTIFIER.R/W EDGE LT'.VASI R/W01(3 도 SLOPE)

MSA:5900'(FROM020SE TO160),2500'(FROM160NW TO020)

ESA:11800'

NAV'AIDS:TACAN CH90(N24 도 15'44" E55 도 36'39")ALN( ) VHF114.3

NDB 397MHZ. AN(N29 도 15'44" E55 도 36'39")

100NM 이내공항:AL OHAFRA(OMAM) 268 도/58NM

BATEEN(OMAD) 278 도/64NM

ABU DHABI(OMAA) 280 도/53NM

AL MINHAD(OMDM) 343 도/47NM

DUBAI(OMDB) 346 도/60NM

SHARJAH(OMSJ) 355 도/64NM

KHAIMAH(OMRK) 012 도/82NM

PAGE 3

0096

FUJAIRAH(OMRK) 037 도/64NM

OTACAN R/W19(FLIGHT CHECKED AND CERTIFIED)

IAF:MATED(ALN R-010 도/13NM.5000FT) 13NM-18NM

HOLDING PTN.(010 도/18NM-190 도/12NM)

FAF:GNM/2800FT

INTERMIDIATE:4NM/2100FT

MAP:1.5NM/1240FT(400-1)

HAT:350FT

CIR:1400-1(600-1)

HAA:501FT

MISSED APP':CLIMBING RIGHT TURN TO 5000'DIRECT TO MATED IAF AND HOLD

URCLING EAST OF R/W 01-19 PROHIBITED

MAG/GRID VARIATION:1.5 도 E

CAUTION:OMR51 CONTACT DUBAI APP'124.9 PRIOR TO USE.

접근 CHART 는 비마계획'3'으로 FAX 송신할것임.끝.

91.12.31 일반

검 토 필 (1991. 6. 7ㅇ) 위

외 무 부

종   별 : 지 급

번   호 : AEW-0108   일   시 : 91 0208 2240

수   신 : 장관(조약,중근동),사본:국방부장관

발   신 : 주 UAE 대사

제   목 : 군수송단파견

연:AEW-0106

1. 조사단은 연호 2.7. 주재국 참모총장과 공군사령관 접촉시 UAE 영역내에서의 한국군활동에 관한 협정과관련, UAE 외무부가 동협정문제는 외무부와 무관하며 필요경우 자국군당국과 직접접촉을 권유하였음을 설명하고 한국군대의 UAE 주둔에따른 이들의 지위에 관한 약식협정 이라도 필요할 것임을 강조하였음

2. 이에 주재국군 당국은 미국과도 미군 주둔에 따른 지위협정이 없지만 아측에서 필요하다면 간단한 서한형식으로 안을만들어 제시하면 외무부등 자국의 책임부서와 일차협의는 해보겠다고 하였으나 극히 미온적인 반응을보였음

3. 따라서 별첨내용의 서한(주 UAE 대사명의 외무부장관앞)을 추후 양측정부의 수정협의를 조건으로 2.9. 주재국 군당국 재접촉시 잠정안으로 제시하여 이에대한 주재국 책임부서의 입장을 일차 타진코자함. 이와관련 별도 사항 있으면 긴급 지시 바람.

I HAVE THE HONOR TO REFER TO DISCUSSIONS BETWEEN THE MILITARY AUTHORITIES OF OUR TWO GOVERNMENTS ON 7TH FEBRUARY 1991 REGARDING THE UAE GOVERNMENT'S ACCEPTANCE OF DEPLOYMENT OF KOREA MILITARY TRANSPORT TEAM IN THE UNITED ARAB EMIRATES TO SUPPORT THE INTERNATIONAL EFFORTS FOR THE RESTORATION OF PEACE AND SECURITY IN THE REGION, AND REGARDING THE STATUS OF KOREAN MILITARY PERSONNEL WHO WILL STAY IN UAE IN CONNECTION WITH THEIR DUTIES.

AS A RESULT OF THESE DISCUSSIONS, I HAVE THE HONOR TO PROPOSE THAT THESE PERSONNEL BE ACCORDED THE SAME STATUS AS PROVIDED TO THE TECHNICAL AND ADMINISTRATIVE STAFF OF THE EMBASSY UNDER THE VIENNA CONVENTION OF DIPLOMATIC RELATIONS KOREAN MILITARY PERSONNEL WILL RESPECT THE LAWS AND REGULATIONS,

국기국	장관	차관	1차보	2차보	중아국	청와대	안기부	국방부

PAGE 1

CUSTOMS AND TRADITIONS OF THE UNITED ARAB EMIRATES AND WILL HAVE A DUTY NOT TO INTERFERE IN THE INTERNAL AFFAIRS OF UAE.

IF THE FOREGOING IS ACCEPTABLE TO YOUR GOVERNMENT, I HAVE THE FURTHER HONOR TO PROPOSE THAT THIS NOTE, TOGETHER WITH YOUR REPLY, SHALL CONSTITUTE AN AGREEMENT BETWEEN OUR TWO GOVERNMENTS EFFECTIVE FROM THE DATE OF YOURREPLY. 끝.

(대사 박종기-국장)

91.12.31 일반

검 토 필 (1991. 6. 21.)

PAGE 2

발 신 전 보

번 호 : WAE-0113   910208 1721 AO 종별: (암호송신) 긴급

수 신 : 주 UAE   대사//총영사 (양태규 심의관)

발 신 : 장 관 (중동아국장 이해순)

제 목 : 업연(조사단 보고 체계)

대 : AEW-0103

1. 수리가 많습니다.
2. 사전 조사단 보고는
~~대호 보고 체계 관련, 조사단장이 국방부장관 수신으로 직접 보고하는~~ 의 따라
체계는 현행 외무부 전용 통신 운영 ~~규정 4장 9조(88.8.1)에 어긋나는바,~~ 앞으로는
발신인을 ~~○○○○~~대사 ~~명의~~로 수신인을 장관으로 ~~하여 주시기 바라며,~~ 하고 국방부 장관은
사본 수신처로 하~~시~~기 바람. 끝.   하고

나라 즉전습.

예 고 : ~~독후 파기~~ 19 91 . . 6 예고
의거 ~~일반문서로 재분류~~

보 안 통 제	갈

양 고 재	91년2월8일 중동아과	기안자 성명		과 장		국 장 전결		차 관	장 관

외신과통제

0100

	분류번호	보존기간

발 신 전 보

번   호 : WAE-0114   910208 1726 FI   종별 : 긴 급

수   신 : 주   UAE   대사 . 총영사 (사본 : 주 사우디 대사 WSB-0727)

발   신 : 장   관 (중근동)

제   목 : 군수송단 파견

대 : AEW-0095

국방부측에 의하면 알 아인 미군기지 당국은 리야드 소재 쎈트콤의
공식 지시가 없어 귀지 출장중인 현지조사단과의 협의에 공식 응할수 없다고
한다는 바 , 귀관이 판단하여 필요하면 대호 UAE 참모총장의 구두 승인 통보를
귀지 미국 대사관에 문서로 적의 전달 바람.

(중동아국장 이 해 순)

예 고 : 91.12.31. 일반

검 토 필 (19 91 . 6 . 30)

미주국장 7올

	보안통제	7ㄴ

앙고재	91년2월8일 중근동과	기안자성명 천창	과장 7ㄴ	국장 전결	차관	장관 79H	외신과통제

0101

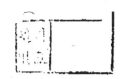

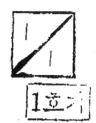

국 　 방 　 부
(793-9051)

1호기

공작 24712-12   91. 2. 8

수신 외무부 장관

참조 중동 아프리카 국장

제목 UAE 정부의 한국공군 수송단 수용 공식 인가

　　　1. 알라인 기지에 현지 협조단이 전개되어 관련협정을 협의코저 하나

　　　2. 미 중앙사령부는 UAE의 한국공군 수송단 공식수용 표명(서한)이 있어야
구체적 지시 조치가 가능하다는 입장임을 통보해 왔음.

　　　3. UAE 주재 한국 대사관에 UAE 공식 입장을 접수(Acceptance Clearance)
UAE 주재 미대사관에게 전달, 중앙사령부에 긴급 통보되도록 조치 바랍니다. 끝.

발행처	1 9 9 1 　 . 2. 28. 파기
접수처	1 9 9 1 　 . 2. 28. 파기

국 　 방 　 부 　 장

전력기획부장 전결

0102

국　　　방　　　부

공보　35280-　　　　　　　(794-4687)　　　　　1991. 2. 8

수신　외무부장관　　　　　　　　　　　　　　　　　(1 년)

참조　중동아프리카국장

제목　해외취재기자단 비자발급 협조요청

　　1.　금번 걸프지역에 파견하는 군수송지원단 일행과 함께 취재차 출국하는
국방부 기자단 명단을 송부 하오니 비자발급을 긴급 협조하여 주시기 바랍니다.

　　2.　91.1.23일 군의료지원단 파견시 취재기자단 5명이 이미 현지취재를
마치고 귀국한 바 있으며, 금번 취재기자단은 군수송지원단과 동행하여 수송단
(UAE , 알아인) 및 의료지원단(사우디, 누아이리아) 활동상황만을 취재하고
귀국할 계획임.

　첨부 :　취재기자단 명단 및 방문국 1부. 끝.

　　국　　방　　부　　장　　관

0103

FEB 08 '91 00:41 798-7056

첨부 : 취재기자단 명단 및 방문국

O 기자단 명단

소 속	성 명(영 문)	생년월일	여권번호
한국일보	JAE HYUN AHN	53.12.24	
동아일보	SEONG HA CHO	59. 1.20	
한겨레신문	BYUNG HYO LEE	54. 3. 6	
연합통신	DON KWAN LEE	50. 9. 3	
코리아헤럴드	SUNG YUL LEE	55. 8.18	
"	KIM KYUNG SOO	63.11.27	
M B C	SANG KEE KIM	53. 1.27	
"	BYUNG GIL LIM	55.12.17	
코리아타임즈	NAK HO LEE	41. 9.18	
C B S	JU MAN KWON	58.10.15	
중앙일보	LEE MAN HOON	55. 1. 8	
"	HYUNG SOO KIM	59. 8.10	
서울신문	WON HONG KIM	45. 9.22	
국민일보	SANG ON KIM	56. 3.15	
경향신문	HEUNG IN YOON	50. 2.28	
K B S	JAE CHUL KIM	44. 6.23	
"	JAE HONG PARK	56. 8.15	
조선일보			
세계일보			

O 방문국 : 사우디아라비아, UAE

0104

110 걸프 사태 의료지원단 및 수송단 파견 2

걸프전 관련 한국특파원 현황

91.2.9 14:00
(공보정책실)

○ 파견 내역
  - 요르단(암만) : 7개사 11명 (동아,경향,조선,한국,
                                한겨레,KBS, MBC)
  - 이스라엘(텔아비브,예루살렘) : 8개사 12명
                                (중앙,경향,국민,조선
                                 한국,연합,KBS,MBC)
  - 사우디(리야드,다란) : 2개사 11명(KBS,MBC)
  - 이집트(카이로) : 1개사 2명(서울)

○ 동 향
  - (MBC) 2.9 09:30 취재진 6명 사우디 향발
          2.11경 사우디 도착예정
    * 취재진 명단
      ○ 취 재 : 외신부 구본학, 국제부 박수태
      ○ 카메라 : 심승보, 박기태, 이상이, 이문세

    * 파견지 및 파견기자
      ○ 리야드 : 취재(구본학),카메라(심승보,박기태)
      ○ 다 란 : 취재(박수태),카메라(이상이,이문세)

    * 취재일정 : 약 1개월 예정이며 귀국일자는 미확정

  - (KBS) 2.8 취재진 5명 사우디 제다에서 리야드로
          이동

0105

- 공군수송단 동행 취재진 18명 파견계획

. 국방부 출입기자단측은 당초 출입기자단 15명
  전원과 카메라5명(자체선정)으로 취재진을 구성,
  공군 수송단 동행 취재를 국방부에 요청.
. 출입기자단은 2.8 국군의료지원단 귀국관련
  문제로 징계조치된 세계일보 박광주기자를 제외한
  14명과 카메라"풀" 4명(자체선정)으로 취재진 확정
  (명단별첨)
. 국방부측은 주한 사우디대사관에 동 취재진의
  비자신청
  ※ 2.19 취재진 출발예정

○ 인원 변동

당초(1.15)	현재(2. 9)	증 감
21 명	36 명	15

  ※ 증감내역(증원 16명, 철수 1명)
    - 경향 1명 증원
    - 조선 1명   "
    - 한국 1명   "
    - KBS 7명   "
    - MBC 6명   "
    - 세계 1명 철수

첨 부 : 1. 공군수송단 동행 취재진 현황 1부.
       2. 각 언론사 "걸프"지역 특파원 현황 1부.

0106

공군 수송단 동행 취재진 현황

#1

매체명	인원			직위	성명	비고
	취재	사진	계			
동아일보	1		1	기자	조성하	○ 세계연합취재진 합류, 비아동참 협력관리
중앙일보	1	1	2	기자 / 기자	이만훈 / 김형수(사진)	
경향신문	1		2	차장	문동인	○ 2.13 기자단 증원예정
국민일보	1		1	기자	김상언	○ 군 수송단 관련 사항
조선일보	1		1	기자	김효재	- 규 모 : 수송기(C-30) 5대, 준증사 등 150명
한국일보	1		1	기자	인재민	- 집결일 : 2.13 11:00 (김해공군기지)
서울신문	1		1	차장	김현웅	- 귀국식 : 2.18 15:30 (서울공항)
한겨레신문	1		1	기자	이동성	- 동원일 : 1차 2.19 / 2차 2.20
K.H	1	1	2	기자 / 기자	이성영 / 김경수(사진)	
T	1		1	기자	이낙복	
연합통신	1		1	차장	이동권	
KBS	1	1	2	차장 / 기자	김재민 / 박재등(사진)	
MBC	1	1	2	기자 / 기자	김상기 / 이병길(사진)	
CBS	1		1	기자	권주안	
14개사	14	4	18			

0106-|

1991.2.9 (공보처 작성)

각 언론사 "걸프" 지역 특파원 현황

#2

'91.2.9. 14:00 현재

언론사명	파견지					소속 및 성명	비고
	요르단(암만)	이스라엘	사우디	이집트(카이로)	계		
동아	1				1	외신부 강영원	
중앙		1			1	예루살렘 : 베를린 특파원 유재식	
경향	1	1			2	암만 : 외신부 김종두, 예루살렘 : 파리특파원 □승철	
국민		2			2	예루살렘 : 국제부 임성덕, 행안비서 : 김창룡(통신원)	
조선	1	1			2	예루살렘 : 국제부 김성종, 암만 : 사회부 설원식	
한국	1	1			2	암만 : 외신부 이상식, 텔아비브 : 베를린특파원 강영태	
서울				2	2	국제부 이희순, 김주혁(2.11 이집트순간 교체, 귀국예정)	
한겨레		1			1	사회부 김종구	
연합	1				1	예루살렘 : 외신부특파원 서□식	
KBS	4	2	5		11	암만: 스트특파원 오건회, 이컹회, 이창용(ENG) 외	
MBC	2	3	6		11	암만: 국제부 김양일, 최세훈(ENG), 주원규(□디어) 외	
계	11	12	11	2	36		

분류기호 문서번호	조약20401- 50	협조문용지 ( )	결 재	담 당	과 장	심의관
시행일자	1991.2.9.					
수 신	중동아프리카국장	발 신	국제기구조약국장	(서명)		
제 목	공군수송단 지위협정					

연: 조약20401-48(2.7.)

표제협정관련, 주 UAE 대사 건의내용(AEW-0108)에 관한 당국의

의견을 아래와 같이 통보합니다.

- 아   래 -

1. 교환각서 형식에는 이의 없으나, 동 내용중 공군수송단 출·입국

　사항과 청구권 상호 포기조항이 누락되어 있으므로 동 관련사항의

　추가가 필요 함.(당국의 수정문안 별첨 참조)

2. 아측의 제안내용을 UAE측이 수락하는 경우, 교환각서의 상호

　교환을 위해서는 조약체결에 따른 국내절차가 선행되어야 함.

첨부: 수정문안. 끝.

검 토 필(1991. 6. 30.)

예고문: 일반(91.12.31.)　　　　　　　　　　0108

1505 - 8 일 (1)
85. 9. 9 승인 "내가아낀 종이 한장 늘어나는 나라산림"　　190mm×268mm(인쇄용지 2급 60g / ㎡)
40-41 1990. 7. 9.

Excellency,

I have the honour to refer to discussions between the military authorities of our two Governments on 7th February 1991 regarding the UAE Government's acceptance of deployment of the Korean Military Transport Team in the United Arab Emirates to support the international efforts for the restoration of peace and security in the region, and regarding the status of the personnel of the Korean Military Transport Team who will stay in the United Arab Emirates in connection with their duties.

As a result of these discussions, I have the honour to propose on behalf of the Government of the Republic of Korea that the following Agreement be concluded:

1.   The personnel of the Korean Military Transport Team shall enjoy the same immunities in the United Arab Emirates as are enjoyed by members of the technical and adminstrative staff of a diplomatic mission.

2.   The personnel of the Korean Military Transport Team will respect the laws and regulations, customs and traditions of the United Arab Emirates and will have a duty not to interfere in the internal affairs of the United Arab Emirates.

3.   Each Government will not assert any claims against the other Government for compensation for:

0109

(a) Loss or damage to property owned by it if such damage was caused by the armed forces personnel or employed personnel of the other Party in the performance of their official duties; or

(b) Injuries to or death of its armed forces personnel or employed personnel while such personnel were engaged in the performance of their official duties.

Each Government will be responsible for settling all claims asserted by its own citizens and arising out of acts or omissions of the armed forces personnel or employed personnel during the performance of their official duties.

4. The Government of the United Arab Emirates shall exempt the personnel of the Korean Military Transport Team from the application of the passport and visa laws and regulations of the United Arab Emirates, to facilitate the Team's entry into, and departure from the territory of the United Arab Emirates.

If the foregoing is acceptable to your Government, I have the further honour to propose that this note, together with your reply, shall constitute an agreement between our two Governments effective from the date of your reply.

Accept, Excellency, the assurances of my highest consideration.

0110

한국 공군수송단의 사우디아라비아 영역내
에서의 활동에 관한 한국정부와 사우디아라
비아 정부간의 합의각서

대한민국정부와 사우디아라비아왕국정부는 아랍에미레이트
연방에 파견된 한국공군수송단의 활동과 관련하여 다음과
같이 합의한다.

제1조
한국공군수송기 및 한국공군수송단 구성원은 그 임무수행을
위하여 사우디아라비아 영토 및 영공에 사우디아라비아
정부의사전허가없이 출입합 수 있다.

제2조
전조에 의하여 사우디아라비아 영토 및 영공에 들어간 한국
공군수송단 구성원에 대하여는 1991.1.22. 대한민국 정부와
사우디아라비아 왕국정부간의 한국의료단의 활동에 관한
협정을 준용한다.

제3조
사우디아라비아정부는 아랍에미레이트연방의 알 아인 공군
기지에 파견된 한국공군수송기에 대하여 무상으로 정비,
연료보급등 필요한 일체의 물자 및 용역을 제공한다.

0111

/b

제4조

이 합의각서는 서명일로부터 발효한다.

이상의 증거로 하기 서명자는 각자의 정부로부터 정당하게
권한을 위임받아 아래에 서명하였다.

1991.2.__.(_____)리야드에서 동등하게 정본
인 한국어,아랍어 및 영어로 각2부씩 작성하였다. 해석상의
상위가 있을 때에는 영어본이 우선한다.

대한민국정부를 위하여   사우디아라비아왕국정부를 위하여

0112

MEMORANDUM OF AGREEMENT BETWEEN THE GOVERNMENT OF THE REPUBLIC OF KOREA AND THE GOVERNMENT OF THE KINGDOM OF SAUDI ARABIA CONCERNING THE ACTIVITIES OF THE REPUBLIC OF KOREA AIR FORCE AIRLIFT GROUP IN THE TERRITORY OF SAUDI ARABIA

The Government of the Republic of Korea and the Government of the Kingdom of Saudi Arabia agree as follows with respect to the activities of the Republic of Korea Air Force Airlift Group(hereinafter referred to as the "KAFALG") dispatched to the United Arab Emirates.

Article 1

The Korean Air Force Transports and the members of the KAFALG shall be allowed entry to and exit from the territory and territorial air space of the Kingdom of Saudi Arabia without having to obtain the prior permission of the Government of the Kingdom of Saudi Arabia, for the purpose of carrying out official missions.

Article 2

The provisions of the Agreement between the Government of the Republic of Korea and the Government of the Kingdom of Saudi Arabia on the Activities of the Korean Medical Team on the Territory of Kingdom of Saudi Arabia dated January 22, 1991 shall apply mutatis mutandis to the members of the KAFALG present in the territory or the territorial air space of the Kingdom of Saudi Arabia in accordance with the preceding Article.

/2-

0113

Article 3

The Government of the Kingdom of Saudi Arabia shall provide, free of charge, all necessary material and services, including maintenance and fuel, for Korean Air Force Transports that are stationed at the AL AIN Air Force Base in the United Arab Emirates.

Article 4

This Memorandum of Agreement shall take effect as of the date of its execution.

IN WITNESS WHEREOF, the undersigned, duly authorized thereto by their respective Governments, have affixed their signatures below.

Done in duplicate at Riyadh, this ___th day of February, 1991, corresponding to _____, in the Korean, Arabic and English languages, all texts being equally authentic. In case of any divergence of interpretation, the English text shall prevail.

For the Government of   For the Government of
the Republic of Korea   the Kingdom of Saudi Arabia

/3   0114

Excellency,

    I have the honour to refer to discussions between the military authorities of our two Governments on 7th February 1991 regarding the UAE Government's acceptance of deployment of the Korean Military Transport Team in the United Arab Emirates to support the international efforts for the restoration of peace and security in the region, and regarding the status of the personnel of the Korean Military Transport Team who will stay in the United Arab Emirates in connection with their duties.

    As a result of these discussions, I have the honour to propose on behalf of the Government of the Republic of Korea that the following Agreement be concluded:

    1. The personnel of the Korean Military Transport Team shall enjoy the same immunities in the United Arab Emirates as are enjoyed by members of the technical and adminstrative staff of a diplomatic mission.

    2. The personnel of the Korean Military Transport Team will respect the laws and regulations, customs and traditions of the United Arab Emirates and will have a duty not to interfere in the internal affairs of the United Arab Emirates.

    3. Each Government will not assert any claims against the other Government for compensation for:

0115

(a) Loss or damage to property owned by it if such damage was caused by the armed forces personnel or employed personnel of the other Party in the performance of their official duties; or

(b) Injuries to or death of its armed forces personnel or employed personnel while such personnel were engaged in the performance of their official duties.

Each Government will be responsible for settling all claims asserted by its own citizens and arising out of acts or omissions of the armed forces personnel or employed personnel during the performance of their official duties.

4. The Government of the United Arab Emirates shall exempt the personnel of the Korean Military Transport Team from the application of the passport and visa laws and regulations of the United Arab Emirates, to facilitate the Team's entry into, and departure from the territory of the United Arab Emirates.

If the foregoing is acceptable to your Government, I have the further honour to propose that this note, together with your reply, shall constitute an agreement between our two Governments effective from the date of your reply.

Accept, Excellency, the assurances of my highest consideration.

0116

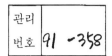

관리 번호	91 -358

분류번호	보존기간

발 신 전 보

번 호 : WUS-0528　　910209 1539　DP　종별 : 지 급

수 신 : 주　미　　대사. 총영사　　（사본 : 주 UAE 대사）

발 신 : 장 관　（미북, 중근동）

제 목 : 군수송단 파견

　　　　　대 : USW - 0619

1. UAE 정부는 아국 군수송단의 알 아인기지 주둔에대해 이미 승인을
　 한 바 있으나, 동기지 주둔 미공군 사령관은 상급 본부로부터 아국
　 군수송단 주둔문제 관련 정식통보를 받지 못하였다합.

2. 이와관련, 귀관은 미국방부 및 국무부를 접촉, 미 중앙사령부
　 (Central Command) 가 알 아인 기지사령관으로 하여금 아국 군수
　 송단의 주둔및 활동에 협조도록 조치해 줄것을 지급 요청 바람. 끝.

3. 아국 군수송단의 주둔에 따르는 경비문제가 있은경우 이는 추후
　 한·미간에 정산 여행임을 미독에 통보바람. 끝

　　　　　　　　　（미주국장 반 기 문）

　　　예고 : 91.12.31　일반

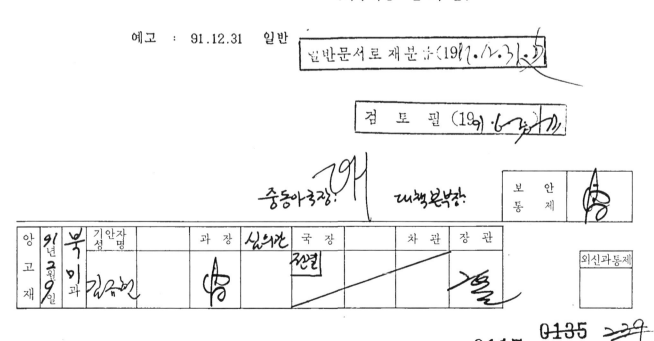

일반문서로 재분 (19 . .)

검 토 필 (19 .)

중동아국장:　　　대책본부장:

보 안 통 제	

앙 고 재	91 년 월 일	북 미 과	기안자 성명 김	과 장	국 장	차 관	장 관	외신과통제

0117　0135　229

	분류번호	보존기간

발 신 전 보

번 호 : WAE-0118   910209 1812 FI   종별 : 긴급

수 신 : 주 UAE   대사. /총영사

발 신 : 장 관   (중근동)

제 목 : 군수송단 파견

대 : AEW-0108

1. 대호3항 관련, 교환각서 형식은 무방하나 수송단의 UAE 출.입국사항 및 청구권 상호 포기 조항을 추가함이 좋을 것인바, 주재국 관계 당국 접촉시, 필요하면, 별첨 초안을 아측 잠정안으로 ~~제시~~ 제시하고 귀주재국 입장 타진 바람.

2. 아측안을 UAE 측이 수락하는 경우라도, 각서의 상호교환을 위해서는 조약체결에 따른 국내 절차가 선행되어야 될 것임.

~~3. 동 초안은 시간관계상 아직 국방부측과 협의를 거치지 않았는바, 관계부처 협의 등 내부절차 끝나는대로 아측 최종안 송부 위계임.~~

첨 부 : 수정 문안   검 토 필 (19 91 . 6 . 30) 기

예 고 : 91.12.31.일반

(중동아 국장 이 해 순)

보안통제	

앙고재	91 년 2 월 9 일 중근동과 최한학	기안자 성명		과 장		국 장 전결		차 관	장 관		외신과통제

0118

원 본

외 무 부

종 별 : 긴 급

번 호 : AEW-0109

일 시 : 91 0209 0110

수 신 : 장관(중근동,사본:국방부장관)

발 신 : 주 UAE 대사

제 목 : 비마보고(3)

1. 금 2.9. 조사단 전원이 기지를방문, 미측과 분야별로 업무협의를 가졌음

0 미측은 2.8. 부터 소요차량, 전용천막(내부비품포함)1 동, 중식등을 제공하며 본조사단활동을 최대한지원

0 미군기지사령관이하 전참모가 본조사단협의에 참여

0 기지내 미군주둔병력 1,650 명(장교 400, 병 1,250), C-130 41 대

0 아직 협조를지시하는 상부 공식문서 미접수

2.2.9. 협의결과는 2.8. 보고내용과 일부 상이한 점이 있는바 금일 보고내용을 기준바람

3. 협의확인결과

가. 협정서관련

0 미측의견(2.10. 미측초안접수예정)

- 국방부에서부터 현지 부대까지 각급 MOA 필요할것임

- 상부지시후 정식체결가능, 현지부대간 SOP 수준 초안준비는동의

0 미군과 UAE 간협정서 전무

0 UAE 및 미군과의 협정서에대한 지침요망

나. 지휘체계관련

0 미측계획(CENTCOM)

- 알아인의 1630 비행단예하 4 번째대대로 간주

- 한국공수단장은 비행단지휘부(단장, 부단장등)에 포함

0 공수단독립부대로 COMALF 에 배속 편성 희망 피력(조사단장 미측에 작전통제는 독립적(COMALF 직할), 임무는 미군 작전지원 임을 강조하고 미군측 상부에보고할것을요구)

중아국   장관   차관   1차보   2차보   정와대   안기부   국방부

91.02.09   07:59

외신 2과 통제관 FE

0119

0 수송기파견 타국군(영, 카, 불등)은 COMALF 와무관, 자국군 지원임무만 수행(ALCC 임무배당없음)

0 수송단 파견은 한국이처음, ATO 에의한 비행단 할당 임무를 기지단장이 대대에배당

-임무배당은 비행단내에서 협조및조정가능, 현 COMALF(ALCC)의 가용전력은 미공군뿐임

0 지휘체제 구성상 다국적군 참여도 제고를 위해서는 CENTAF 이상에서 참여해야하나, 독립 부대운영은 대규모 파견과 독자 후방지원 능력없이는 거의불가

0 지휘체제구성은 조사단과 알아인 미군 지휘관간의 업무범위를 초월하므로국방부차원의 조치가 필요함(CENTCOM 이상급)

다. 군수, 근무지원분야

1)숙영시설준비

0 천막조기확보를 위해 최대노력중이나, 작일보고내용(본대도착후 2-3 일)보다 더지연될 가능성이있다고함

0 소요동수를 25 동으로 제시한데대해, 현미군기준시 대령숙소의 17 동정도면 되겠다고하여 미군기준으로 제공요청(식당, 취사장, 편의시설공동사용,1 동당12 명수용)

0 텐트설치공사는 미측책임하실시(현지민간용역)

0 숙영시설 비용에 대해 아무지침 받은바없으며 협의 권한 없다고함

0 숙소텐트는 침대가갑이 보급되므로 침대는 해결되나 침구류는 미군은 현지에서 자체 구입했다고 하므로 침구류는 현지구매 또는 본국에서 휴대 해야할것으로 판단됨(현지 구매 가격 조사중)

텐트지원은 정식상부지시(문서)에 의거 한다고 하니, 예비로 현대캠프 인수계획 고려 필요함

천막설치전 격납고 숙영기간중에 침낭이꼭필요함(야간추위)

AEW-0110 으로 계속됨

관리
번호 91/27가

외 무 부

종 별 : 긴 급

번 호 : AEW-0110

일 시 : 91 0209 0150

수 신 : 장관(중근동),사본:국방부장관

발 신 : 주 UAE 대사

제 목 : 비마보고(3)

AEW-0109 에서 계속됨

2) 급식관계

0 현 미군은 중식은 알아인 시내 힐튼호텔에서 CATERING, 조석식은 기지에서자체 취사하고있으며, 한국군 파견시 미군과 동일하게 제공 하겠다 함

0 한국고유음식제공은 불가능하므로 필요시 별도 준비가 필요하겠음 (전기밥솥등)

0 1 인 1 일 급식액은 11.3 불(장. 사병 동일)이며 중식비용은 호텔과 월 1회 정산 지불하고있음

0 한국군 급식비용은 한국부담으로 판단됨

0 용수는 UAE 로부터 무상제공되나 식수는 자체구입 보급해야함 (1.5 리터 1병 250 원, 미군 1 인 1 일 보급기준 1.5 리터 6 병)

0 황사가 심한날은 먼지 때문에 취사가 곤란하여 전부식량으로 대체급식

0 연료(JET 유, 휘발유, 디젤유)는 UAE 로부터 무상 제공되며, 기타 잡유는현지 현금조달하고있음. 소요잡유는 현지구매 또는 본국에서 휴대해야겠음 (현지가격조사중)

0 전기는 UAE(시전)및 미군(자가발전)으로부터 무상제공됨(100V,220V,50HZ,60HZ 모두가용)

0 탄약은 자체경계용으로 최소한으로 가지고있어(M16) 한국군에게 제공할 양이 안된다고함. 미군,UAE 군의 경계제공을 받으므로 최소한의 탄약을 본국에서가져옴이 좋겠음

0 미군은 소요차량을 현지에서 RENT 하여 쓰고 있음 (버스는구입)

-렌트비: 승용차 650 불/월, 밴 1,300 불/월(보험료포함)

-한국공수단도 전쟁기간고려 현대건설차량 수리및 구입보다 렌트가 경제적이라

준아국   장관   차관   1차보   2차보   정와대   안기부   국방부

91.02.09   08:38

외신 2과 통제관 BT

0121

판단됨 (렌트시 정비 부담없음)

　　O 세탁: 기지내 세탁은 민간업체에 용역을 주고있음, 소요비용은 미군부담(세탁비: 비닐 1 백당(전투복 1 벌량) 3.6 불임), 한국도 미군방식을 취해야 될것이라고봄

　　O 유지보수: 일상적인 수리,보수는 미측이(무상)지원 하겠으나 (공동작업) 큰경비 소요시는 협의해서 처리함이 좋겠다고함

　　O 우편물은　　서독까지는　　(다란,　　리야드경유)군용기로,　　미본토　　까지는 민항기로우송되고있으며 한측요청시 지원을 상부에 건의 하겠다고함

　　의료지원은 무상제공 하겠다고 하며 한국 의료요원을 미군병원에 합동 운용키로 하였음, 현지병원은 응급처치및 1 차진료만 하고 후송병원은 다란에 위치하고있음

　　O 미군은　　각종행정및　　생활비품을　　현지구매하였음, 가격이　　싼편　　이라고 하나한국군은 현대건설비품을 인수하는방안이 좋겠음(인수협의중)

　　O 정비분야, : 특기정비사, 정비봉제실 공동활용

　　-필수휴대품:90G 20P GEN1 개, 예비기관 1 대, ENROOTKIT 및 주요부품

　　-다번도결함: HYD 및 PROP 계통 각종 SEAL 에서 HYD 누출(카바제작장착요)

　　라. 정보분야

　　O 미군취급 모든정보제공 용의 표명

　　O 한국군전개시 조종사구조용 식별카드지참

　　O　전개요원비취인가　상향조정요(정작요원　1　급및　SI), 미측은　한국수송단 비취인가현황 요구

　　O 암취소 구비요건 미비로 설치불가

　　마. 작전분야

　　O 알아인기상 요약(1989)

　　.HAZE95 일, SAND70 일, T-STORM9 일, FOG5 일, RAIN4 일

　　ODOD 에서 저공된 TACAN RWY19 정보사항(수정보고)

　　.TACAN FINAL HEADING 192 도

　　.S-TAC19 MDA 1260FT-1(CAT'A''B')

　　1260FT-1 1/2(CAT'C')

　　.TDZE 796FT, F-E831FT

　　-MSA:FROM020SE TO1604900FT

　　FROM160NWTOO204100FT

PAGE 2

0122

-AL AIN TOWER:131.0 245.1

바. 통신분야

0 알아인공항은 걸프전으로 미군출동전개로 미군통신지원 가능성은 전무(한국군 독자적으로 통신체제구축시 추가 병력소요: 교환기 1, TELEX 운용요원 1, 유선 1)

0 국제전용회선구성시 알아인 전화국으로 부터 공항까지 무선송수신을 위한 B/S는 현대건설소유 B/S 이용 방법 밖에 없음. 끝.

(대사 박종기-국장)

91.12.31 일반

검 토 필 (1991. 6. 30) 서

외 무 부

종 별 : 초긴급

번 호 : AEW-0111 　　　　　　　　　일 시 : 91 0209 0240

수 신 : 장관(중근동),사본:국방부장관

발 신 : 주 UAE 대사

제 목 : 비마보고(3)

　　AEW-0110 에서 계속됨

　　사. 추가소요인원 현재까지없음

　　아. 한국공수단 지원에대한 미군측 상부 지침도없고 지휘관이나 참모등 자신있게 대답하는 미국측사람이 없는실정임.끝.

　　(대사 박종기-국장)

　　91.12.31 일반

검 토 필(1991. 6. 20.)

중아국　　장관　　차관　　1차보　　2차보　　청와대　　안기부　　국방부

PAGE 1 　　　　　　　　　　　　　　　　　91.02.09　　08:17

　　　　　　　　　　　　　　　　　　　외신 2과　통제관 BT

0124

외 무 부

종 별 : 긴 급

번 호 : AEW-0113 일 시 : 91 0209 1830

수 신 : 장관(중근동),사본:국방부장관

발 신 : 주 UAE 대사(조사단)

제 목 : 비마보고(4)

연:AEW-0108

　1. 조사단은 2.9. 주재국 군당국(공군사령관이 위임한 공군작전훈령부장)과 접촉, 연호서한과 비마보고(2)로 보고한 내용의 실무약정서 영문초안을 전달하면서 이에대한 주재국당국의 수정제의를 요청하였음. 아측도 동초안과 주재국측의 수정제의는 본국정부의 승인을 얻어 최종안이 마련되어야 하기때문에 조속한 검토를 당부하였음

　2. 연호서한에 대하여 주재국군당국은 동서한내용에 이의가없다면서 아측이 직접 자국외무부와 협의할것을 요청하였음. 이에대하여 아측은 군당국이 INITIATIVE 를 취하여 외무부등 책임부서와 협의하여주도록 요청하였는바, 이에 동의를 얻었음

　3. 별첨 실무약정서 초안내용에 대하여 일단 별이의가 없다면서 가능한한 2.10. UAE 측입장을 알려주기로하여 재접촉하기로 하였으니 이를검토, 별도 아측입장 긴급 지시바람.

　DRAFT

　THE ARRANGEMENT BETWEEN THE MINISTRY OF NATIONAL DEFENSE OF THE REPUBLIC OF KOREA AND THE MINISTRY OF DEFENCE OF THE UNITED ARAB EMIRATES CONCERNING THE CONDITION OF STAY OF THE KOREAN AIRFORCE AIRLIFT GROUP IN AL AIN OF THE UNITED ARAB EMIRATES.

　TAKING INTO ACCOUNT THE CLOSE AND FRIENDLY RELATIONS EXISTING BETWEEN THE GOVERNMENTS OF THE REPUBLIC OF KOREA("R.O.K")AND THE UNITED ARAB EMIRATES("U.A.E") AND PERSUANT TO THE AUTHORITY GRANTED BY THEIR RESPECTIVE GOVERNMENTS, THE MINISTRY OF NATIONAL DEFENSE("M.N.D")OF R.O.K AND THE MINISTRY OF DEFENSE OF U.A.E HEREBY ENTER INTO THE FOLLOWING ARRANGEMENT:

　ARTICLE 1. THE KOREAN AIR FORCE AIRLIFT GROUP("KAFALG")WILL STAY AT AL AIN

중아국	장관	차관	1차보	2차보	국기국	정와대	안기부	국방부

PAGE 1

91.02.10　04:11

외신 2과 통제관 DO

0125

AIR BASE OF U.A.E AND IT WILL CONSIST OF 5 C-130 H AIRCRAFTS AND ABOUT 150 PERSONNEL.

ARTICLE 2. THE KAFALG WILL BE PROVIDED WITH NECESSARY WATER, ELECTRICITY AND JET FUEL ON THE SAME BASIS, CONDITIONS AND STANDARDS AS FOR THE UNITED STATES AIR FORCE, BY THE MINISTRY OF DEFENSE OF U.A.E.

ARTICLE 3. UPON THE REQUEST OF THE M.N.D OF R.O.K, THE MINISTRY OF DEFENSE OF U.A.E WILL ALLOW KAFALG HYUNDAI CAMP SITE IN AL AIN AIR BASE AS AN ACCOMMODATION SITE OF THE KAFALG, AND IT WILL DO ITS BEST TO ARRANGE ANY PROBLEMS WHICH MAY ARISE BETWEEN THE KAFALG AND THE RELATED DEPARTMENT OF U.A.E ON THE MATTER.

ARTICLE 4. THE MINISTRY OF DEFENSE OF U.A.E WILL COOPERATE WITH THE POLICE DEPARTMENT OF U.A.E TO ISSUE DRIVER'S LICENSES TO AT LEAST 30 PERSONNEL OF THE KAFALG.

ARTICLE 5. THE MINISTRY OF DEFENSE OF U.A.E WILL TAKE SUCH MEASURES AS ARE NECESSARY TO ENSURE, AND BE RESPONSIBLE FOR, THE ADEQUATE SECURITY AND PROTECTION OF THE KAFALG WITHIN BOUNDARY OF AL AIN AIR BASE.

AIRTICLE 6. THE PERSONNEL OF THE KAFALG WILL RESPECT THE LAWS, TRADITIONS AND CUSTOMS OF U.A.E AND HAVE DUTY NOT TO INTERFERE WITH THE INTERNAL AFFAIRS OF U.A.E.

ARTICLE 7. IN THE CASE OF ANY TROUBLE OR ACCIDENT ASSOCIATED WITH ANY PERSONNEL OF THE KAFALG, THE MINISTRY OF NATIONAL DEFENSE WILL TURN OVER THEPERSONNEL TO THE REPRESENTATIVE OF THE KAFALG IMMEDIATELY.

ARTICLE 8. THE JOINT COMMITTEE WILL SETTLE THE PROBLEMS RESULTED FROM THE IMPLEMENTATIONS OF THIS ARRANGEMENT AND OTHER MATTERS IN RELATION TO THE STAYING OF THE KAFALG IN AL AIN AIR BASE. THE COMMITTEE WILL CONSIST OF ONE OFFICER, EACH RECOMMENDED BY THE COMMANDERS OF U.A.E AIR FORCE AND THE KAFALG.

ARTICLE 9. THIS ARRANGEMENT SHALL BE EFFECTIVE AS OF THE DATE ITS EXECUTION.

DONE IN ABU DHABI, THIS TH DAY OF FEBRUARY 1991, IN THE KOREAN, ARABIC AND ENGLISH LANGUAGES. IN THE CASE OF DISPUTES WITH RESPECT TO THE INTERPRETATION

PAGE 2

OF THIS ARRANGEMENT, THE ENGLISH TEXT WILL PREVAIL.

FOR THE MINISTRY OF NATIONAL DEFENSE OF THE REPUBLIC OF KOREA

-------(TITLE)

FOR THE MINISTRY OF DEFENSE OF THE UNITED ARAB EMIRATES

-------(TITLE). 끝.

(대사 박종기-국장)

91.12.31 일반

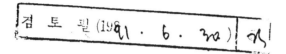

PAGE 3

0127

관리
번호 91/288

외 무 부

종 별 : 긴 급

번 호 : AEW-0114   일 시 : 91 0209 2300

수 신 : 장관(중근동),사본:국방부장관

발 신 : 주 UAE 대사(조사단)

제 목 : 비마보고(5)

1. 금일 2.9. 조사단은 미군과의 협의, 약정서 UAE 전달, 현대건설및 현지식당 용역업체와 협의등의 활동을 하였음

2. 미군협의결과

가. 2.8. 주재미무관이 알아인기지사령관 방문 어떤지침을 전달한것으로 판단됨

나. 미군은 아직까지 상부의 문서지시 받지못했음

다. 미측은 한, 미간 공식협정서 없이 지원은 곤란하며 나아가 한국군 전개도 곤란할것이라고 했음. 아울러 CENTCOM 의 2 가지 지시사항을 아측에 전달

0 상부지시없이 공식적인 지원사항제시및 서명금지(현지부대간 실무약정서 미측초안 제시불가)

0 아측 요구사항종합 CENTCOM 에 금일중 보고요

라. 한국공수단에 기자단 탑승문제: UAE 비자및 CENTCOM 인가요

마. 조사단장은 한국공수단이 미군을 지원하러 오는것이므로 미측으로부터 최소한의 지원외는 한측능력범위내에서 한측이 해결하려는 것이라는 한측의 기본입장을 설명해줌

3. 현대건설업체 방문결과: 한국공수단이 요구하는 시설및 비품목록 협의(결과 첨부 1)

0 한국독자적인 식당운영시 독자주방설비가 요하는바 텐트내에서 불을 뗄수없어서 현대건설의 주방및 식당을 이용해야함. 숙영지와 현대건설식당간 거리가 1 KM 가 되므로 수송수단으로 현대건설보유 대형 2 대의 버스가 추가소요됨(1 대는 현대보유차량중 수리후사용, 수리비 약100 만원, 1 대는 신규구매 필요)

4. 식당용역업체협의

0 아리랑식당은 두바이에 소재하여(작년에 알아인 철수) 한국중공업 건설현장에

중아국   장관   차관   1차보   2차보   국기국   청와대   안기부   국방부

0128

CATERING 하는 서울선식회사와 접촉협의하였음

0 본회사는 현지물가가 전쟁이후 25% 상승하여 1 인 월 180 불(1 일 6 불)을 제시하고 있으며 요청시 식품조달및 취사까지 일체를 제공하겠다함(현지 현대건설 추천업체임)

5. 대호 WAE-0111 에대한 회신임

가. 대지승인 획득완료

나. 현대건설 소요시설및 비품판단: 첨부 2 참조

다. 전기수도연결: UAE 승인, 공사는 자체해결, 미군.UAE 지원곤란

라. 미측의 급식재료 지원여부: 단독취사시 지원불가

6. 건의사항: UAE 및 미군과의 실무협정 마무리를위해 본대도착시까지 법무장교 잔류해야할것으로 사료됨. 긴급회신바람.

첨부 1: 한측이 제시한 미측지원내역

가. LOGISTCS/SUPPLY:

-WILL SUPPLY PART/EQUIPMENT BE PROVIDED FOR ROK?

-WILL AIRCRAFT WRSK NOT PROVIDED BY ROK BE ISSUED FOR ROK USE FROM U.S. WRSK ASSETS IF AVAILABLE ON BASE?

-WILL U.S. REQUISITION WRSK FOR ROK IF NOT AVAILABLE?

-WILL U.S. PROVIDE SPARE ENGINES AND PROP SUPPORT?

-WILL U.S. COMMON USE TEST EQUIPMENT?

-WILL U.S. PROVIDE MATERIALS HANDLING AND/OR AEROSPACE GROUND EQUIPMENT IF AVAILABLE?

나. SERVICES:

-WILL ROK BE ALLOWED TO USE ALL COMMON USE BASE FACILITIES(EG.LIBRARY, BX, CHAPEL, ETC.)

AEW-0115 로 계속됨.

PAGE 2

0129

외 무 부

종 별 : 긴 급

번 호 : AEW-0115   일 시 : 91 0209 2330

수 신 : 장관(중근동),사본:국방부장관

발 신 : 주 UAE 대사(조사단)

제 목 : AEW-0114에서 계속됨

다. BILLETING:

-WILL U.S. TEMPER TENTS AND AIR CONDITIONERS BE PROVIDED, INCLUDING COTS?

-HOW MANY/ 17 REQUESTED BY ROK.

라. FOOD/DINING:

-CAN ADDITIONAL TWO TENTS BE PROVIDED FOR COOKING/DINING FOR ROK FORCES?

마. FUELS:

-WILL JET A-1, MOGAS, AND DIESEL FUEL BE FREE ISSUE TO ROK?

-WILL PACKAGED POL PRODUCTS BE ISSUED BY U.S.?

-WILL HOST NATION AND/OR U.S. EQUIPMENT BE USED TO SERVICE ROK AIRCRAFT?

바. ELECTRICITY AND WATER(NON-DRINKING):

-WILL ALL ELECTRICITY AND WATER BE FREE ISSUE TO ROK?

사. ADMINISTRATIVE/WORK FACILITIES:

-WILL TENTS OR GPS ASSETS PROVIDED?

-HOW MANY? 6 REQUESTED FOR WORKSPACE,1 SHOWER,1 LAVATORY(TOTAL:8 TENTS)

아. MEDICAL:

-WILL ROK MEDICAL PERSONNEL BE ALLOWED TO UTILIZE CURRENT U.S. FACILITY FOR WORKSPACE?

-WILL U.S. MEDICAL PERSONNEL TREAT ROK PATIENTS? ROUTINE/EMERGENCY?

자. MORTUARY AFFAIRS:

-WILL U.S. MORTUARY PERSONNEL AND FACILITIES BE UTILIZED FOR ROK CASUALTIES?

차. LAUNDRY/CLEANING:

중아국	장관	차관	1차보	2차보	국기국	청와대	안기부	국방부

-WILL ROK BE ALLOWED TO USE U.S. CONTRACT LAUNDRY SYSTEM?

-REIMBURSABLE? FREE?

카. MAINTENANCE:

-JOAP(JOINT OIL ANALYSIS PROGRAM) WILL U.S. PROVIDE JOAP SERVICE FOR ROK?

-WILL MAINTENANCE TECHNICAL BE SHARED?

-WILL U.S. MAINTENANCE PERSONNEL BE ALLOWED TO WORK ON ROK AIRCRAFT? RECIPROCAL AGREEMENTS?

-CAN U.S. PERSONNEL BE PERMITTED TO TRAVEL ON ROK AIRCRAFT? WILL ROK PERSONNEL BE ALLOWED TO TRAVEL ON U.S. AIRCRAFT?

-TO WHAT EXTENT WILL MAINTENANCE FACILITIES BE JOINTLY UTILIZED?

타. FINANCE:

-WHICH SERVICES, SUPPLIES, EQUIPMENT BE REIMBURSABLE, FREE ISSUE, REIMBURSEMENT, REPLACEMENT IN KIND?

-OR FREE ISSUE COMBINATION?

-ALL OF EQUIPMENTS AND FACILITIES WOULD BE REPLACE TO THE USAF EXCEPT ARTICLES OF CONSUMPTION

-WE WILL DO REIMBERSE FUNDS FOR SUPPORTING IN ACCORDANCE WITH AGREEMENT BETWEEN USA AND KOREA

파. OPERATION/INTELIGENCY

-FLYING CLEANCE OVER THE MIDDLE EAST

-DISPATCH A ROKAF LIASON OFFICER TO THE ALCC IN RIYADH

하. COMMUNICATION

-PROVIDE GENERATOR(10KW 60HZ,110/220V) FOR ROKAF COMM' EQUIPMENTS

-MUTURAL TELEPHONE OPERATION COMM' SUPPORT

-PROVIDE 23LMRS(H/T) AND 1 BASE STATION AND 1 ANTENNA

-MAINTAIN MUTUAL COMMON PARTS SUPPORT FOR COMM' EQUIPMEMTS.

AEW-0116 으로 계속됨

PAGE 2

0131

외 무 부

종 별 : 긴 급

번 호 : AEW-0116   일 시 : 91 0209 2400

수 신 : 장관(중근동),사본:국방부장관

발 신 : 주 UAE 대사(조사단)

제 목 : AEW-0115에서 계속됨

첨부 2: 현대건설에 요청할 시설및 비품목록

0 시설(현대건설기지 사용경우)

-행정사무실 2 동: 도면 1(30 평), 38(72 평)

-숙소 5 동: 도면 2(60 평, 방 13(2 인 1 실) 공동화장실, 샤워실, 에어콘설치), 4(46 평, 방 8(1 인 1 실) 각방화장실, 샤워실, 에어콘설치), 20(21 평, 방 7(1인 1 실) 야외공동화장실, 샤워실, 에어콘설치), 21,22(총 460 평, 12 개호실, 1 개호실당 10 명 사용가능, 관물함설치, 에어콘설치)

-식당 1 동: 도면 10(104 평, 주방, 틀, 부식창고)

-공동화장실, 샤워장: 도면 9(43 평, 수세식화장실 18 개, 샤워꼭지 35 개)

-복지시설: 도면 23(100 평, BX, 의무실, 이발소(현의자 3 개비치), TV, VTR 시청실), 18(24 평, 체력단련장)

-창고: 도면 16(12 평, 일반창고), 19(12 평, 부식창고), 17(5 평, 시설보수창고)

-기타: 도면 6,7,8(58 평, 창고, 사무실, 발전실), 3(18 평, 휴게실, 창고 4)

모든시설의 에어콘 포함

0 취사/ 급식도구 비품

-부식저장냉장고: 3 대(1,000L 1, 1,500L 2), -GAS 버너:1 개(5 개화덕), -씽크대: 2 대, -부침기(뷔김/부침):1 대, -식탁/의자: 30 개(8 인용), -육절기/분쇄기: 각 1 대, -450 분 다단식취사셉: 1 대, -ICEBOX: 2 대, -식당용저울(200KG): 1 대, -믹서기/전기주전자: 2/2

0 행정비품

-양수책상/의자:10/10, -편수책상/의자:30/30, -책장(5 단):5, -화일박스:10, -케비넷:12, -영문전동타자기:3, -복사기:2, -소파셉:5, -회의용테이블/의자:4/20,

중아국	장관	차관	1차보	2차보	국기국	청와대	안기부	국방부

-흑판: 중 2 대 2, -계산기(중):8, -금고(중):2, -벽시계:3, -보온물통:2, -냉장고(176L):2, -소형냉장고:15, -HAND MIKE:2, -옷장:2

0 차량(수리후또는 현재가용차량): 미니버스 1, 고속버스 1, 픽업 1, 찝 1, 세단 1

0 기타비품

-의약품함 1, 진찰대 1, 이발용대형거울 3, 아령 10, 탁구대 2 셑, 영사기 3, 침대(목재) 22, 소독기구 1, 이발의자 3, 담벨 4, 완력기 2, 재봉틀 1, VTR/TV 2/2

첨부 3: 현지물가 조사내역

-모포 10 불, 벼개 3 불, TV20" 430 불, VTR 395 불, 전기 1KW 90 원, 메트레스 12 불, 시트 4 불, 상수도: 양에 관계없이 월 8.2 불. 끝.

(대사 박종기-국장)

91.12.31 일반

검 토 필 (1991. 6. 30.)

PAGE 2

0133

	분류번호	보존기간

발 신 전 보

번 호 : WAE-0120   910210 1204 FK   종별: 긴급

수 신 : 주   U.A.E.   대사.총영사

발 신 : 장 관   (중근동)

제 목 : 군수송단 파견

국방부측의 요청이 있으니 아래사항을 현지 조사단에게 전달바람.

협조단 활동에 관한 추가 지침(지시)

1. 협조단 전원의 열성적 임무수행의 노고를 치하함.

2. 그러나 귀관들의 일부 활동이 미측에 잘못 이해됨으로써 주미 국방무관
   보고에 의하면 아 협조단의 요구사항이 지나치게 복잡하고 많아서 현지
   미군사령관이 곤욕스러워하는 인상을 펜타곤이 가지고 있다고함.

3. 상기 이유에서 추가지침을 하달함.

   가) 지나치게 미측에게 산발적으로 요구하는 인상을 주지말 것
      본부의 입장은 가급적 충분히 지참하려하나 불가피한 사항만 현지에서
      해결할 수 있는 방안을 모색하는 것임.

   나) 미측에 문의나 요청사항은 한가지씩 산발적으로 제시하지 말고 한데
      묶어서 제시한 뒤 일점시간후에 답변을 요구할것   /계속.../

		보 안 통 제	

앙 고 재	91년 2월 1일 중근동	기안자 성 명	과 장	국 장 전결	차 관 장 관	외신과통제

4. 기타 관심사항중 본부에서 조치중인 다음사항을 참고할것

　　가) UAE 의 주둔승인 공식문서

　　　　1) UAE 의 입장상 기피 가능성을 미측에 전달했음.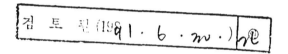

　　　　　　단, 접수하려는 노력은 UAE 측이 오해하지 않도록 하는선에서 하되

　　　　　　조속 회신요

　　나) CENTCOM 의 AL AYN 기지 미군사령관에 문서화 지시

　　　　1) 주미 국방무관에 펜타곤에 강조 지시

　　　　2) 주 사우디 무관 중앙사 방문 강조 지시

　　다) 기타 협조단 보고에 대하여 관련부서가 참모판단 및 후속조치중임. 끝.

　　　　　　　　　　　　　　　　　　　(중동아국장 이 해 순)

예고 : 91.12.31. 일반.

　　　　　　　　검 토 필 (198 91 . 6 . 30 .)

국 방 부

[illegible] [illegible]-742-28 (3241) 1991. 2. 9.

[illegible] [illegible]

[illegible]

[illegible]

[illegible]

가. [illegible] 24105-[illegible] [illegible]

나. [illegible] 24111-11('91.2.[illegible]) [illegible]

[illegible] [illegible] UAE [illegible]

[illegible]

[illegible]

국 방 부 장 [illegible]

전략기획국장 [illegible]

FAX 1991 [illegible]

0136

협조단 활동에 관한 추가 지침(지시)

1. 협조단 인원의 일상적 업무수행외 노고를 치하함

2. 그러나 대협단의 일부 활동이 미측에 함몰 의존되므로써
   ...관 보고에 의하면 아 협조단의 요구사항이 지나치게
   ...많아서 현지 미군사령관이 괴롭스러워 하는 인상을
   ...가지고 있다고 함

3. 상기 이유에서 추가지침을 하달함

   가. ...직접 미측에게 산발적으로 요구하는 인상을 주지말 것
      ...의 입장은 가능적 충분히 고찰하려하니 불가피한
      사항만 현지에서 해결할 수 있는 방안을 모색하는 것임

   나. 미측에 문의나 요청사항은 한가지씩 산발적으로 제시하지
      않고 한데 묶어서 제시한 뒤 일정시간후에 답변을 요구할 것

4. 기타 관심사항중 본부에서 조치중인 다음사항을 참고할 것

   가. UAE의 주둔승인 촉석분석
      1) UAE의 입장상 시피가능성을 미측에 전달했음.
         단, 접수하려는 노력은 UAE측이 오해하지 않도록
         미측선에서 하되 조속 회신요.

   나. CENTCOM의 AL AYN기지 미군사령관에 문석회 지시
      1) 주미 국방무관에 펜타곤에 강조 지시
      2) 주 사우디 무관 부임시 방문 강조 지시

   다. 기타 협조단 보고에 대하여 관련부서가 참모판단 및
      후속조치중임. 끝.

0137

외 무 부

종 별 : 긴 급

번 호 : AEW-0117   일 시 : 91 0210 1300

수 신 : 장관(중근동),사본:국방부장관

발 신 : 주 UAE 대사(조사단)

제 목 : 비마보고

1. 숙영시설에 혼란이 있을것으로판단되어 최신자료들을 종합하여 최종보고함

2. 현실태

가. 미군은 TENT 지원문제를 가장부담스럽게 생각하며 확실한보장을 못하는실정임(점점후퇴하는 인상임)

나. 중동전역에 TENT 가 절대부족한실정이어서 우선순위배정시 충분한물량확보가 의심스러움

다. 알아인기지는 알아인시내로부터 12KM 이격되고 사막에고립된 기지이며 2월 9 일입수된 자료에의하면 작년 8 월이후 왕실항공기가 비상대기상태로주둔하므로 UAE 군에서 특별경계를하며 2KM 이내에는 민간인접근이 엄격히통제되고있음(UAE 국내치안 확립되어있음)

라. 현대캠프는 알아인기지내에 위치하지만 미군경비지역(2 중철망)밖에위치하고, 외곽경비는 UAE 군이담당

마. 현대캠프지역의 경비구역은 필요시설구역만 남기고 기타건물은 철거할수없으며 경비철망, 보안등설치가 가능함(경비구역 총연장 800M)

바. 가장염려하던 기지주변보안상태가 확고하기때문에 현대캠프지역사용시 자체경비(초소 3 개)만담당하면 가능하므로 기전개계획된 초병(2 개초소)외에 1 개초소는 추가병력없이 자체해결가능함

사.TENT 숙영시 미군식사는 이용할수있으며 한국식당독자운영시는 다음과같은 문제점이있음

OTENT 내에 불을땔수없고 노천취사는 불가(모래바람)

0 현대캠프의 주방설비보수후 사용하고 동일시설식당을 이용해야 용역을맡겠다고함

OTENT 촌과 현대캠프식당과는 1KM 정도이격되어 이동배식은어렵고 식사용차량(버스

중아국	장관	차관	1차보	2차보	미주국	청와대	안기부	국방부

2 대)이 추가소요됨(하계도보왕복곤란)

　3. 해결방안

　01 방안:TENT 생활및 미군식사

　02 방안: 현대캠프숙영및 한국식사

　4. 방안검토

　01 방안

　-자체경비부담감소,-식당이용편리(거리),-현대측시설보수 불필요,-각종복지시설이용편
리등의 장점이있으나

　-미군의존도증대

　-자체경비병력(1　　　　　　　　　개초소증가　　　　　　　　　4
명)윤번제차출운영,-식사비용부담과중($11.3),-한국고유식단불가등의 단점이있음

　02 방안

　-숙소해결　　　　　　확실히보장,-미군의존도감소,-기후에　　　　　영향이적고
쾌적한생활환경가능,-식사비용부담감소($6　　　　　　　　요구),-한국식사로
사기향상,-지휘관리용이등의 장점이있으나

　-자체경비증가(1　　　개초소),-각종복지시설　　　이용불편(거리),-비행대기선과
이격(2KM)등의 단점이있음

　0 조사단의견

　미군측에　　과다한요구를하는　　인상을줄이고　　추가병력소요없이　　자체경비가
해결가능하며　　쾌적한환경및　　한국식사로　　장병사기향상등을　　고려할때
현대캠프이용이더좋다고사료됨

　5. 기타

　0 현대캠프이용시

　-기간내수리보수및 경계시설(철망, 보안등)가능

　-침대시설가능

　-매트리스는 커버교체가 필요함. 끝.

　(대사 박종기-국장)

　91.12.31 일반　검　토　필.(1991. 6. 30.)

외　무　부

종　별 : 긴급

번　호 : AEW-0120　　　　　　　　　　일　시 : 91 0210 2100

수　신 : 장관(중근동),사본:국방부장관

발　신 : 주 UAE 대사(조사단)

제　목 : 비마보고(7)

1. 조사단은 현지에서의 최종확인, 협의활동을 마치고 2.10.1800 알아인을떠나 아부다비로 이동하고, 2.11.0930 출발예정임. (서울 2.12.1825 도착예정)

　-귀국인원:6 명, 잔류 8 명(약정서담당및 법률장교포함)

2. 숙영지 준비를위해 현지 현대건설측과 세부사항협의(수도, 전기설비, 세부인계품목)

3. 급식용역업체와 급식에관한 가격, 메뉴작성, 세부준비사항등 협의(업체요구 1인 월 180 불에대해 인하협의)

4. 본대도착에 대비하여 현대건설 현지요원과 숙영지준비, 소요예산 판단등세부사항협의.끝.

　(대사 박종기-국장)

　91.12.31 일반

검 토 필 (198 91. 6. 30)

중아국	장관	차관	1차보	2차보	미주국	청와대	안기부	국방부

외 무 부

관리번호 H-305

원 본

종　별 : 지급

번　호 : USW-0695

일　시 : 91 0211 1814

수　신 : 장관(미북, 중근동, 국방부, 주 UAE 대사(중계필)

발　신 : 주미 대사

제　목 : 군 수송단 파견

대: WUS-0528

　1. 대호 관련, 금 2.11 당관이 국무부 한국과를 통해 미 합참으로부터 확인한바로는 아군 수송단 주둔 관련 군수 지원 문제등에 관한 한미 양국 군 당국자간 협의가 상금 종료되지 않은 상황이기 때문에, 미 중앙 사령부가 -알 아인-기지 주둔 미 공군 사령관에 대한 대호 1 항의 정식 통보를 보류하고 있다함.

　2. 한편, 당관 무관부에서도 미측 유관 부서와 전기 군수 지원 문제에 관한협의를 진행중인바 구체적 협의 결과가 나오는 대로 보고 예정임.

　(대사 박동진-국장)

　91.12.31 일반

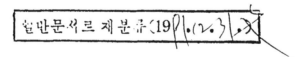

일반문서로 재분류〈19 91.12.31.〉

검토필 〈19 〉

미주국	장관	차관	1차보	2차보	중아국	청와대	안기부	국방부

PAGE 1

91.02.12　09:39

외신 2과 통제관 BW

URGENT

(Draft)

The Ministry of Foreign Affairs presents its compliments to the Embassy of the United Arab Emirates and has the honour to inform that a group of Korean reporters is planning to visit the United Arab Emirates for press coverage of the activities of the Korean Air Force Transport Support Team in the Al-Ayin area from 19-29 February 1991.

The Ministry of Foreign Affairs will appreciate it if the Embassy will issue the visas for the reporters whose list is herewith enclosed.

The Ministry of Foreign Affairs avails itself of this opportunity to renew to the Embassy of the United Arab Emirates the assurances of its highest consideration.

Seoul February 1991,

Enclosure : As stated

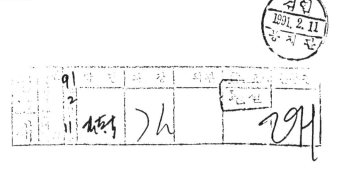

0142

URGENT

ODZ-70

    The Ministry of Foreign Affairs presents its compliments to the Embassy of the United Arab Emirates and has the honour to inform that a group of Korean reporters is planning to visit the United Arab Emirates for press coverage of the activities of the Korean Air Force Transport Support Team in the Al Ayin area from 19-29 February 1991.

    The Ministry of Foreign Affairs will appreciate it if the Embassy will issue the visas for the reporters whose list is herewith enclosed.

    The Ministry of Foreign Affairs avails itself of this opportunity to renew to the Embassy of the United Arab Emirates the assurances of its highest consideration.

Seoul, 11 February 1991

Enclosure : As stated

0143

URGENT

(Draft)

    The Ministry of Foreign Affairs presents its compliments to the Royal Embassy of the Kingdom of Saudi Arabia and has the honour to inform that a group of Korean reporters is planning to visit the Kingdom of Saudi Arabia for press coverage of the activities of the Korean medical support group in Al-Nuairia area from 19-29 February 1991.

    The Ministry of Foreign Affairs will appreciate it if the Embassy will issue the visas for the reporters whose list is herewith enclosed.

    The Ministry of Foreign Affairs avails itself of this opportunity to renew to the Royal Embassy of the Kingdom of Saudi Arabia the assurances of its highest consideration.

Seoul, February   , 1991,

Enclosure : As stated

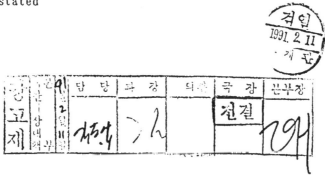

0144

MINISTRY OF FOREIGN AFFAIRS
REPUBLIC OF KOREA

URGENT

ODZ-69

    The Ministry of Foreign Affairs presents its compliments to the Royal Embassy of the Kingdom of Saudi Arabia and has the honour to inform that a group of Korean reporters is planning to visit the Kingdom of Saudi Arabia for press coverage of the activities of the Korean medical support group in Al-Nuairia area from 19-29 February 1991.

    The Ministry of Foreign Affairs will appreciate it if the Embassy will issue the visas for the reporters whose list is herewith enclosed.

    The Ministry of Foreign Affairs avails itself of this opportunity to renew to the Royal Embassy of the Kingdom of Saudi Arabia the assurances of its highest consideration.

Seoul, 11 February 1991

Enclosure : As stated

0145

List of Reporters

Company	Name	Date of Birth	Passport Number
Hankook Ilbo	JAE-HYUN AHN	53.12.24.	
Dong-A Ilbo	SEONG-HA CHO	59.1.20.	
Hankyorhe Shinmun	BYUNG-HYO LEE	54.3.6.	
Yonhap News Agency	DON-KWAN LEE	50.9.3.	
The Korea Herald	SUNG-YUL LEE	55.8.18.	
"	KYUNG-SOO KIM	63.11.27.	
Munhwa Broadcasting Corporation (MBC)	SANG-KEE KIM	53.1.27.	
"	BYUNG-GIL LIM	55.12.17.	
The Korea Times	NAK-HO LEE	41.9.18.	
Christian Broadcasting System (CBS)	JU-MAN KWON	58.10.15.	
Joong-ang Daily News	MAN-HOON LEE	55.1.8.	
"	HYUNG-SOO KIM	59.8.10.	
Seoul Shinmun	WON-HONG KIM	45.9.22.	
Kookmin Ilbo	SANG-ON KIM	56.3.15.	
Kyunghyang Daily News	HEUNG-IN YOON	50.2.28.	
Korean Broadcasting System (KBS)	JAE-CHUL KIM	44.6.23.	
"	JAE-HONG PARK	56.8.15.	
Chosun Ilbo	CHANG-SU KIM	55.2.13.	

0146

분류번호	보존기간

발 신 전 보

번   호 : WAE-0123   910211 1634 FC 종별: 긴급

수   신 : 주 U.A.E   대사. 총영사

발   신 : 장 관   (중근동)

제   목 : 군수송단 파견

연 : WAE - 0114

연호 귀지 마 대사관에 대한 조치 결과 차콘 보고 바람.   끝.

귀주재중의 아국 수송단 주둔허가 사실을 일단 문더통보해 주기는
국방부는 바라고 있으니 령의조치하고   귀리미콜대사관에

(중동아국장   이 해 순)

예 고 : 1991. 6. 30. 일반고 해
         의거 .난문서로 대급바람

		보 안 통 제	7h

앙고재	91년 2월 11일 중근동과 차정	기안자 성명		과 장 7h	국 장 전결	차 관	장 관 7시	외신과통제

0147

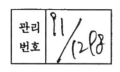

외　무　부

종　별 : 지　급

번　호 : AEW-0122　　　　　　　　　일　시 : 91 0211 1100

수　신 : 장관(조약,중근동),사본:국방부장관

발　신 : 주 UAE 대사(조사단)

제　목 : 군수송단 파견

대:WAE-0118

연:AEW-0108

1. 조사단은 2.10. 주재국 군당국과 연호건에 대한 협의기회에 대호내용을 추가코자 하였으나 군당국은 2.10. 약속된 면담을 일방적으로 연기통보하면서 아측이 제시한 지위협정및 군사실무 약정서안에 대한 검토결과를 2-3 일후에 알려주겠다 하였음.

2. 주재국 군당국과의 군사실무 약정서에 대한 검토결과 협의를 위해 잔류하는 2 명외 잔여 조사단 6 명은 2.11. 당지를 출발, 방콕경유 2.12.18:25 KE-632 편 귀국함. 끝.

(대사 박종기-국장)

91.12.31 일반

검　토　필(1981. 6. 30)

국기국　　중아국　　국방부

대 한 민 국
외 무 부

신일 02361 - *119*

수신 국방부장관

참조 공군 참모총장

제목 통신장비 운송 및 "설치" 협조

1. 당부는 주 UAE 대사관과의 무선통신망 구성을 위해 동 대사관에 무선 통신 장비를 송부코저 하오니 2.18. 출발예정인 군수송 지원단편에 장비 1SET 를 적재할 수 있도록 협조하여 주시고, 아울러 동 장비는 현지 도착과 동시에 대사관측에 인계하여 주시기 바랍니다.

2. 또한, 귀국 항공편 사정상 현지에 장비설치 지원요원을 별도로 파견 할 수 없는 실정이오니 귀부에서 파견하는 통신요원 (소령 최상일, 하사 최광수) 으로 하여금 대사관의 장비설치 및 운용법 교육등을 지원토록 협조하여 주시기 바랍니다. 끝.

예 고 : 발행처 : 91. 6. 30. 일반

접수처 : 91. 6. 30. 파기

외 무 부 장

정보문화국장 전결

0149

1호기

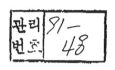

관리번호 91-48

국 방 부

지운 24818-20 (2645)

수신 외무부장관

참조 정보문화국장(외신1과장)

제목 주파수 사용 획득 (협조)

1. 관련근거 : 국전구 24111-11 ('91.2.1) 한국공군 수송단 파견 추진계획

2. 상기 관련근거에 의거 한국공군 수송단이 아랍에미레이트에 파견보록 되어 있으나 주 아랍에미레이트 한국대사관에는 무관부가 상주하지 않으므로 아래사항을 주재국 체신부(국방부)와 사전 협조 사용할 수 있도록 조치바랍니다.

   가. 사용지역 : UAE 알아인 지역

   나. 통신제원

장 비 명	사용주파수	전파형식	출 력	비 고
BXC-1252(핸드토키)	138.950 MHZ 141.050 "	16KOF3E	5/100㎽	지휘통신
AN/GRC-106(RF-2301)	9035 KHZ 9850 " 10760 " 10845 "	3KODJ3E	400 W	항공기통제
AN/GRC-171	243.0 MHZ	6KOOA3E	20 W	항공기 관제

   다. 용도 : 다국적군 수송업무 지원. 끝.

   (파기 : '91. 6. 30)

발송 1991. 2. 11 국방

국 방 부 장

지휘통제통신실장 전결

FAX 1991. 2. 11 전문통제판

0150

사실상의 派兵… 준비 한창

걸프파견 輸送團

◇C130기가 군수물자를 투하하는 장면. 우리나라는 89년이 항 공기를 미국으로부터 도입, 전천후 수송기로 활용하고 있다.

18일출국… UAE 알 아인에 주둔

장기전땐 전투兵科도 가게될 듯

0151

◇매년 신학기를 앞두고 고, 뽑을 사람은 미리 정하 많은 관계자들의 비판이다.

〈金炯柱기자〉

〈金基洙기자〉

외 무 부

종 별 : 지 급

번 호 : AEW-0125

일 시 : 91 0212 1100

수 신 : 장관(중근동,기정),사본:국방부

발 신 : 주 UAE 대사

제 목 : 군수송단 파견

대:WAE-0213

연:AEW-0095

1. 당관은 주재국의 아국 군수송단 파견에 대한 구두승인사실을 이미 소직및 오참사관이 미국대사및 무관에게 각기 봉보한바 있으며 미대사관측도 동사실을 상부및 당지 알아인 공군기지에도 봉보한 상황임.

2. 따라서 동건은 당관이 미대사관에 서면봉보라는 새로운 형식상 철차를 재차 취하는것은 의전에 불과하며 동건 해결에 도움이 되지않을 것으로 사료되오니 국방부로 하여금 대호 재검토케하고 동건은 원칙적으로 미고위당국의 결정이 선행되어야 할것임을 봉보하여 주시기바람.

.3. 참고로, 연호와같이 주재국 군당국이 아국수송단 파견을 구두승인하고, 사전조사단을 참모총장이 직접접견하는등 파격적인 예우를 한것은 아측과 미측이동수송단 파견에 대하여 사전 완전합의한 것을 전제로 한것임을 첨언보고함. 끝.

(대사 박종기-국장) 예고: 91.12.31 일반

검 토 필 (1991. 6. 20.)

중아국   차관   1차보   2차보   안기부   국방부

91.02.12   17:17
외신 2과 통제관 BA

0152

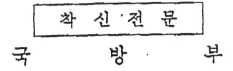

착 신 전 문

국 방 부

증 별 : 긴급   암 호 수 신
번 호 : PTCW-0227   일 시 : 102121713
수 신 : ~~국방부장관~~ 의무사 감리온 (中末 및 주미 로강)
발 신 : ~~주미국무단~~ 국방부 감리온
제 목 : 수송단파견관련미측전문보고   사본 ① 주사우디
                                                    ② 주 UAE

    연 : PTCW-0220

    1. 연호관련 '미국방부 한국과에서 작성한 미 국방부 - 국무부 합동전문을 다음과
같이보고함.

    가. 접수부서

    -수신 : 미합참

    -참조 : 국무부, 공본, 리야드 미중앙사, 하와이 태평양사, 오산 7공군, 주
한 미대사, 주 아부다비 미대사 및 JUSMAG-K

    나. 전문 원문

THIS IS A JOINT DEFENSE-STATE MESSAGE

SUBJECT : DEPLOYMENT OF ROK C-130 AIRCRAFT

    1. THE U.S. ACCEPTS THE ROK GOVERNMENT OFFER TO DEPLOY FIV
E C-130 AIRCRAFT TO AL AIN, UNITED ARAB EMIRATES, IN SUPPORT
OF DESSERT STORM. REQUEST JOINT STAFF DIRECT NECESSARY PLAN
NING AND COORDINATION TO ENSURE SMOOTH DEPLOYMENT AND INT
EGRATION INTO DESERT STORM FORCES.

    2. U.S. COUNTRY TEAM IN SEOUL SHOULD OBTAIN ROK AGREEMENT
TO REIMBURSE ALL MATEIREL AND PERSONNEL SUPPORT COSTS PROV
IDED BY THE U.S./ MUTUAL LOGISTICS SUPPORT AGREEMENT BETWEEN
THE U.S. AND ROK SIGNED IN SEOUL ON 8 JUN 1988 SHOULD PROVIDE
THE BASIS FOR ACCOUNTING FOR THIS SUPPORT

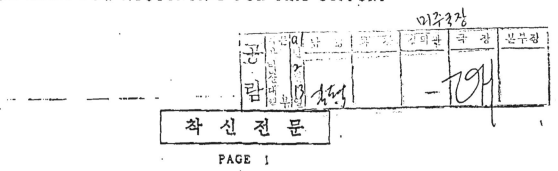

착 신 전 문

PAGE 1

0153 ~~0139~~

3. DEPARTMENT OF STATE WILL HAVE AEMBASSY RIYADH AND ABU DHABI AFFECT ANY DIPLOMATIC COORDINATION REQUIRED.

2. 무판주기

-상기 1988. 6. 3일 서울에서 체결한 한, 미 상호 군수지원에 관한 합의서(전문 16페이지)는 1991. 2. 5일 서울에서 이근택 군수국장과 RICHARD BEALE 준장이 서명한 수정문에 의거 지리적 제한 사항들이 삭제/수정 되었음을 미측으로 부터 통보 받았음. -동 합의서 및 수정문 사본은 참고로 2일 정파편(2. 15예정)에 송부예정. 끝.
(공군무판대령 바엽)

부	운		기 획 실	장 관 실	차 관 실	의 장 실	청 와 대	육	
1	화	V 주	련	기관신장	1차관보	3	국	안 기 부	해
2	화	주	존	경 기 관	2차관보	5	국	보 안 사	공
3	파	△기	정	인 사 국	군 수 국	7	국	국 방 연	연 합 사
정	계	정	보	방 산 국	사 업 관	제 조 실	국 파 연	국 대 원	

PAGE 2

0154

0140

1991. 2. 18

외 무 부

종 별 : 지 급

번 호 : AEW-0126   일 시 : 91 0213 0830

수 신 : 장관(중일,기정)

발 신 : 주 UAE 대사

제 목 : 군수송단 영공통과

대:WAE-0099

대호, 주재국은 아국수송단 C-130 5 대의 영공통과및 착륙을 2.11. 자로
허가하였음을 보고함. 끝.

(대사 박종기-국장)

예고:91.12.31 일반

검 토 필 (198 91. 6. 30)

중아국   안기부

국　　　　방　　　　부　　　　/36

합비 01600-68　　　　　　　　　（ 3053 ）　　　　　　　　　91. 2. 13

수 신 : 외무부장관

참 조 : 외신 1 과장

제 목 : 합참 3차장 해외출장계획 통보 협조 (의뢰)

　　　　1. 관련근거 : 걸프지역 한국군 부대방문

　　　　2. 위 근거에 의거 첨부와 같이 변경된 걸프지역 방문계획을　　　통보
하고자 하니 주UAE한국대사관에 통보협조하여 주시기 바랍니다.

첨 부 : 해외출장계획 1부 . 끝 .

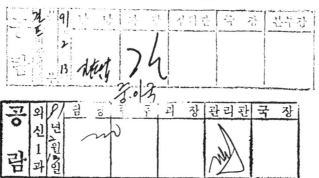

　　　　　국　　　방　　　부　　　장

0156

해 외 출 장 계 획

1. 방문국가 : 아랍에미레이트

2. 방문기간

   - 91. 2. 19 - 22 (3박 4일)

3. 세부일정

   - 2.19 - 20 아부다비 도착

          알아인 기지 방문

     2. 21 21:00 한국 공군 수송단 1진 격려

        22 21:00 한국 공군 수송단 2진 격려

        23   아부다비 출발 (리야드 향발)

4. 방문대상자 명단

   - 총참모장 : ALBADI 소장

   - ALAIN 기지 미군 사령관 : WINGFIELD

5. 방문자 인적사항

소 속	계 급	직 책	성 명
합 참	중 장	제3차장	이 양 호

* 제 3차장 외 3명

6. 위 일정별 방문대상자 및 부대, 숙박문제를 협조 바랍니다.

0157

발 신 전 보

번 호 : _____ 종별 : _____

수 신 : 주 UAE 대사 . 총영사

발 신 : 장 관 (중근동)

제 목 : 군인사 방문

ㅇ 중동아겸래
ㅇ 양로성명
Lee Yang Ho
LT. Gen

1. 군 수송단 귀지 주둔 관련, 합동참모본부 제 3차장, 이양호 중장 외 3명이
91. 2. 19-22(3박 4일간)귀지를 방문 예정인바, 주재국 Al-Badi 총참모장 및
Wing field 알아인 미군사령관의 면담주선, 부대 방문, 숙소예약등 조치하고 결과
보고 바람.

2. 귀지 도착 일시, 항공편 등은 확정되는대로 추후 통보예정임

(중동아국장 이 해 순)

예 고 : 91. 12. 31. 일반

검 토 필 (1991. 6. 30.)

보 안
통 제 · · 7h

외신과통제

앙고재	91년월13일	중동과	기안자성명	과 장	국 장	차 관	장 관
			서대력	7h	전결		

발 신 전 보

번 호 : WAE-0130   910213 1842 BX   종별 : 긴급

수 신 : 주 UAE, 사우디   대사. /총영사/ (사본 주미 대사)   WSB -0355   WUS -0573

발 신 : 장 관 (중근동)

제 목 : 군수송단 파견

대 : AEW-0125   미 참관 별무 통보전

1. 대호관련, 미국방부 한국과에서 작성한 미국방부와 국무부 합동 전문내용을
아래 통보하니 ~~규자 마태사관 및 미군거치 사령관과의 업무 협약에~~ 참고 바람.
~~통보함.~~
                                        귀관 / 리람 하기

THIS IS A JOINT DEFENSE-STATE MESSAGE

SUBJECT : DEPLOYMENT OF ROK C-130 AIRCRAFT

가. THE U.S. ACCEPTS THE ROK GOVERNMENT OFFER TO DEPLOY FIVE C-130 AIRCRAFT
    TO AL-AIN, UNITED ARAB EMIRATES, IN SUPPORT OF DESSERT STORM. REQUEST JOINT
    STAFF DIRECT NECESSARY PLANNING AND COORDINATION TO ENSURE SMOOTH DEPLOY-
    MENT AND INTEGRATION INTO DESERT STORM FORCES.

나. U.S. COUNTRY TEAM IN SEOUL SHOULD OBTAIN ROK AGREEMENT TO REIMBURSE ALL
    MATERIAL AND PERSONNEL SUPPORT COSTS PROVIDED BY THE U.S. MUTUAL LOGISTICS
    SUPPORT AGREEMENT BETWEEN THE U.S. AND ROK SIGNED IN SEOUL ON 8 JUN 1988
    SHOULD PROVIDE THE BASIS FOR ACCOUNTING FOR THIS SUPPORT.

다. DEPARTMENT OF STATE WILL HAVE EMBASSY RIYADH AND ABUDHABI AFFECT ANY
    DIPLOMATIC COORDINATION REQUIRED.

/ 계속 . . .

보 안
통 제   74

외신과통제

0159

(미합참외에)

2. 동 전보는 ~~수신 : 미 합참~~ ~~참조 :~~ 국무부, 공본, 리야드 미중앙사, 하와이 태평양사, 오산 7공군, 주한미 대사, 주UAE 미대사, 주한 고문단등으로 타전됨. 끝.

(중동아국장 이 해 순)

예 고 : 1991.12.31. 까지

검 토 필 (199 1. 6. ㅈㄴ.) 진

분류번호	보존기간

발 신 전 보

번   호 : WSB-0356   910213 1850 BX   종별 :

WUS -0576   WAE -0131

수   신 : 주   사 우 디   대사. 총영사 (사본 : 주미, 주UAE대사)

발   신 : 장   관   (미북, 중근동)

제   목 : 군 수송단 파견

연 : WSB-0311

1. 연호 아국 군 수송단의 작전지역이 UAE와 사우디임에 비추어 귀주재국 정부의 작전 ~~허가~~ 동의가 필요함.

2. 따라서 귀직은 주재국 정부를 접촉, 아국 군 수송단의 사우디 활동에 필요한 ~~허가~~ 동의를 지급 받아내고 결과보고 바람. (UAE측으로 부터는 ~~허가~~ 동의를 받았음)

3. 한편, 아국 군 수송단은 오는 2.18(일) 발단식을 갖고 2.19(월) UAE 향발 예정임을 참고 바람. 끝.

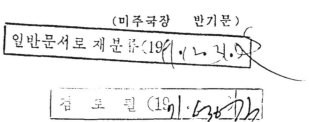

(미주국장   반기문)

일반문서로 재분류(19 · ·)

검 토 필 (19 · ·)

예 고 : 91.12.31.일반

중동아국장 :

보 안 통 제	~~능.~~

앙고재	91년 2월 13일	기안자 성명	과장		국장		차관	장관	외신과통제
	북미과 김수현		능.	심의관	정경				

0161

분류번호	보존기간

발 신 전 보

번   호 : WUS-0591   910213 2013 AO   종별 : 긴급

WAE-0133   WSB-0358

수   신 : 주   미   대사. 총영사 (사본 : 주UAE. 주사우디대사)

발   신 : 장   관   (미북, 중근동)

제   목 : 군 수송단 파견

대 : USW-0695

진전의 지연 요인이 없던

1. 표제관련, 그간 한.미 군 당국간에 협의되오던 아국 수송단에 대한
Tent 및 식사제공 문제는 아측이 현대 캠프에 숙영하면서 동 캠프내 식당을 이용
키로 합에따라 해결이 되었으며, C-130 수송기에 대한 부품 공급 및 정비 수리문제는
B-1 Stand(작업대) 2대, 수송기 1대당 프로펠라 및 엔진 각1조 그리고 fly wear
kit 등 장비 일부를 아측이 부담해야 한다는 미측의 요청을 아측이 수용하므로써 *문제들이*
모두 해결 되었음.

2. 한편, 군 수송단의 Al Ain 기지 주둔 관련, 연료, 전기, 물, 교통
등은 UAE 정부가 동 기지 주둔 미군에 대한 지원 수준으로 제공키로 합의하였음.

3. 귀관은 상기를 감안, 국무부 및 국방부를 지급 재접촉, 사우디 주둔
미 중앙사(CENTCOM)가 Al Ain 기지 주둔 미군 사령관으로 하여금 아국 군 수송단
주둔에 협조토록 조치해 줄 것을 요청하고 결과보고 바람.

4. *아국수송단은 2.18 현재 ~~반떨질 수 있건~~ 그니유 현지로 향발 예정 임은 참고바람.* 끝.

일반문서로 재분류(1991.11.31.)

(미주국장 반기문)

검 도 필 (1991.6.30)

예고 : 91.12.31.일반

중근아국장: 대책본부장:

보안통제	58

앙고재	91년 2월 13일	북미 과	기안자성명 김규현	과장 58	심의관	국장 전결	차관	장관 기율	외신과통제

0162

발 신 전 보

번 호 : WAE-0132   910213 1921 BX 종별 : 긴급

수 신 : 주   UAE   대사. 총영사

발 신 : 장 관 (중근동)

제 목 : 군수송단 파견

연 : WAE-0128

아국 군수송단은 연호 일정대로 제 1진이 2.19, 제 2진이 2.20. 각각
서울출발 예정으로 금 2.13 동 요원(150)들의 UAE 입국 비자 발급신청을
주한 UAE 대사관에 하였는바, 동 대사관은 본국 정부의 지시가 오는대로 발급하여
주겠다 하여 기다리고 있으니, 본건 주재국 외무부에 확인, 조속히 회보될수 있도록
조치하고 결과 보고바람.   끝.

(중동아국장 이 해 순)

예 고 : 91. 6. 30. 일반
이거 일반문서로 대하

보안
통제

앙
고
재
인
년
월
일
기안자
성명
중동과
과 장
국 장
전결
차 관
장 관

외신과통제

0163

관리
번호 91-421

외 무 부

종 별 : 지 급
번 호 : USW-0748
수 신 : 장관(미북,중근동)
발 신 : 주미대사
제 목 : 군수송단 파견

일 시 : 91 0214 1428

대:WUS-0591(1), 0573 (2)

　　대호 (1)의 3 항 관련, 당관 무관부를 통해 미측으로부터 확인한바로는 대호 (2)의
국무부- 국방부 합동 지시 전보에 따라 CENTCOM 측에서 A1 AIN 기지 주둔 미군
사령관에게도 협조 지시를 기 하달하였다함.

　　(대사 박동진-국장)

　　예고:91.12.31 일반

일반문서로 재분류(1991.12.5.)

검 토 필 (1991.63.4)

미주국	장관	차관	1차보	2차보	중아국	청와대	안기부

PAGE 1

| 관리
번호 | 91/1315 |

외 무 부

종 별 : 긴 급

번 호 : AEW-0131

일 시 : 91 0216 1300

수 신 : 장관(중근동,미북,기정),사본:국방부,주미,주사우디대사

발 신 : 주 UAE 대사

제 목 : 군수송단 파견

    대:WAE-0213

    연:AEW-0125

    1. 대호건, 주재국 AL BADI 참모총장은 아국수송단 주둔허가 사실을 2.14. 자 문서로 통보(금 2.16. 접수)하여 왔기, 즉시 2.16. 소직은 당지 미대사를 면담(무관 DEMPSY PERSONS 중령배석), 동사실을 문서로 직접 수교하였음을 보고함.

    2. 동 AL BADI 참모총장의 서한 차기정파편 송부위계임.끝.

    (대사 박종기-국장)

    91.12.31 일반

| 검 토 필 (1991. 6.31.) |

중아국   차관   1차보   2차보   미주국   안기부   국방부

외 무 부

종   별 : 긴 급
번   호 : AEW-0132   일   시 : 91 0216 1600
수   신 : 장관(중근동),사본:국방부장관
발   신 : 주 UAE 대사(조사단)
제   목 : 비마보고(8)

　　1991.2.16.19:00 현재 진행현황을 다음 보고함

　　1. 숙소및 사무실 배정완료, 수리보수중이며 이에소요되는 비품및 사무기기는 현대로 부터 대여 받을 예정임

　　2. UAE 참모총장(MAJ/GEN AL BADI)으로부터 한국군의 UAE 주둔을 승인한다는 서한을 접수하였음(AEW-0131 참조)

　　3. 비행지원을위하여 필요한 4 개텐트(비행계획용 1, 정비지원용 2, 정비장비 보관용 1)는 미측에서 제공하기로 협조완료함

　　4. 발전기(GENERATOR)임대시 필수소요량은 최소 230KWX2 대이며 임대료는 6 개월 이상 임대시 월 $16,000(임대료 $15,000 작동요원 2 명 고용료 $1,000)이소요되어 6 개월단위로 현지회사와 계약추진중임(월간단위(980)임대시는 월 $21,000이 소요됨)

　　-임대료 $15,000 에는 작동요원이 포함되지 않은가격이며(UAE 에서는 임대시 발전기만임대) 24 시간 작동을위한 유지요원이 2 명필요함. 현지에서 1 명당 월 $350이면 채용가능하고, 발전기작동 고정비용이 월 $300 정도소요됨)

　　5. 수도관 인입은 공사중이며(91.2.14-2.19) 소요비용은 $5,000 임

　　6. 식사지원은 현대측의 지원능력이없어 협조가불가하며 취사기구및 비품은 대여받을수 있음. 공군자체해결을위해 식사지원업체를 선정할계획이며(2.17 선정 예정) 이에따른 계약을위하여 선발대원중 1 명또는 참모장에게 수의계약 재량권 부여 및 재무관 임명이 필요한 것으로 판단됨(본국 의견 있으면 즉시 지시바람). 별첨참조

　　7. 현대보유차량중 수리가능한 4 대(버스 1, 픽업 1, 승용차 1, 찝 1)는 무적 차량으로 수리후 기지내에서만 운행가능하며 최소수리비용은 $5,000 이 소요되고 긴급수리할계획임.추가소요분 4 대(승용차 3, 미니버스 1)는 시내에서 렌트할수있도록 추진중이며 렌트 비용은 승용차 대당 월$1,100, 미니버스는 대당 월$1,400 임

중아국　　　장관　　　차관　　　1차보　　　2차보　　　청와대　　　안기부　　　국방부

PAGE 1

8. 숙영지역 외곽경비는 미군측과 협조완료(미측 야간 1 개초소 별도운영)하였으며 내곽 경계용 2 중철조망 설치추진중임.내곽경계 철조망용 경보기는 현지구매불가하므로 필요시 한국내에서 구입요망함. 경비병용 야시경 지참요망

9. 아측 본대도착시 환영식을 현지 미군부대장은 아측 1 진및 2 진도착 또는 아측 요구 시간에 실시할계획으로 추진중이며 아측선발대 의견은 2 진도착(2.21)완료후 22 일 오전0900-1000 에 실시하는것이 좋을것으로 사료되나 본국의 의견있으며 지시바람

10. 통신은 국제전용 3 회선/시내전화 1 회선은 전화국측 무선중계국 용량증설후 설치가능하며 용량은 2-4 주후에 증설가능한것으로 교섭됨. 이에따라 대체용으로 현대전화 UAE(3)-82-6262 시내전화를 2.14 부터 대여운영중이나 전화국사 정상 현지시간 오전중 사용불능임.각회선당 설치비용 $100, 보증금 $300 로 총$1,600 이 소요되고 회선당 운용요금은 FAX 가 월$6,500, TTY/VOICE 가 월$1,600, 시내회선은 사용량에 의거하므로 매월 예산 반영 요망함.

AEW-0133 으로 계속됨

PAGE 2

0167

외 무 부

종   별 : 긴 급

번   호 : AEW-0133   일   시 : 91 0216 1700

수   신 : 장관(중근동), 사본:국방부장관

발   신 : 주 UAE 대사(조사단)

제   목 : AEW-0132에서 계속함

11.   본대도착전까지   발전기임대료$16,000,   수도관인입비$5,000, 차량수리비$5,000,   차량렌트비$4,700,   통신설치비$1,600,   총$32,300 의 예산이소요됨. 위사항은 현대의지불보증으로 계약하고 본대도착후 지불토록하며, 최소필요경비는 현대현장사무소 혹은 주 UAE 한국대사관과 협조조치할예정임

12. 본대도착시 내한하는 VIP 를위한 호텔(AL AIN HILTON HOTEL)예약은 완료되었으며 차량지원, UAE 총사령부방문등은 대사관과 협조중에있음(<u>VIP 내방계획</u>을 대사관측은 본국정부로부터 통보받지 못하고있음)

13.   본대도착후   임무수행은   아측항공기에   미   C-130   교관요원   1 명씩합승(비행계획단계부터   참여)(107)   작전지역관습비행을   실시후 아측단독임무수행토록 협조완료(약 7-10 일소요)

14. 금번 비마보고(8)로 보고된내용중 별도의견이나 지시가있을시는 긴급통보바람.

급식약정서(안)

GULF 사태의   원만한해결을위하여 UAE AL AIN 에주둔하는 대한민국공군에 대한 급식에관하여   대한민국공군   56   공수비행단(이하'갑'이라칭함)과 --------(이하'을'이라칭함)은 다음과같이 약정함

제 1 조(목적): 갑은 급식요청권및 대금지불의무를, 을은 급식제공의무및 대금청구권을 갖는다

제 2 조(계약기간): 급식 제반사항에 따른 계약기간은 이약정서에 상호서명한날로부터 삼이중단요청할 시기까지로한다

제 3 조(계약금액): 계약금액은 갑측구성원 1 인 1 일(조, 중, 석)식비 미화6 달러를 기준으로하여 합산한금액으로하며 을은 이에준한 금액범위내에서 급식을지원한다

중아국	장관	차관	1차보	2차보	정와대	국방부

PAGE 1

제 4 조(급식제반사항): 갑, 을은 각각 다음과같은 의무를부담한다

'갑'은 1)급식요리에 필요한조리비품을 지원한다(첨부 1 목록),2)급식조리에 소요되는 연료를지원한다(GAS/DIESEL/ 물/M 전기),3)식당운영에따른 수리, 보수를책임진다,4)급식조리에 소요되는 요원에대한 출입, 침식을제공한다,5)주간메뉴표를 작성제공한다(첨부 2 목록)

'을'은 1)식당운영에 필요한 비품류/ 집기류를제공한다,2)식당운영에 필요한 신원이확실한 조리사, 보조원및 잡일요원을제공한다,3)주간메뉴표(기준량)에의한 메뉴를 정량제공한다(첨부 3 목록). 단, UAE 시장에 품절된품목은 갑, 을 협의하에 대체메뉴로 조아국/수있다,4)주간, 월별, 품목별, 납품단가표를 제공한다(첨부 4 목록)

제 5 조(검수):1)갑은 갑과을이 지정한 사람을통하여 검수하며, 급식의 질적인면및 위생총인면에 관하여 검수(698)(573)(617)(205)(797)(825)

2)급식질(055)(359) 또는 비위생적일때는 갑은 정상품으로 교체요구할수있다

3)검수요원은 갑의군의관 또는급식관리자, 을의조리사중에서 상호지정한다

제 6 조(보건위생): 을이급식한 식품으로인하여 갑의구성원이 보건위생상 피해를입은 사실이판명될경우, 을은 이에관련된 일체의 민, 형사책임을진다

제 7 조(메뉴기준량책정): 갑이제시한 메뉴 1 인기준량은 현지물가상승및 국제환율변동에 관계없이 고정된기준물량을 제공한다. 단, 변동시 사전 갑과을의협의후 조정할수있다

AEW-0134 로 계속됨 (상기 불량 부분 AE 에 조회중임)

PAGE 2

0169

원 본

외 무 부

종 별 : 긴 급

번 호 : AEW-0133　　　　　　　일 시 : 91 0216 1700

수 신 : 장관(중근동), 사본:국방부장관

발 신 : 주 UAE 대사(조사단)

제 목 : AEW-0132에서 계속함

11. 본대 도착전까지 발전기 임대료 $16,000, 수도관 인입비 $5,000, 차량수리비 $5,000, 차량렌트비 $4,700, 봉신설치비 $1,600, 총 $32,300 의 예산이소요됨. 위사항은 현대의 지불보증으로 계약하고 본대 도착후 지불토록하며, 최소필요경비는 현대 현장사무소 혹은 주 UAE 한국대사관과 협조 조치할 예정임

12. 본대도착시 내한하는 VIP 를 위한 호텔(AL AIN HILTON HOTEL)예약은 완료되었으며 차량지원, UAE 총사령부 방문등은 대사관과 협조중에 있음 (VIP 내방계획을 대사관측은 본국정부로부터 봉보받지 못하고있음)

13. 본대도착후 임무수행은 아측항공기에 미 C-130 교관요원 1 명씩합승(비행계획 단계부터 참여)하여 작전지역 관습비행을 실시후 아측단독 임무수행토록 협조완료(약 7-10 일소요)

14. 금번 비마보고(8)로 보고된 내용중 별도의견이나 지시가 있을시는 긴급봉보바람.

급식약정서(안)

GULF 사태의 원만한 해결을 위하여 UAE AL AIN 에 주둔하는 대한민국 공군에대한 급식에 관하여 대한민국 공군 56 공수비행단(이하'갑'이라칭함)과 --------(이하'을'이라칭함)은 다음과같이 약정함

제 1 조(목적): 갑은 급식요청권및 대금지불의무를, 을은 급식제공의무및 대금청구권을 갖는다

제 2 조(계약기간): 급식 제반사항에 따른 계약기간은 이약정서에 상호 서명한 날로부터 갑이중단 요청할 시기까지로 한다

제 3 조(계약금액): 계약금액은 갑측구성원 1 인 1 일(조, 중, 석)식비 미화6 달러를 기준으로 하여 합산한 금액으로 하며 을은 이에준한 금액 범위내에서급식을

중아국　장관　차관　1차보　2차보　청와대　국방부

지원한다

　　제4조(급식제반사항): 갑, 을은 각각 다음과같은 의무를 부담한다

　　'갑'은 1)급식 요리에 필요한 조리 비품을 지원한다(첨부 1 목록), 2)급식조리에 소요되는 연료를 지원한다(GAS/DIESEL/ 물/M 전기), 3)식당운영에 따른 수리, 보수를 책임진다, 4)급식 조리에 소요되는 요원에 대한 출입, 침식을 제공한다, 5)주간 메뉴표를 작성 제공한다(첨부 2 목록)

　　'을'은 1)식당운영에 필요한 비품류/ 집기류를 제공한다, 2)식당 운영에 필요한 신원이 확실한 조리사, 보조원및 잡일요원을 제공한다, 3)주간 메뉴표(기준량)에 의한 메뉴를 정량제공한다(첨부 3 목록). 단, UAE 시장에 품절된 품목은 갑, 을 협의하에 대체메뉴로 조정할수있다, 4)주간, 월별, 품목별, 납품단가표를 제공한다(첨부 4 목록)

　　제5조(검수):1)갑은 갑과을이 지정한 사람을 통하여 검수하며, 급식의 질적인 면 및 위생적인면에 관하여 검수를 실시한다

　　2)급식질저하 또는 비위생적일때는 갑은 정상품으로 교체 요구 할수있다

　　3)검수요원은 갑의 군의관 또는 급식관리자, 을의 조리사중에서 상호 지정한다 제 6 조(보건위생): 을이 급식한 식품으로 인하여 갑의구성원이 보건위생상 피해를 입은 사실이 판명될경우, 을은 이에 관련된 일체의 민, 형사책임을 진다

　　제 7 조(메뉴기준량책정): 갑이제시한 메뉴 1 인 기준량은 현지 물가상승및국제환율 변동에 관계없이 고정된기준물량을 제공한다. 단, 변동시 사전 갑과을의협의후 조정할수있다

　　AEW-0134 로 계속됨

PAGE 2

0171

관리
번호 91/318

외 무 부

종 별 : 긴 급

번 호 : AEW-0134   일 시 : 91 0216 1800

수 신 : 장관(중근동),사본:국방부장관

발 신 : 주 UAE 대사(조사단)

제 목 : AEW-0133에서 계속함

제 8 조(대금정산):1)급식대금정산은 월말 1 인기준 실비로정산하며 익월 10일이내 현금지급및 시내금융기관 지급수표로 입금조치한다

2)을은 대금정산에관계되는 일체의서류를제공한다

제 9 조(해약): 다음과같은경우 갑, 을 상호일반적으로 약정의 전부또는일부를 서면으로 봉보함으로써 해약할수있다

1)계약상 공급기간내에 을이물품납품및 급식지원을 거부하였을시,2)을이 자력또는 신용을상실하여 갑이 계약이행이 불가능하다고 인정할때, 3)갑이 급식검수결과 갑이제시한 기준량에 미치지못한다고 판단할경우,4)갑의 임무중단으로 요청시

제 10 조(이행보증금예치):1)을은 전시사태에따라 본약정의내용을 충실히이행토록 하기위하여 갑이지정한 AL AIN 소재 시중은행으로 10,000 디람의 이행보증금을 예치하고 그봉장을 갑에게제출한다

2)전조 1 항및 3 항을 위배하였을때에는 갑은 예치금상환및 급식대금지급을 거부할수있다

제 11 조(권리의무양도): 을은 갑의승인없이 본약정의 권리의무를 타인에게양도할수없다

제 12 조(기타합의): 본약정서에 기재된것이외에 필요한사항은 갑. 을의합의로 따르정할수있다

제 13 조(계약서작성): 이계약과 관련하여 갑측의사정에의해 새로운 문서작성이 요구될때에는 이약정서를토대로 새로운문서를 작성한다

제 14 조(유권해석): 갑과을 상호간에 이약정서에대한 해석이 상이할경우 갑의해석을 우선으로한다

제 15 조(보안유지): 을은 갑(부대)의실정에대하여 여하한경우에도 타인에게

중아국   장관   차관   1차보   2차보   정와대   국방부

누설할수없으며, 보안관련법령에 위배될때는 그에대한 책임을진다

    제 16 조(서명):   상기와같이   약정을체결하고   체결일로부터   갑,   을은 급식제반사항에대한 모든책임을지며, 약정서 2 봉을 작성, 각각 1 통씩을 보관한다.

    1991.2. .

    갑: 대한민국 공군 56 공수비행단 참모장 대령 송원섭 인

    을:------- ---------

    입회관:공군본부 법무감실 법무관 중령 유재풍 인.끝.

    (대사 박종기-국장)

    91.12.31 일반

검 토 필 (1991. 6. 30) 정

	분류번호	보존기간

발 신 전 보

WAE-0135   910217 1848 DA   종별 : 지급

번   호 :

수   신 : 주 UAE   대사. 총영사

발   신 : 장 관 (중근동)(중일)

제   목 : 군수송단 파견

연 : WAE-0128

1. 아국 군수송단 C-130기 5대 및 운영요원 150명은 예정대로 2.19일(제1진)과 20일(제2진) 각각 서울을 출발 콜롬보를 경유, 20일과 21일 21:00(현지시간) 귀지 알아인 공항에 도착할 예정임.

2. 금번 군수송단 파견은 대사우디 의료 지원단 파견과 함께 다국적군에 대한 주요 지원의 주요 사업인점을 감안하여 가능한 모든 편의 지원을 제공하고 수송단 도착시 교민들과 함께 출영환영하고 공식 환영행사도 적극지원 바람.

(장   관)

예 고 : 1991. 12.31.일반

검 토 필 (1991. 6. 30.)

앙 고 재	91 년 2 월 1 일	중 근 동 과	기안자 성명		과 장	심의관	국 장		차 관	장 관	

보 안 통 제	
	외신과통제

0174

국   방   부

합비01600-72   (583-8844)   91. 2. 18

수   신 : 외무부장관

참   조 : 외신 1과장

제   목 : 합참 3차장 해외출장계획 통보 협조 의뢰

　　　　1. 관련근거 : 걸프지역 한국군 부대 방문

　　　　2. 위 근거에 의거 첨부와 같이 걸프지역 방문계획을 수정 통보하고자 하

니 주 UAE 한국대사관에 통보하여 주시기 바랍니다.

첨   부 : 해외출장계획
　　　　　3차장 양력 각 1부. 끝.

국   방   부   장

0175

해 외 출 장 일 정 계 획 (2. 19 ‑ 3. 2)

일 자	시 간	세 부 일 정	·비 고
2.19 (화)	12 : 40 22 : 00 * 22 : 45	김포출발 (KE 907) → 런던도착 (17:10) 런 던 출 발 (GT ‑ 006) 〃 (BA 149)	
2.20 (수)	09 : 20 * 11 : 55 오 후 21 : 00	아 브 다 비 도 착 〃 UAE 국방성 방문 (총장,공군사령관)후 AL AYN 이동 본대 1진 영접 (알아인 1박)	
2.21 (목)	오 전 21 : 00	AL AYN 기지사령관 접견 및 순시 (COL WINGFIELD) 본대 2진 영접 (알아인 1박)	
2.22 (금)		알아인 (아브다비)출발 (군용기) 리야드 도착	
2.23 ‑ 2.24 (토, 일)		사우디 국방성 방문 ㅇ 통합사령관, 증원군국장, 의무국장	
2.25 (월)		리야드출발 → 다란 → 알루아리아도착 의료단 위문 알루아리아 → 다란 → 리야드도착	
2.26 (화)		미중앙사 방문 (사령관, 공군사령관, 공수사령관)	
2.27 (수)	11: 15	리야드출발 (BA 308) → 파리도착 (13:30) : 잠정	
2.28 (목)		예 비	
3. 1 (금)	20: 30	파 리 출 발 (KE 902)	
3. 2 (토)	17: 40	김 포 도 착	

0176

외　무　부

관리번호 91/1324

종　별 ： 지급

번　호 ： SBW-0511　　　　　　　　　일　시 ： 91 0218 1200

수　신 ： 장관(중일,미북)

발　신 ： 주 사우디 대사

제　목 ： 군수송단 파견

대:WSB-349,356

대호 아국 군수송단 파견과 관련, 주재국 봉합사 관련담당관(ABDULLAH GHAMDI 대위)과 구두 협의한 결과 아래보고함

　　1. 아국수송단이 주재국 국내작전을 위한 영공통과 및 이.착륙에 대해 기본적으로 승인함

　　2. 기지 이.착륙시 연료지원 문제는 관계부처의 협조가 필요한 사항이므로 추후 봉보예정

　　3. 비상발생시 지원문제는 필요한경우 지원가능

　　(대사 주병국-국장)

　　예고:91.12.31 일반

검 토 필 (1991. 6. 30.)

중아국　　미주국　　국방부

91.02.18　　20:01

외신 2과　통제관 DO

0177

歸京길 군용차 없었다

고속도로 시속70~90㎞ 안전

一家 3명 참사

걸프戰 파견 수송단 150명 19, 20일 출발

長 官 報 告 事 項

報 告 畢

1991. 2.18.
中東一課

題 目 : 군 수송단 파견 사전조사단 현지 출장 보고

> UAE 알아인 미국 공군기지에 주둔 계획인 아국 군수송단의 법적 지위문제,
>
> 군 실무 약정서 및 지원문제등 협의를 위하여 군 사전 조사단의 일원으로
>
> UAE에 출장한 중동아프리카국 심의관의 출장 결과를 아래 보고 합니다.

1. 출장기간 : 1991. 2. 5. - 12.

2. 출장장소 : UAE 아부다비 및 알아인

3. 출 장 자 : 국방부 및 공군조사단 : 13명
   (단장 : 박영기 공군대령)
   외무부 : 중동아프리카국 심의관 양태규

4. 출장목적
   가. UAE 정부와의 한국수송단 주둔에 따른 법적 지위문제 협의(외무부)
   나. 한국 수송단의 UAE 체류 조건에 관한 약정 협의 (국방부)
   다. 수송단 작전 운영, 작전 지원 관련사항 확인 및 협조 (공군, 국방부)

5. 출장 주요 활동 (외무부 심의관)
   가. UAE 군당국자 접촉 : 4회
      Al Badi 참모총장
      Al Raymay 공군사령관
      Ahrahim 공군 작전국장(2)
   나. 알아인 미공군 사령관 접촉
   다. 알아인 공군기지 및 현대 캠프 시찰

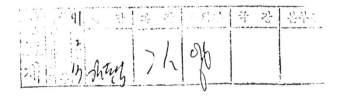

0179

6. 주요 협의 내용

　　가. UAE 주둔에 따른 한국군 법적 지위 문제 (외무부)

　　　　1) UAE 외무부 입장

　　　　　　- 미국과도 지위협정을 체결하지 않았다면서 아국과의 지위협정 체결
　　　　　　　제의에 부정적

　　　　　　- 한국군의 주둔 문제는 외무부와는 무관하므로 자국 군당국과
　　　　　　　접촉해 보라는 태도

　　　　2) UAE 군당국 태도

　　　　　　- 조사단의 지위협정 필요성 강조에 대하여 UAE 군당국은 아측이
　　　　　　　간단히 초안을 제시하면 외무부등 자국의 책임부서와 협의해
　　　　　　　보겠다고 하였으나 극히 미온적 반응

　　　　　　- 조사단은 UAE 군당국과 2차에 걸쳐 협의후 지위협정 초안
　　　　　　　(서한형식)을 제시 하였으나 UAE측은 이에대한 의견을 주기로 된
　　　　　　　조사단과의 재접촉을 일방적으로 취소

　　나. 체류조건에 관한 군실무 약정 (국방부)

　　　　- 2차에 걸쳐 협의후 아측 약정서 초안을 제시 하였으나 UAE측은
　　　　　자국의 의견 제시 일자를 일방적으로 연기함으로써 국방부 조사단 일부
　　　　　잔류 대기중

　　다. 공군기지 지원 협조 문제

　　　　- 미 알아인 공군기지 사령관은 본국 정부로 부터 아국 수송단의 주둔에
　　　　　따른 제반 협조 지시가 있는데로 최대한 지원 협조하겠다 하였으나
　　　　　조사단의 현지 출발시까지 지시가 하달되지 않아 양측은 의견 교환에 그침

7. 종합평가

　　가. UAE 정부는 외국군의 자국내 주둔에 다른 법적 지위 협정 체결에 부정적
　　　　이고 미국은 UAE 측과 지위협정 체결을 계속 시도하고 있으므로 아측도
　　　　무리하게 서두르는 것보다는 현지 공관에서 미측과 협조 UAE 정부 당국과
　　　　시간을 두고 협의하는것이 바람직함.

　　나. 조사단의 알아인 군기지 파견이 미국 본국 정부로 부터의 사전 양해없이
　　　　이루어져서 조사단이 미군기지로 부터 지원 협조를 얻는데 한계가 있었으며
　　　　아국 정부의 군수송단 파견 제의에 대한 미국 정부의 방침 결정이 지연된
　　　　결과로 추정됨

　　다. (참고사항) 미측은 본 조사단 현지출발 이후인 2.12. 국무부, 국방부 합동
　　　　명의로 아국 군수송기 파견에 대하여 미국이 원칙적으로 수락하고 한.미
　　　　상호 군수지원에 관한 88.6.8. 합의서에 의거 알아인 미군기지에 주둔한다는
　　　　내용의 전문을 미합참, 리야등 미중앙사, 주UAE 미대사등에 타전함. 끝.

0180

長 官 報 告 事 項

報 告 畢

1991. 2. 18.
中 近 一 課

題 目 : 軍 輸送團 派遣 事前調査團 現地 出張 報告

UAE 알아인 美國 空軍基地에 駐屯 計劃인 我國 軍輸送團의 法的 地位問題,

軍 實務 約定書 및 支援問題등 協議를 위하여 軍 事前 調査團의 一員으로

UAE에 出張한 中東아프리카국 審議官 出張 結果를 아래 報告 합니다.

1. 出張期間 : 1991. 2. 5. - 12.

2. 出張場所 : UAE 아부다비 및 알아인

3. 出 張 者 : 國防部 및 空軍 調査團 : 13名

(團長 : 박영기 空軍大領)

外務部 : 中東아프리카局 審議官 양태규

4. 出張目的

가. UAE 政府와의 韓國 輸送團 駐屯에따른 法的 地位問題 協議 (外務部)

나. 韓國 輸送團의 UAE 滯留 條件에 관한 約定 協議 (國防部)

다. 輸送團 作戰 運營, 作戰 支援 關聯事項 承認 및 協調 (空軍, 國防部)

0181

5. 出張 主要 活動 (外務部 審議官)

가. UAE 軍當局者 接觸 : 4回

Al-Badi 參謀總長

Al-Raymay 空軍 司令官

Ahrahim 空軍 作戰局長 (2)

나. 알아인 美空軍 司令官 接觸

다. 알아인 空軍 基地 및 現代 캠프 視察

6. 主要 協議 內容

가. UAE 駐屯에 따른 韓國軍 法的 地位 問題 (外務部)

1) UAE 外務部 立場

- 美國과도 地位 協定을 締結하지 않았다면서 我國과의 地位 協定 締結 提議에 否定的

- 韓國軍의 駐屯 問題는 外務部와는 無關하므로 自國 軍當局과 接觸해 보라는 態度

2) UAE 軍當局 態度

- 調査團의 地位 協定 必要性 强調에 대해 UAE 軍當局은 我側이 간단히 草案을 提示하면 外務部등 自國의 責任部署와 協議해 보겠다고 하였으나 극히 微溫的 反應

- 調査團은 UAE 軍當局과 2次에 걸쳐 協議後 地位 協定 草案 (書翰形式)을 提示하였으나 UAE側은 이에 대한 意見을 주기로된 調査團과의 再接觸을 一方的으로 取消

나. 滯留 條件에 관한 軍實務 約定 (國防部)

- 2次에 걸쳐 協議後 我側 約定書 草案을 提示 하였으나, UAE側은 自國에 意見 提示 日字를 一方的으로 延期함으로서 國防部 調査團 一部 殘留 待機中

0182

다. 空軍基地 支援 協調 問題

  - 美 알아인 空軍基地 司令官은 本國 政府로 부터 我國 輸送團의
    駐屯로 따른 諸般 協調 指示가 있는대로 最大限 支援 協調 하겠다
    하였으나 調査團의 現地 出發時까지 指示가 下達되지 않아 兩側은
    意見 交換에 그침

7. 綜合評價

가. UAE 政府는 外國軍의 自國內 駐屯에 따른 法的 地位 協定 締結에 否定的이고
   美國은 UAE側과 地位 協定 締結을 繼續 試圖하고 있으므로 我側도 無理하게
   서두르는 것보다는 現地 公館에서 美側과 協調 UAE 政府 當局과 時間을 두고
   協議하는 것이 바람직 했었음.

나. 調査團의 알아인 軍基地 派遣이 美國 本國 政府로 부터의 事前 諒解없이
   이루어져서 調査團이 美軍基地로 부터 支援 協調를 얻는데 限界가
   있었으며 我國 政府에 軍輸送團 派遣 提議에 대한 美國 政府의 方針 決定이
   遲延된 結果로 推定됨

다. (參考事項) 美側은 本 調査團 現地 出發 以後인 2.12. 國務部, 國防部 合同
   名義로 我國 軍輸送機 派遣 提議에 대하여 美國이 原則的으로 受諾하고 韓.美
   相互 軍需支援에 관한 合意書 (88.6.8)에 依據, 알아인 美軍 基地에 駐屯
   한다는 內容의 電文을 美合參, 리야드 美中央司, 駐 UAE 大使등에
   打電함.   끝.

0183

분류번호	보존기간

발 신 전 보

WAE-0136   910218 1135 ER

번   호 :

종별 : 긴급

수   신 : 주   UAE   대사 . 총영사/ （사본 추 사우디 대사） WSB -0372

발   신 : 장   관   （중동일）

제   목 : 합참 3차장 출장

1. 합동 참모 본부 3차장, 이양호 중장（공군）일행이 군수송단 귀지 파견 관련,
   주재국 및 미군측과 업무협의차 2.20-22간 귀지를 방문 예정임.

2. 이양호 중장 일행은 주재국 AL-BADI 참모총장, AL-RAYMAY 공군사령관을 면담
   희망하고 있으며, 군수송단 도착시 영접 및 환영식 참석후 미중앙사 공중
   수송사령관 TENOSO 장군과 함께 리야드 향발 예정이니 아래 참조, 호텔예약,
   교통편등 제반 편의제공 바람.

   가. 방문단 인적사항（영문）및 직책
      1) LTG.(AIR FORCE) : LEE, YANG HO （이양호 공군 중장）
                           VICE CHAIRMAN, JOINT CHIEFS OF STAFF
      2) MG.(ARMY) : YOON, JONG HO （윤종호 육군 소장）
                     DEPUTY DIRECTOR LOGISTICS BUREAU, MINISTRY OF DEFENSE
      3) COL.(AIR FORCE) : JUNG, HAE SUNG （정해성 공군 대령）
                            DEPUTY ASSISTANT CHIEFS OF STAFF, G-4 AIR
                            FORCE HEADQUATER
      4) COL.(ARMY) : HWANG, JIN HA （황진하 육군 대령）
                      STRATEGIC PLANNING DIRECTORATE, JOINT CHIEFS OF STAFF

                                                        / 계속 . . .

보 안 통 제	72

앙 고 재	91년 2월 18일	기안자 성명	과 장	심의관	국 장	차 관	장 관	4번→28만실
					전결			외신과통제

0184

나．　희망일정

　　　　2.19. (화)　　12:40　　서울 출발 KE 907 편(런던 경유)

　　　　2.20. (수)　　09:00　　아부다비 도착 (GF 006편)

　　　　　　　　　　오후　　　UAE 국방성 방문 또는 AL AIN으로 이동,

　　　　　　　　　　　　　　　AL AIN 기지 사령관 면담 및 시찰

　　　　　　　　　　21:00　　수송단 본대1진 도착 영접

　　　　2.21. (목)　　오전 오후 UAE 국방성 방문 또는 AL AIN 기지 사령관

　　　　　　　　　　　　　　　면담 및 시찰

　　　　　　　　　　21:00　　수송단 본대2진 도착 영접

　　　　2.22. (금)　　시간미정　수송단 환영식 참석

　　　　　　　　　　　　　　※ 미중앙사 공중 수송 사령관(COMALF)

　　　　　　　　　　　　　　　TENOSO 장관 임석 예정

　　　　　　　　　　오후　　　환영식 참석후 TENOSO 장군과 함께 동승,

　　　　　　　　　　　　　　　리야드로 향발 예정

　다．　숙소 예약 희망

　　　　2.20-21 (2박3일) 싱글 2, 트윈 1실　　끝.

　　　　　　　　　　　　　　　　　　　(중동아국장　이 해 순)

예 고 :　91.12.31.　일반

검 토 필 (1991. 6. 20.)

0185

국 방 부

(795-6217)

군 계 24411 ~ ~88

수 신 외무부장관

91. 2. 18.
(1년)

참 조 비상대책반장

제 목 군 수송기 파견시 외무부 요원 동행 협조

1. 공군 수송단 파견에 따른 외교적 문제 해결을 위해 <u>외무부 요원(1명)</u>의 동행을 협조 요청하오니 조치하여 주시기 바랍니다.

2. 국가별 착륙에 따른 유류 보급 등 외교문제 해결을 위해 외무부요원이 동승하여, 조치하기 위한 협조 사항임을 첨언합니다.

가. 출발일시 : '91.1.19 06:00

나. 출발장소 : 서울공항(K-16 군기지). 끝.

국   방   부   장

0186

관리번호 91/122

외　무　부

종　별 : 지　급

번　호 : AEW-0136

수　신 : 장관(중일),사본:국방부장관

발　신 : 주 UAE 대사(조사단)

제　목 : 비마보고(9)

일　시 : 91 0219 1000

2.18.24:00 현재 추진현황 다음과같이 보고함.

1. 발전기임대는 계획대로 2 대(225KVA,253KVA)를 임대계약 예정(2.19 중계약)

-5 개 발전기 임대회사와 접촉, 최저가격을 제시한 신용있는회사와 임대계약을 추진중임(별첨참조)

-월임대금:6 개월 사용기준으로 월$15,574, 발전기운반비 $410 별도소요

-월간운영비 약$1,000 예상(운영요원 2 명급료 $600, 운영경비 $400)

2. 수도인입은 2.18.12:00 부로 완료함. 소요비용 $5,000

3. 식당납품은 2 개납품업체가 경쟁입찰한결과 적정가격(1 인당 1 일$6)을 제시한 두바이소재 서울선식'(외항선식품납품업체)으로 선정하였음. 따라서 현대측에서 조리기구를 대여받고 납품업자는 급식도구및 조리사외 4 명을 지원하기로하여 급식지원에 문제점이 없을것으로 사료됨(유찰회사는 1 인 1 일 최저 $7 선 제시)

4. 통신은 무선중계국에서 공항까지 케이블 증설작업이 진행중에있으며 전용회선및 시내회선 지원은 2.20. 까지 가능할것으로 예상됨. FAX.TTY 회선은 VOICE 회선으로 2.16. 전화국에 변경신청 하였으나 변경시 2-4 주가 소요된다고하여원래 신청한대로 구성토록 추진하고있음. 또한 UAE 는 통신법이 엄격하여 VOICE회선을이용한 FAX 전송에는 많은문제점이 대두될것으로 판단되며 설치비는 약$800 이소요됨. 구성된 지휘통제통신망은 알아인시내 직통전화 1 대(TEL NO:001-971-3-82-6262)및 미군AUTDVDN 전화 1 대(TEL NO:88-318-8295 교 139) 미군교환(TEL NO:001-971-3-83-4623 교 139)이나 시내 직통전화는 현지시간 오전(0 시-12 시)중에는 불통임(전화국에서 원인확인중임)

5. 차량수리는 4 대중(버스 1, 픽업 1, 찦 1, 승용차 1) 픽업과찦은 수리완료하였으며 버스와 승용차는 계속 수리중이며 (수리차량은 무적차량으로

중아국　　국방부

시내주행이 불가하여 필요부품을 시내에서구입하여 현대에서 수리하고있어 시간과비용이많이 소요되고있음). 수리비용은 $5,000 선으로 제한하고있음

  6. 본대 도착시 환영행사는 1630 비행단장(COL.WINGFIELD)주관으로 2.22.09:00(현지시간)에 거행될 예정이며 본국에서 특파되는 VIP 의 일정은 UAE 군사령부와 협조중에있음

  7. 미군지원 TENT4 개중 3 개(비행계획용 1, 조종사, 정비사대기실 2)는 설치완료하였으며 정비부품 보관용 TENT 는 계속추진중임

  8. 비행 승무원들에대한 교육을위하여 사전조사단 요원중 소령임호(C-130.IP)가 91.2.17.13:20-2.18 01:15(현지시간)까지 미 C-130 임무 항공기에 탑승하였으며 (비행계획 단계부터 참여하였으며 비행결과를 토대로 본대도착시 별도교육실시예정) 본대도착시 임무수행은 도착후 7-10 일간 전 임무구간에 대하여 미 C-130 교관요원 1 명이 비행계회 단계부터 비행종료시까지 참여할계획이며 임무수행중에는 교관석에 탑승하도록 미측과협조 완료하였음

  별첨

THIS IS TO CONFIRM THAT, WE MESSERS HYUNDAI ENGINEERING WILL HIRE FOR 6 MONTHS 1(ONE)GENSET225KVA AND 1(ONE)GENSET 253KVA. THE AGREED TERMS ARE DHS28,500/-PER MONTH PER GENSET PAYABLE 1 MONTHLY IN ADVANCE.

A CHEQUE IN THE AMOUNT OF DHS58,500/-WILL BE DISPATCHED TO YOU UPON DELIVERY OF THE SAID GENSETS. THIS BEING 1MONTH'S HIRE PLUS CONTINGENCY OF 1,500/-FOR TRANSPORT ETC.

  FOR HYUNDAI(ROKAF)

  SIGNED

  COL WONSEUP SONG

  끝.

  (대사 박종기-국장)

  91.12.31 일반

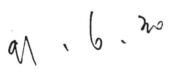

관리번호 이 1708

국 방 부
(3711)

합작 24710-92   '91. 2. 19

수신   배부선 참조

참조   작전처장(작전과장)

제목   지령 제 91-2호(공군수송단 아랍에미리트 연합 파견 명령)

   1. 관련근거

      가. 공작 24712-17호('91.2.18)공군수송단 걸프지역 파견 계획

      나. 기조 24111-19호('91.2.12)한국 공군수송단 창설 승인

   2. 공군수송단 아랍에미리트 연합 파견 명령을 첨부와 같이 보고
합니다.

   첨부   지령 제 91-2호 1부.   끝.

              " 첨부물과 분리시는 평문으로 재분류

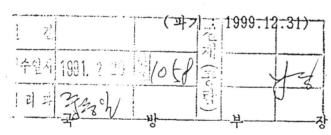

0189

지령 제 91-2 호

참 조 : 가. 연방 24105- 9('91.1.31) 공군수송단 파견 준비 지시
　　　　 나. 전구 24111-11('91.2.1) 한국공군수송단 파견 추진계획
　　　　 다. 공작 24712-17('91.2.18) 공군수송단 걸프지역 파견계획
　　　　 라. 기조 24111-19('91.2.12) 한국공군수송단 창설 승인

1. 상　황

　 가. 이라크는 1990.8.2일 06:00시(한국시간, 현지시간 8.2.00:00C시)
　　　 공격을 개시하여 쿠웨이트를 기습 강점하였으며, 유엔안보리가
　　　 요구한 쿠웨이트에서의 이라크군 무조건 철수에 불응하면서,
　　　 쿠웨이트가 이라크의 영토임을 계속 주장함에 따라, 다국적군은
　　　 1991.1.17일 이라크에 대한 공격을 개시하였다.

　 나. 대한민국 정부는 유엔 결의를 존중하고 국제 평화/질서 유지에
　　　 기여하며 인도적 차원에서 전상자 치료를 위하여, 1991.1.23일
　　　 사우디아리비아 왕국에 의료지원단을 파견 하였다.

　 다. 1991.2.1일 대한민국 정부는 "걸프전"전황에 따라 다국적군에 동참
　　　 하고, 걸프전에 참전하고 있는 미합중국군 및 다국적군 공수지원을
　　　 위하여 공군수송단의 중동지역 파견을 결정 하였으며, 대한민국
　　　 국회는 1991년 2월 7일 본회의에서 이를 승인 하였다.

　 라. 아랍에미리트 연합 개황 : 참조문서 "다"

2. 임　무

　 대한민국 국방부는, 1991년 2월 19일 06:00시(한국시간)를 기하여,
　 걸프전에 참전하고 있는 미합중국군 및 다국적군 공수지원을 위하여,
　 공군수송단을 아랍에미리트 연합(알 ~~아인~~)에 파견한다.

72-1

0190

3. 실 시

가. 작전개념

(1) 공군수송단은 아랍에미리트 연합내 미합중국군 C-130 운영기지
(알 아인)에 위치하여, 걸프전에 참전하고 있는 미합중국군 및
다국적군을 공수 지원 한다.

(2) 공군수송단 전개준비,지휘관계 및 업무 협조를 위하여 사전 출국한
현지 조사단은 임무를 수행하다가 현지에서 합류한다.

(3) 공군수송단 편성 : 참조문서"다"

나. 공군 수송단

(1) 아랍 에미리트 연합(알 아인)에 주둔하여, 미 제1360공수사단
통제하에 걸프전에 참전하고 있는 미합중국군 및 다국적군을
공수 지원하라.

(2) 공군수송단은 합동참모본부의 지휘통제를 받는다.

(3) 아랍에미리트 연합(알 아인)으로의 전개에 필요한 세부 계획을
수립, 시행하라.

(4) 현지 조사단을 알 아인 도착과 동시 지휘통제하라.

(5) 파견 전력

(가) 항공기 : C-130, 5 대

(나) 병 력 : 160 명

다. 합동 참모본부

(1) 1991년 2월 18일 15:30시부(행사종료후)로 공군수송단에 대한
지휘통제권을 공군본부로부터 인수하라.

(2) 공군수송단이 아랍에미리트 연합(알 아인) 주둔간 지휘통신망을
유지하라.

12-2

0191

라. 공군 본부

　(1) 1991년 2.18일 15:30시부(행사종료후)로 공군수송단의 지휘통제권을
　　　합동참모본부로 인계하라.

　(2) 공군수송단의 아랍에미리트 연합(알 아인) 주둔간 공군수송단의
　　　완벽한 임무 수행 보장을 위하여, 전투근무지원 분야를 지원하라.

마. 협조 지시

　(1) 출발 일시 / 기지

　　　(가) 1차 : 1991년 2월 19일 06:00시 2대

　　　(나) 2차 : 1991년 2월 20일 06:00시 3대

　　　(다) 출발 기지 : 서울 기지(K-16)

　(2) 현지 도착 당일부터 정기 및 수시 상황보고를 실시하라:부록"나"

　(3) 아랍에미리트 연합(알 아인) 주둔간 제반 위협 요소를 고려하여
　　　경계 대책을 강구하라.

　(4) 우발사태 발생에 대비하라. : 부록 "다" 참조

4. 전투근무 지원

가. 참조문서 "다" 기본계획

5. 지휘 및 통신

가. 통 신 : 참조문서 "다" 기본계획

12-3

0192

나. 지 휘

    (1) 지휘관계 : 참조문서 "다" 및 부록 "가" 참조

    (2) 상황보고 : 부록 "나" 참조

    (3) 지휘소 : 알 아인(차후 이동시 사전 보고)

    (4) 지휘소 개소후 보고

수령후 보고

국 방 부 장 관   이   종   구

부록 : 가. 지휘 관계

        나. 상황 보고

        다. 우발사태 대비계획

배부 : 청와대(외교/안보 보좌관), 외무부

        국방부(정책기획관실 조직과, 연방과, 군수국, 인사국, 정보본부
             해외정보부,100보안, 예산편성관실, 재정국)

        공군수송단

        합참(전략기획본부, 지휘통제통신실, 교리훈련부, 지원본부)

        공군본부, 공작사

0193

지령 제 91-2호 부록 " 가"(지휘관계)

참 조 : 공작 24712-17('91.2.18) 공군수송단 걸프지역 파견계획

1. 개 요

　　공군수송단 이동 및 아랍에미레이트 연합(알 아인) 주둔간 지휘관계와
　　지휘통제 기능을 수행하고, 공군수송단의 지원 요청을 효과적으로
　　조정 통제, 협조하기 위한 지휘통제본부 구성 지침을 제공함에 있슴.

2. 지휘 관계

　　가. 지휘 체제

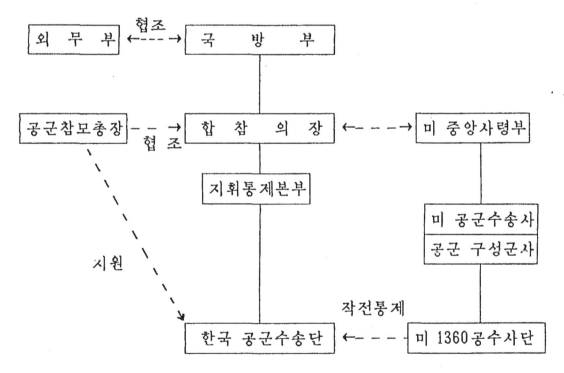

　　(1) 한국공군수송단은 미합중국군 중앙사령부를 지원하는 다국적군의
　　　　일원으로 독자적인 지휘권을 행사한다.
　　(2) 합참은 지휘통제본부를 통하여 한국공군수송단을 지휘통제하며
　　　　임무 수행을 위한 지원 요소는 공군참모총장이 지원한다.

12-5

0194

나. 의료지원단 및 공군수송단 해외 주둔간 지휘통제본부 편성

  (1) 임 무

    (가) 지휘통제와 관련된 모든 업무에 대한 지시 및 감독
    (나) 통제 및 연락 유지
    (다) 현지 상황 파악 및 조치

  (2) 구 성

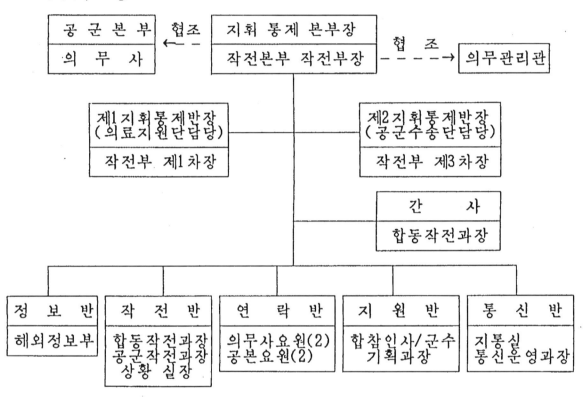

  (3) 편성 기간 : 현지 도착시 부터 임무 종료후 복귀시 까지

  (4) 운 영 : 24시간 근무체제 유지

    (가) 지휘통제반은, 전원 즉각 소집이 가능하도록 통신 대책 강구
    (나) 일일 정기 협조회의 : 16:00시(장소 : 작전부 1차장실)
    (다) 실무장교 1명이 합동 상황실에 상주하여 상황 접수 및 전파
        임무 수행
    (라) 지휘통제 본부장/반장 야간 근무는 합동참모본부 각부/실의
        전 차장급으로 1명씩 교대 근무

주 무 관   작전 본부장 육군 중장   리   병   태

0195

지령 제 91-2호 부록 "나"(상황보고)

참 조 : 공작 24712-17('91.2.18) 공군수송단 걸프지역 파견계획

1. 개 요

공군수송단 아랍에미리트 연합(알 아인) 파견에 따른 상황보고 지침을
제공함에 있슴.

2. 상 황 보 고

(가) 정기 보고

(1) 일일 보고

(가) 일반상황 보고는 반복적으로 발생하는 사태,상황 또는 계획에
관한 내용을 보고

(나) 상황보고에 포함사항

1) 전비태세 현황(병력, 항공기, 기타 장비등)

2) 당일 공수작전 임무 수행 결과 및 익일 임무 계획

3) 부대 임무 수행에 영향을 줄 수 있는 후방 지원 관련 사항

4) 기타 중요 군사 관련 사항

(다) 보고 기준 : 매일 23:00I시(한국시간, 현지시간 18:00D시)를
기준으로 작성하여, 익일 03:00I시(한국시간,
현지시간 22:00D시)까지 합참 상황실에 도착

(라) 보고 수단 : 전 문

(마) 보고 우선 순위 : 긴급

(바) 지휘관 상황보고는 변동사항이 없더라도 별도의 지시가 없는한
매일 15:00I시(한국시간, 현지시간 10:00D시)에 합참 지휘통제
본부로 부대 이상 유무 보고.

12-7

0196

(2) 주간 보고

　(가) 상황보고 포함 사항

　　(1) 일일 보고 사항 주간 종합

　　(2) 차주 계획된 임무

　(나) 보고 기준 : 매주 일요일 24:00 I 시(한국시간, 현지시간 19:00 D 시)를

　　　기준으로 하여 보고

(3) 수시 보고

　(가) 보고 사항

　　1) 피해 발생시(병력, 주요 장비)등

　　2) 국방부/합참의 지침을 필요로 하는 상황

　　3) 기타 지시된 사항

　(나) 보고 시기

　　1) "필요시" : 국방부/합참의 지침을 필요로 하는 상황 발생시

　　2) "특별 지시가 있을때" : 특정 상황에 관한 첩보를 제공하도록

　　　　지시시,

　(다) 보고 수단 : 가용한 통신 수단으로 선 보고후 세부사항 전문 보고

　(라) 보고 우선순위 : 즉시

주 무 관　작전 본부장　육군 중장　　리　　병　　태

지령 제91-2호 부록 "다"(우발사태 대비지침)

참 조 : 공작 24712-17(('91.2.13) 공군수송단 걸프지역 파견계획

1. 개 요

　　아랍에미리트 연합(알 아인)에 파병되어 있는 공군 수송단에 영향을
　　줄 수 있는 우발사태 발생시, 이에 대비하기 위한 지침을 제공함에 있음

2. 예상 상황

　　가. 통신 두절

　　나. 전선 조정에 따른 주둔지 변경

　　다. 공군수송단에 대한 테러

　　라. 대량 사상자 발생

　　마. 공수작전 임무 수행간 항공기 사고(피격 또는 기체 고장 등)

3. 일반 지침

　　가. 유관기관(한국대사관, 주둔국 정부기관 등) 및 인근 우방국 부대와
　　　　사전 협조, 우발상황 대비 연락 및 지원체제 유지

　　나. 아 병력, 주요 장비 손실 방지/최소화를 위한 자체 사전 준비 및 조치

　　다. 단절 없는 통신수단 유지

　　라. 상황보고 체제 유지

　　마. 상시, 우발상황 발생을 고려한 대비태세 유지

4. 예상 상황별 관련부서 조치사항

가. 통신 두절

부 서	조 치 내 용
공군 수송단	○ 평시, 주재국 대사관과 통신 체제 유지 ○ 인근지역 군부대 및 민간 통신 시설 위치 확인/ 　긴급시 사용 편의 제공 협조 　- 우회 통신을 이용한 상황 보고 수단 강구 　- SSB 활용 통신 유지
합 참	○ 정보본부 : 외무부 채널을 통한 공군수송단의 　　　　　　　이상 유무 확인 ○ 지휘통제통신실 　- 긴급시 연합사 WWMICCS 통신 사용 사전 협조 　- 단절된 통신선 긴급 복구 조치
정보 본부 해외정보부	○ 주재국 대사관, 외무부, 안기부등을 통해 　공군수송단 이상 유무 확인

나. 전선 조정에 따른 주둔지 변경

부 서	조 치 사 항
공군 수송단	○ 미 제1360공수사단과 주둔지 변경에 따른 협조 ○ 신 주둔지역 사전 정찰 실시, 조사단 파견 검토 ○ 이동에 따른 소요판단, 보고
합 참	○ 전략기획본부 　- 신주둔 예정지 미측과 협조 　- 미군과의 지휘 관계 검토 ○ 지휘통제통신실 : 통신망 재개/신설을 위한 조치
군 수 국	○ 공군 수송단 건의사항 적절성 검토 및 지원조치 ○ 비상식량 확보
정보 본부 해외 정보부	○ 외무부, 안기부 협조하 신주둔지 예상지역 관련 　첩보 수집, 전파
공군 본부	○ 현지조사단 파견 필요성 검토 및 후속 조치

0199

다. 공군 수송단에 대한 테러

부 서	조 치 사 항

공군 수송단	○ 미 제1360공수사단과 사전 협조
	 - 첩보상황 전파 및 접수체제 협조/유지
	 - 주둔지/계류장 경계대책 강화
	  · 주재국 및 현지 주민과의 마찰요인 제거
	  · 경계 초소 및 경계병력 증가
	  · 출입인원 통제 및 검문검색 강화
	 - 증원병력 요청/지원 절차
	 - 비상 대피계획 수립 발전
	 - 환자 발생시 미합중국군/주둔국 병원 시설 사용
	○ 병 및 간부 교육훈련
	 - 유사시 행동절차 숙지
	 - 유사시 대비 즉각사격 능력 유지

합 참	○ 정보본부: 안기부, 외무부와 협조하에 현지 관련 첩보 수집 공군 수송단 통보 ○ 전략기획본부/작전본부: 아랍에미리트 연합 및 미합중국군(제1360비행사단)에 경계강화 요청 ○ 작전본부: 첩보입수시 자체 경계 강화 지시 ○ 지원본부: 유동 병력 통제 지시
정보본부 해외정보부	○ 현지 관련 첩보/정보 입수, 분석후 합참에 자료 제공

라. 대량 사상자 발생

부 서	조 치 내 용
공군수송단	○ 미 제1360공수사단과 사전 협조 - 환자 응급조치/미군 의무시설 사용 - 환자/영현 후송 계획 수립 ○ 병 및 간부교육 강화
합 참	○ 작전본부 - 현지 상황 파악 및 조치 - 지속 임무수행 가능성/부대교대 검토 ○ 전략기획본부: 환자치료/후송을 위한 미군과의 협조 ○ 지원본부 - 인사/군수 분야 지원소요 판단, 통제 - 필요시, 환자 응급 후송을 위해 대외 부서와 협조 ○ 공보관실: 보도 통제 및 대국민 보도 준비, 협조
공본, 인사국	○ 부대 보충계획 수립 ○ 부대 사기 검토 및 앙양 대책 수립 ○ 조사반 파견 여부 검토 ○ 사후 대책반 편성 ○ 인사 군수분야 지원 소요 판단
군 수 국	○ 환자 및 영현 후송계획 수립 ○ 보급 소요 판단

0200

마. 공수작전 임무 수행간 항공기 사고(피격 또는 기체 고장 등)

부 서	조 치 내 용
공군수송단	○ 미 제1360공수사단과 사전 협조 　- 승무원 구조계획 수립 ○ 생존대책 강구 　- 비상 식량 및 구급낭, 비상 통신수단 　- 위장 신분증/여권 확보 및 소지 ○ 교육 훈련 : 생존법, 도피 및 탈출 사격술, 구급법
합 참	○ 전략기획본부 : 승무원 구출을 위한 대외부서 협조 　　　　　(외무부, 주재국대사 및 무관, 미군) ○ 작전본부 　- 상황분석 및 검토 　- 운항 통제를 위한 미합중국군측과의 협조 ○ 공보관실 : 보도 통제 및 대국민 보도
공군 본부	○ 항공기 추가 파견 결정시 파견 전력 결정 ○ 공군 수송단 사기앙양 대책 강구 ○ 현지 조사단 파견 여부 검토
정보 본부 해외정보부	○ 주재국 무관, 외무부, 안기부등 제기관을 을 통해 　사고 항공기 관련 첩보 수집
인 사 국	○ 공군 수송단 사기앙양 대책 강구

5. 협조 지시

가. 공군수송단의 주둔지 변경/시행은 사전 승인을 받을 것.

나. 공군수송단은 의료지원단 우발사태 발생에 대비, 긴급 임무 수행을
위한 긴급 항공전개 지원계획을 수립하고,
의료지원단 상황을 파악 유지할 것.

다. 공군수송단 우발사태 발생시 조치 관련 부서는 사전 조치계획을
발전 시킬 것.

라. 공군수송단과 우발사태 조치 관련 부서는 1991년 2월 28일까지 세부
계획을 수립, 합참 작전본부로 보고 할 것.

주 무 관 작전 본부장 육군 중장 리 병 태

12-12

0201

P 181110

기 안 용 지
(2643)

기록물 분석번호	지운24823-6⁹				실행상 특별취급	고사전송	1호기
보존기간	영구·준영구· 10. 5. 3. 1.		장 관				
수신처 보존기간							
시행일자	'91. 2. 1⁹						

보조 기관	실장	전결	협 조 기 관		문 서 등 재
	차장				검달 1991. 2. 19
	과장	서광이			발 봉재결
기안책임자	중령 김찬위				

경유		발		
수신	외무부 장관	신	장 관	
참조	주UAE대사, 한국공군수송단장 외교관리관	명 의		
제목	주 UAE 업무 협조 요청			

1. 관련근거 : 전구24111-11 ('91.2.1) 한국공군 수송단 파견 추진본부

계획

2. 위와 관련 UAE 파견부대 지휘통제를 위한 전화망을 구성하기

위하여 UAE 주둔 협조단에서 추진중에 있습니다.

3. UAE (TELECOMMUNICATIONS CORPERATION L.T.D) 측 구간 전화회선

구성에 따른 현지 대사관 협조에 감사드리며, 귀부 외교경로를 통해 조기 구성될 수

있도록 계속 협조하여 주시기 바랍니다.

4. 참고사항

가. UAE 회선 청약일 : '91.2.10 (전화번호 : 13489,13490,1360)

나. 청약회선수   3회선 (음성급)

다. 구성경로 : 한국 - 아부다비 - 알아인 - 기지

라. 현지 통신책임장교 : 공군 최상일 소령
  ※ 전화번호 : 3-6   끝.

1505-25(2-1) 일(1)갑
85. 9. 9. 중인

190mm×268mm 인쇄용지 2급 60g/㎡

0202

국 방 부

지운 24823-*69*   (2643)   '91. 2. *18*

수신 외무부장관

참조 주 UAE 대사

제목 주 UAE 통신업무 협조 요청

1. 관련근거 : 전구24111-11 ('91.2.1) 한국공군 수송단 파견 추진계획

2. 위와 관련 UAE 파견부대 지휘통제를 위한 전화망을 구성하기 위하여 UAE 주둔 협조단에서 추진중에 있습니다.

3. UAE (TELECOMMUNICATIONS CORPERATION L.T.D)측 구간 전화회선 구성에 따른 현지 대사관 협조에 감사드리며, 귀부 외교경로를 통해 조기 구성될 수 있도록 협조하여 주시기 바랍니다.

4. 참고사항

   가. UAE 회선 청약일 : '91.2.10 (청약번호 : 1348A, 1394A, 1350)

   나. 청약회선수 : 3회선 (음성급)

   다. 구성경로 : 한국 - 아브다비 - 알아인 - 기지

   라. 현지 통신 책임장교 : 공군 최상일 소령

      ※ 전화번호 : 3-82-6262. 끝.

국 방 부 장

지휘통제통신실장 전결

0203

발 신 전 보

	분류번호	보존기간

번 호 : WAE-0142   910220 0123   CG 종별 : _____

수 신 : 주 U A E 대사.//총영사

발 신 : 장 관 (중동일)

제 목 : 주 UAE 통신 업무 협조

       국방부는 알아인 주둔 지휘 통제를 위한 통신망을 구성하기 위하여
아래 사항을 귀지 군수송단에 통보하여 줄것을 요청하여 왔으니 전달 바람.

    가. UAE 회선 청약일 : '91.2.10 (청약번호 : 1348A, 1394A, 1350)

    나. 청약회선수 : 3회선 (음성급)

    다. 구성경로 : 한국 - 아브다비 - 알아인 - 기지

    라. 현지 통신 책임장교 : 공군 최상일 소령

      ※ 전화번호 : 3-82-6282. 끝.

                        (중동아국장 이 해 순)

			보 안 통 제	

앙 고 재	91 년 2 월 18 일	기안자 성명		과 장		국 장		차 관	장 관
	중동 과								

외신과통제

0204

면 담 요 록

1. 일 시 : 91.2.20(수) 10:05-11:00

2. 장 소 : 미주국장실

3. 면담자 :

<table>
<tr><td>아   측</td><td>미   측</td></tr>
<tr><td>반기문 미주국장
김규현 북미과 사무관(기록)</td><td>E. Mason Hendrickson, Jr.
주한 미 대사관 참사관</td></tr>
</table>

4. 면담요지

미주국장 : 남북 대화에 관한 우리 정부의 입장은 반복할 필요가 없음.
북한은 정당한 이유없이 다가오는 총리회담을 일방적으로
취소하였는 바, 미측은 북경 접촉시 북한에 대해 총리회담을
예정대로 개최토록 강력히 촉구해 주기 바람.
북한이 대화 중단의 이유가 될 수 없는 팀스피리트 훈련을
구실로 매년 남북대화를 거부하는 것을 더이상 용인해서는
안된다고 봄. 금번에 북한이 체육회담에서 축구 및 탁구
남북 단일팀 구성에는 합의를 해놓고 총리회담은 취소한 것은
진정한 남북 관계개선의 의사가 있는지를 의심케 하는 것임.
금번 북한의 처사는 많은 사람들에게 실망을 안겨 주었음.

Hendrickson : 금번 북경 접촉시 북한이 총리회담을 예정대로 개최할 것을
참사관　　　촉구함이 필요하다는 건의를 어제 워싱톤에 보낸 바 있음.
지금 말씀하신 한국 정부의 입장을 오늘 재차 보고토록 하겠음.

(군 수송기 파견문제)

Hendrickson : 한국 공군 수송단 C-130기의 인도 통과 문제로 어젯밤 한국
참사관　　　국방부측과 주한 미군 당국간에 긴급 통화가 있었던 것으로
알고 있음. 인도 정부의 갑작스런 입장 변경은 이해할 수
없는 바, 동 사태는 어떻게 처리 됐는지 ?

미주국장 : 본인도 작일 저녁 늦게 유종하 외무차관으로 부터 긴급 전화를
받았었음. 현재 동건은 인도 정부가 인도 영공이 아닌 비행정보
구역(FIR : Flight Information Region)을 통과한다는 조건으로
허가를 해줘 군 수송단 1진은 방콕을 출발한 것으로 알고 있음.
그러나 인도 정부는 군 수송단 제2진에 대해서는 FIR 통과
문제가 해결이 될때까지 출발을 연기해 달라는 요청을 해 왔음.

- 2 -

0206

현재 우리 정부는 인도 정부와 FIR 통과 허가문제를 협의중에 있는 바, 조만간 인도 정부가 군 수송단 2진의 통과를 허가할 것으로 기대하고 있음.

Hendrickson 참사관 : 어제 저녁 Burghardt 공사는 동건 협의를 위해 주인도 미국 대사 접촉을 시도하였으나 동 대사의 부재로 성사되지 못함에 따라 한국과 Margarte McMillion 부과장을 접촉, 국무부 근동.남아국에 상황을 알아보도록 요청한 바 있음. 한국 군 수송기 인도 영공 통과문제 관련 미국 정부의 도움이 필요한지 ?

미 주 국 장 : 미국이 측면 지원을 해주면 많은 도움이 될 것으로 봄.

Hendrickson 참사관 : 주인도 미국 대사로 하여금 인도 정부에 협조를 요청토록 멧세지를 보내겠음. 이와관련 현재 추진되고 있는 한국 수송단의 인도지역 통과 노선과 재급유 문제는 ?

미 주 국 장 : 재급유는 스리랑카의 콜롬보에서 하게 되어 있음. 현재 군 수송단은 인도 영공을 통과하지 않고 인도의 비행정보 구역을 통과하는 방안을 협의중임. 이와관련 미측이 협조 제공해주면 감사하겠음.

(걸프사태 관련 재정지원 문제)

Hendrickson 참사관 : 한국 정부가 작년도에 약속한 2.2억불의 지원중 전선국가에 대한 재정지원 촉진을 위한 한국 정부 대표단 파견 계획이 확정되었는지 ?

미 주 국 장 : 걸프사태 재정지원 촉진문제 협의를 위해 작 2.19(화) 10개 부처 국장급 관계관이 모여 회의를 가진바 있음.

- 3 -

0207

동 회의에서 전선국가에 대한 지원 촉진을 위해 이기주 외무부 제2차관보를 단장으로하고 경기원, 재무부, 건설부 등 관계 부처 실무진으로 구성된 대표단을 사우디, 이집트, 요르단 및 U.A.E.에 조만간 파견키로 결정을 보았음. 한편, 국방부는 군수물자 지원 촉진을 위해 별도의 교섭단을 아국이 군수물자를 제공키로 한 국가에 파견 예정임.

Hendrickson : 국방부팀은 언제, 어느 국가에 파견되는지 ?
참사관

미 주 국 장 : 현재로서는 파견 원칙만 결정된 상태이며 파견 대상국가, 시기 등 구체적 사항은 상금 미정임.

Hendrickson : 이미 전화로 통보한 바와 같이 2.8억불의 미국에 대한 추가
참사관   지원중 1.7억불 상당의 군수물자 관련, Dick Cheney 국방장관이 Baker 국무장관, Gregg 대사, RisCassi 주한 미 사령관, 미 합참, CINCPAC 및 미 중앙사(CENTCOM)에 보낸 전문에는 한국 측이 제시한 물자중 상용물품(Commerical items)은 걸프 주둔 미군용으로는 불필요한 만큼, 동 상용물자를 전선국가에 지원토록하는 방안을 한국측에 제의하라고 되어있음.(동 전문 사본 별첨) 이와 관련 한국 군 당국이 이미 제공할 물품을 결정하였는지 ?

미 주 국 장 : 우리 군 당국이 제공 가능한 물품의 종류와 수량등을 미군측에 이미 제시한 것으로 알고 있음.

Hendrickson : Cheney 장관이 제의한 상용물자의 전선국 지원 제의가 미 국무부
참사관   및 재무부와의 협의를 거친 것인지가 분명치 않으므로 동건을 워싱턴에 확인할 예정임.
본인은 Brady 재무장관이 이 자리에 있었다면 그는 한국의 추가 지원에 사의를 표하면서 2.8억불 모두를 현금으로 지원해 줄 것을 요청했을 것이라는 생각이듬.

- 4 -   0208

하여간 미국으로서는 가능한 현금 지원분이 많을수록 좋겠다는 입장임.

미 주 국 장 : 우리 정부는 당초 1.7억불 상당의 군수물자를 지원키로한 바, Cheney 장관이 언급한 상용물품이 구체적으로 무엇을 의미하는지 의아함. 한편, 우리가 Cheney 장관의 제의에 따라 대미 지원 군사 물자분에서 전선국가에 지원을 할 경우, 이는 당연히 미국에 대한 지원으로 계상되어야 하며 모든 지원은 아국이 약속한 추가지원액 2.8억불내에서 행해져야 한다는 것이 우리 입장임.

우리의 대미 추가지원 약속액중 현금 및 수송지원 1.1억불이 미국의 기대를 총족시킬 수 있는 규모는 아니나 이 금액은 인위적인 액수가 아니며, 정부가 긴급한 비상사태에 대비, 마련한 예비비 예산에서 염출 가능한 최대의 액수임.

그러나 능력 범위내에서 최대한의 지원을 미측에 기꺼이 제공한다는 우리의 입장에 따라 1.7억불 상당의 군수물자 지원을 제의한 것임. 따라서 우리로서는 군수물자 대신 현금이나 용역 형태로의 지원은 사실상 불가능한 형편임을 미측이 이해해주기 바람.

이와관련 우리 정부의 미국에 대한 지원 용의(willingness)와 진지성(sincerity)을 재삼 강조코자 함.

Hendrickson 참사관 : 잘 알겠음. 한편 작년 2월 한국 정부가 공약한 전선국가에 대한 지원이 신속히 추진되고 있지 않은 이유는 ?

작년도 4,000만불의 재정지원이 별진척이 없음에 비추어 1.7억불 상당의 물자를 전선국에 지원할 경우 과연 집행이 제대로 될지 의문스러움.

이 경우 한국은 3.3억불에 해당하는 기여만을 하게 될 수도 있다고 봄.

- 5 -

0209

미 주 국 장 : 지난번 Gregg 대사도 우리 재무장관에게 지원 촉진을 위한
　　　　　　　대표단 파견문제를 거론한 바 있으나, 지원 집행관련 문제는
　　　　　　　우리의 지원 집행 의지 부족의 문제가 아니라 수원국의 태도가.
　　　　　　　장애요인임.
　　　　　　　금번에 정부가 정부대표단을 전선국가에 파견키로 한 것도
　　　　　　　지원 촉진을 위한 우리 정부의 노력의 일환임.

Hendrickson : 대표단 파견 일정은 ?
참사관

미 주 국 장 : 오는 2.23(토) 출발하기 위하여 필요한 준비를 서두르고 있음.
　　　　　　　대표단의 귀국 일자는 상금 미정인 바, 확정되는대로 전화로
　　　　　　　알려주겠음. 국방부 고섭단의 일정은 알고 있지 못함.

(대미 현금 및 수송지원 구성)

미 주 국 장 : 우리 정부는 추가 지원 약속액 1.1억불을 현금 6,000만불,
　　　　　　　수송지원 5,000만불로 지원코자 하는 바, 이에 대한 미측의
　　　　　　　입장을 알려주기 바람.
　　　　　　　물론 동 구성은 대통령의 최종 재가를 받아야 하는 것임.

Hendrickson : 한국측의 제의를 본부에 보고토록 하겠음.
참사관

(영국에 대한 전비지원 문제)

Hendrickson : 영국에 대한 지원 문제는 ?
참사관

미 주 국 장 : 본인이 지난 2.13. 이기주 차관보와 John Weston 영 외무부
　　　　　　　국방담당 부차관을 면담했을때 영국의 지원요청에 대해 상부에
　　　　　　　보고 하겠다고 하였으나 "호의적(favorably)" 검토라는 용어는
　　　　　　　쓰지 않았음.

- 6 -　　　　　　　　0210

그런데, 어제 관계부처 회의에서 동 문제를 중점적으로 다뤘는
바, 회의 참석자들은 걸프전에서의 영국의 기여도등을 감안할
때 영국에 대해 3,000만불 상당의 지원을 적극 검토해야 한다는
데 원칙적 합의를 보았음.

다만, 영국에 대한 지원을 위하여 추가지원 확보는 우리 경제
상태등 능력에 비추어 불가능할 뿐 아니라 국회와 여론의 반발
등을 감안할때 실현성이 없다고 봄.

따라서, 우리 정부로서는 기존 약속액 5억불중에서 영국에 대한
지원 3,000만불을 염출하는 방안에 미측의 동의를 구하는 바임.
영국 지원을 위한 구체적 재원 염출 방법으로 우리가 고려하고
있는 것은 90년도 1차 지원시 시리아에 대한 지원을 위해 배정
되었으나 현재 진전이 없는 1,000만불과 91년도 대미 추가지원
약속중 1.7억불 상당의 군수물자 지원분에서 2,000만불 정도를
염출하는 방안임.

이와 관련 우리는 미 국무부측이 아국이 영국에 대해 지원할
경우 이는 적절한 조치가 될 것이라고 평가하면서도 영국에
대한 지원은 한.영간의 양자문제로서 5억불의 지원과는 별개라는
입장을 표명한 사실을 알고 있음. 그러나 우리의 영국에 대한
지원은 5억불의 약속액중에서 이뤄져야 한다는 것이 어제 관계
부처 회의에서 일치된 의견이었음.

Hendrickson : 한국 정부의 제의에 대한 미국 정부의 입장을 알아보도록
참사관　하겠음. 그러나 미국의 입장에서보면 한국은 미국보다 훨씬
대처를 잘하고 있는 국가임. 미국은 세계 최대의 채무국이기도
함.

따라서 한국의 어려움을 미국 정부에 이해시키는 것은 그리
쉬운 일이 아님.

워싱톤은 아마도 한국이 지원 규모를 보다 증대시키는 것이
공평(fair)하다고 생각하고 있을지도 모름.

- 7 -

0211

한편, 본인은 미국의 연방 예산 담당 관리들도 한국의 경제
기획원 관리들과 같이 tough 했었으면 미국이 오늘날 이렇게
되지는 않았을 것이라는 생각을 하고 있음.

미 주 국 장 : 우리는 미국에 대해 최대한의 지원을 기꺼이 제공할 용의가
있으나, 현재 한국이 당면하고 있는 정치.경제적 어려움 때문에
더이상의 추가 지원이 곤란함을 이해해 주길 바람.

0212

관리 번호	어 ~1733

외　무　부

종　별 : 지　급

번　호 : AEW-0140

일　시 : 91 0220 1200

수　신 : 장관(중동일,기정),사본:주사우디대사-중계필

발　신 : 주 UAE 대사

제　목 : 합참제3차장 주재국방문

대:WAE-0136

　　대호, 이양호 차장일행은 금 2.20. 예정대로 당지도착, 주재국 AL BADI 참모총장및 AL RAYAMI 공군사령관을 각각 예방하였음. 다만 아국수송단 도착후의 환영식 문제는 제 2 진의 도착연기로 이들의 일정을 재검토중에 있음을 중간보고함. 끝.

　　(대사 박종기-국장)

　　예고:91.12.31 일반

(91. 6. 30 재

중아국　　2차보　　안기부　　국방부

PAGE 1

원 본

외 무 부

종 별 : 지급

번 호 : USW--0824

일 시 : 91 0220 1841

수 신 : 장관(미북,중근동,아서)

발 신 : 주 미 대사

제 목 : 군수송단 파견

1. 금 2.20 국무부 RICHARDSON 한국과장이 당관 유명환 참사관에게 알려온바에 의하면, 미 국방부가 국무부측에 아국 군 수송단의 인도 영공 통과 문제와 관련 협조를 요청해왔으며, 이에 따라 국무부 내부적으로 협의를 거친바, 현재의 민감한 미-인 관계등을 고려, 주 인도 미국대사등을 통해 인도 정부의 고위급에 대해서는 동 문제를 거론하지 않키로 결정하였다함.

2. 그러나 미측은 주 인도 미국 무관을 통해 이미 이문제에 대한 인도 정부의 협조를 요청했다 하며, 본건 관련 해서는 한국 정부가 직접 인도 접우와 교섭하는것이 바람직할것으로 본다고 언급함.

(대사 박동진-국장)

예고:91.12.31 일반

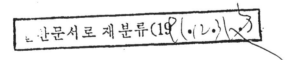

일반문서로 재분류(19(.12.).3

검 토 필 (1991.6.30)

미주국	차관	1차보	2차보	이주국	중아국	청와대	안기부

2.21

軍수송단 내일 걸프 向發

2陣80명 印度 영공통과 不許로 늦어져

印度정부의 영공통과 거부로 출발이 지연됐던 프戰파견 군수송대2진(C 130 3대와 80명)이 22일 오전 현지로 출발한다고 발표했다.

印度정부는 우리 정부의 영공통과 요청에 대해 「지금 까지 걸프戰과 관련된 항공기의 통과를 한번도 허용한 적이 없다」며 거절 했다.

새로운 항공로로 22일 오전 현지로 출발한다고 21일 외무부가 발표했다.

팀스피리트 끝난뒤 訪日 北韓소식통
고위회담 재개할듯

【東京 로이터=聯】 다음주 訪日을 예정인 제4차 南·北 韓고위급회담의 한 소식통은 20일 발표했다.

협의하고 있는 北韓이 韓美 군사합동훈련이 끝난뒤 회 담 재개에 동의할지도 모른다고 日本을 방문중인 北 韓총리회담의 중단을 위 金容淳 北韓노동당서기 겸

駐韓 中國 무역대표부
선발대 28일 서울도착

駐서울 中國무역대표부 사장 南時旭은 19일 선발대로 梁文大표보등 10

[국제부장을 단장으로 한 고 위급대표단의 일원으로 이 날 日本에 도착한 이소식 통은 다음주로 예정된 총 리회담이 열리지 않고 가 능성이 높다고 말하고 비 록 총리회담이 중단된다 해 도 4월 팀스피리트가 끝난뒤 다시 재개될 가 능성이 있다고 덧붙였다.

28일 서울에 도착한 인의 연구과 위급대표단의 일원으로 이 다고 외무부가 21일 발표 했다. 徐大有 中國의 대표등 모두 20명으로 구성 되며 선발대는 대표부건립 대표등 개설준비작업 을 하게된다.

榧軍彬 (번역) 중국 金丞洙 (MBC 파원이 본 金丞洙 (MBC) 연구과 담당PD)·이론 기및 (KBS]

中央日報, 千명 전화여론조사

"水西" 수사 못믿겠다 70%

구속 더해야 75·非理근절 悲觀 64%
41%가 "청와대 비서실에 책임" 지적

水西특혜 사건에 대해 우리 국민들의 70%는 검찰의 수사결과 발표에도 불구, 의혹을 떨치지 못하고 있으며 41·4%가 특 한 청와대 비서실의 주된 책 임이라고 생각하고 있다. 또 75·2%는 구속이나 입 건돼야 할 사람이 더 있 다고 생각하는 것으로 나 타났다.

이같은 사실은 中央日 報社 데이타 뱅크이 전 국의 성인남녀 1천명을 대상으로 지난 20일 실시 한 전화인터뷰 결과에서 드러났다.

이 사건의 의혹이 풀리 지 않고 있다는 응답은 ▲전혀 풀리지 않았다 4%로 모두 14·2%에 불과한 것으로 나타났다. ▲거의 풀리지 않았다 13% ▲별로 풀리지 않았다 57%로 70%가 수 사결과를 불신했다.

의혹이 풀리지 않고 있 다고 생각하는 비율은 점 선택케한 결과 가장 큰 책임이 있는 것은 ▲청와 대 비서실이란는 응답이 41·4% ▲정치-경제-라 가며 큰 비중을 두었으며 낮아 큰 책임이 있는 것으로

사람들은 ▲다 풀렸다 1 ▲많이 풀렸다 12· 8% ▲대체로 풀렸다 57·1%에 불과한 것으로 나타났다.

특혜사건의 발생에 대 한 책임 소재를 2개씩 대해서는 이 수사결과의 책임소재에 속됐다는 응 28·2%였다.

그 다음으로, 응답이 가장 많아 국 민의 의혹의 시선이 청 와대에 집중돼 있음을 보 여주었다. 41·4%로 가장 많아 국 회의원 설문·鄭회장 31·3% ▲여야 정당 28·4%였다.

다. 학력이 높을수록 (대재이상 79· 4%) 중졸이하 57·1%) 높았다.

뒤를 이어 ▲서울시와 건 설부 37·6% ▲한보그룹 31·3% ▲국 회로 압축적으로 지행다.

농촌일수록 (대재이상 79· 4%) 중졸이하 57·1%) 높았다.

2%였다.

큰 책임이 있는 것으로 반면 비리

검찰의 어느정 가?
…1.8
·12.4
·57.0
·13.0
·15.8
정태비서관, 경이 어떻
것
·5.2
75·2
19·5
0·1
높은 주
생각하
니시오.
·31.3
·37.6
41·4
28·4
28·2
·9.9
10·2
분위기
단행했
는 공
실천관
지대로
까?
·1·9
20·7
47·7
15·9
13·7
0·1

큰 책임이 있는 것으로 나타났다.
도시일수록, 정치권보
다는 청와대 비서실에 더
큰 책임이 있는 것으로

0215

강화하는 한편, 앞으로 동부 아프리카국가들에 경제적지원을 확대할 것을 약속했다고 中國관영新華통신이 다르에스살람發로 21일 보도했다.

蘇국방 3월초 訪中

【東京=聯】드미트리 야조프蘇聯국방장관이 오는3월4일 中國을 공식방문한다고 교도(共同)통신이 21일 北京의 소련소식통을 인용, 보도했다.

야조프장관의 방문이 실현될 경우 소련 국방장관의 중국방문은 30년만에 처음으로 이루어진 셈이다.

그는 중국 지도자들과 만나▲오는 5월로 전망되고있는 江澤民총서기의 소련방문에 앞서 中蘇관계의 정상화를 거듭 강조하는 것을 비롯▲걸프전쟁 해결을 위한 공동보조▲국경병력삭감▲최신전투기인 수호이 27의 중국공여문제들에 대해...

드구노 카이로에 노어 걸프전쟁에 관한 회의를 시작했다.

아랍 외교관들은 ICO의 회교局 상임위원회를 구성하고있는 이들 9개국대표

外信 다이제스트

가 이번 회의에서 쿠웨이트에서 이라크의 즉각적인 철수를 촉구할 것으로 예상했다.

錢其琛 유럽 순방

【北京=聯】錢其琛 중국 외교부장은 21일 지난 89년의 천안문사태로 악화된 對유럽 관계를 개선하기 위해 유럽7개국 순방길에 올랐다.

포루투갈을 시작으로하는 17일간의 순방길에는 스페...

...를 강化에 했다」고 밝혔다고 이번 순방을 통해 大변혁을 겪은 유럽의 새모습에 대한 직접적인 정보를 접하게 된 것을기쁘게생각한다』고밝혔다. 그는 이어『東欧에서일어난 거대한 변화는 인민들의 선택에 의해 이루어진 것이며, 우리는 이 선택을 존중할것』이라고 덧붙였다.

스리랑카서 再給油

【콜롬보=AP聯】걸프지역으로 향하는 韓國공군의수송기2대가 20일 저녁 (현지시각) 스리랑카의 카투나야크 국제공항에서 재급유한후이륙했다고 목격자들이 21일 전했다.

목격자들은 이어 수송기의 사진촬영을 막기위해 사진기자들의 접근이 금지되었으며 수송기로 다가가는 것도 차단됐다고 전했는데 공항 관계자들은 이에 대한 논평을 거부했다.

분류번호	보존기간

발 신 전 보

번   호 : WUS-0666   910221 1714 AO   종별 :

수   신 : 주   미   대사. 총영사

발   신 : 장   관   (미북)

제   목 : 군 수송단 파견

대 : USW - 0824

1. 표제관련, 그간 인도 정부는 걸프전 관련 자국의 중립 입장을 이유로 다국적군 참여 국가 공군기들의 영공 통과를 불허한다는 방침을 고수함에 따라, 정부는 1진 C-130H 2대 및 2진 C-130H 3대의 ~~경유지를 클라크 기지, 방콕 및 인도~~ 가 인도 영공대신 ~~영공 통과해서 콜롬보를 추가로 방유~~, 인도 비행정보구역(FIR)을 통과, 알아인 기지로 만 항발토록 조정한 바 있음.

2. 2.20 인도 정부의 인도 FIR 통과 동의에 따라 19일 서울 출발 방콕 대기중이던 1진 2대는 20일 UAE 알아인 기지에 안착하였으며 2진 3대는 명 2.22일 상기 루트로 현지 항발 예정임을 참고바람.   끝.

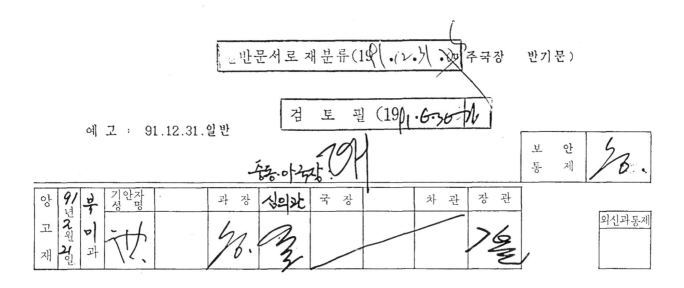

일반문서로 재분류(91.12.31 주국장 반기문)

예고 : 91.12.31.일반

검 토 필 (1991.6.30)

중동.아주장 예

앙 고 재	91년 2월 21일	북 미 과	기안자 성명	과 장 심의관	국장	차 관	장 관	외신과통제

보 안 통 제

0217

관리 번호	91- 1916

외 무 부

종   별 : 지 급

번   호 : AEW-0144   일   시 : 91 0221 1010

수   신 : 장관(중동일,아서,공보),사본:주인도,주스리랑카대사(중계필)

발   신 : 주 UAE 대사

제   목 : 군수송단 파견

대:WAE-0149,151,153

1. 아국공수단 제 1 진 2 대는 당지 알아인기지에 2.20(수) 무위도착하였음.

2. 아국공수단 환영식은 미측의 주관하에 제 2 진 도착과는 무관하게 당초 계획대로 2.22(금) 행할 예정임.

3. 미측은 환영행사에 ABC 등 미측기자 5-7 명의 취재를 허가하였으나 SECURITY 상 제한된 보도통제를 할것을 당관에 알려오고 아측기자의 취재시 아측기자들도 협조하여줄 것을 요청하여왔음.

4. 대호 KBS 기자 당지도착시 아측기자도 미측의 보도지침에 따라 미측기자들과 취재시 협조토록 안내할 것임을 첨언함. 끝.

(대사 박종기-국장)

91.12.31 일반

(91. 6. 재 검토)

중아국   공보   아주국   국방부

PAGE 1   91.02.21   16:23

외 무 부

종   별 : 지 급

번   호 : SKW-0115   일   시 : 91 0221 1540

수   신 : 장관(중동일,아서)

발   신 : 주 스리랑카 대사

제   목 : 아국군용기에 대한 연료 보급 보도

1. 주재국 영자 일간지 THE ISLAND 지는 금 2.21. 자 1 면 2 단의 톱기사로 LANKA EXTENDS REFUELLING FACILITIES 제하 아래 요지 보도함.

가. 걸프 전쟁 구역으로 향하는 2 대의 한국 비행기가 콜롬보항에 작 2.20 기착 하였으며 추가 3 대가 금 2.21 도착할 예정이라고 외무부및 공항 고위 관리가 밝힘.

나. 동 항공기들은 의약품등 관련 보급품을 수송하기 위한것이며, 동물품에는 연합군을 위한 물품인지 여부가 분명치않음.

다. 외무부 G.SENEVIRATNE 정무차관은 동 한국기들은 양국정부간 외교적 합의에 따라 연료 보급이 이루어진 최초의 경우라고 밝힘. 또한 동인은 동 합의에 의하면 전쟁용내지 살상용 무기를 수송하지못하도록 되어 있다고 하였으나, 한국측이 서류상 제출한 내용을 믿을수 밖에 없으며, 동 기내 물품을 조사함은 외교관례를 무시하는것이 될것이라함.

라. 한국은 미국주도 다국적군에 대한 비군사적 지원을 약속한바 있었음. 당지주재 이락 관리들은 스리랑카의 여사한 연료보급 행위가 비우호적인 행위라고 하고 연합국 화물기는 외교적 비호하에 군사물자를 수송하고 있다고 계속 주장함.

2. 또한 동일간지 1 면 하단에는 INDIA BARS GULF-BOUND S.KOREAN PLANES 제하 2.20 자 서울발 로이타 통신을 인용, 아래 요지 보도함.

. 인도가 한국공군 수송기의 자국 영공 통과를 거절하였다고 2.20 한국 국방부 대변인이 밝힘.

. 동대변인은 인도측이 2.19(화) 한국 수송기의 자국 영공통과를 허용한바 있었는데, 인도측이 돌연 2.20 동 수송기의 인도 영공 통과를 불허 통보해옴에 따라, 동수송단의 출발을 연기 시켰다고 밝힘.

. 동수송기들은 C-130 S 5 대로 150 명의 수송단을 싣고 UAE 로 파견되어 연합군의

중아국   장관   차관   1차보   2차보   아주국   정와대   안기부   국방부

PAGE 1   91.02.21   19:53

외신 2과 통제관 BW

0219

보급품 수송임무를 띄게 되어 있음.

　. 한국측은 걸프 사태와 관련 2 억 2 천만불의 지원외에 추가 2 억 8 천만불의 지원을 최근 약속 하였으며, 지난달 사우디에 154 명의 의료진을 수송한바 있음.

　(대사 장훈-국장)

　예고:91.6.30 일반

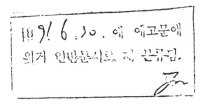

관리
번호 이
-1704

리 부

종 별 : 지급

번 호 : AEW-0145   일 시 : 91 0221 1540

수 신 : 장관(중동일),사본:국방부 군수국장(군수계획과장)

발 신 : 주 UAE대사(국방부 군수국차장)

제 목 : 군수송단 관련보고

2.20. 오전 UAE 도착후 UAE 국방성및 AL AIN 기지 미군측과 협의한 결과를 요약 보고함

1.   UAE   공공사업성,   아   수송단의   현대건설   시설및 지역사용승인(공공사업성차관명의 전문 2.21. 오전 현대 현장사무소 수신)

2. 숙소및 식사문제 해결완료(본대 1 진 2.21 아침부터 용역업체가 준비한 식사시작)

-식비이외에 전체운용비 월 약 80 만원선 추가소요(예:가스)

3. 전기문제(발전기가동) 해결

4. 수도인입공사 완료

5. 미측과 정비문제 약속:미군부대와 똑같이 정비지원후 정산(한미상호군수협정 대상범위확장으로 해결)

6. 의무지원은 미군시설 공동이용약속, 아군의관도 미군시설에서 합동근무예정

7. 현대시설보유 복사기는 수리후 사용이 불가능상태,1 대 구매또는 지참필요

8.   현지   기후조건상   개인세탁및   건조불가,   대형   세탁기및   세탁용역 필요(현지미군및 현대종업원도 용역으로 해결하고있음)

9. 현지차량 확인필요

-4 대(버스, 찝, 픽업, 승용차 각 1 대)정비후 사용, 단 상태는 매우불량

-추가렌트차량 3 대 필요한것으로 판단(렌트비용: 승용차 2 대 대당 1,100 불/ 월, 봉고 1 대 1,400 불/월)

참고:현지 소나타(2.4I)구매시 가격 700 만원

이상 UAE 에서의 보고사항 끝.

(대사 박종기-국장)

중아국   2차보   국방부

91.12.31 일반

PAGE 2

2

원 본

외 무 부

종 별 :

번 호 : AEW-0148   일 시 : 91 0223 1230

수 신 : 장관(중동일),사본:국방부장관

발 신 : 주 UAE 대사

제 목 : 공군수송단 환영식 개최

1. 당지 AL AIN 공군기지에 도착한 공군수송단을 위한 환영식이 2.22(금) 동기지에서 개최된바, 동환영식에는 제 1 진으로 도착한 수송단일행및 동기지 미군장병과 UAE 군측 연락관및 이양호 중장일행, 소직등 대사관 관계자와 본부 유시야과장, 당지 교민회 부회장등이 참석하였음.

2. 동환영식에서 소직은 동수송단 일행의 당지도착을 축하하고 앞으로 큰업적이 있기를 기원한 동시에 미군측의 제반협조에 감사를 표하는 요지의 환영사를함. 동기지단장 WINGFIELD 대령및 CENTCOM 의 TENOSO 준장은 아국 수송단 일행의 도착을 환영하고 앞으로 양국간 합동작전등을 통해 긴밀히 협조하기를 희망하였으며 과거 한국전등에서의 양국간 군사협력관계가 중동지역에까지 이어진데대해 기쁘게 생각한다는 요지의 연설을하였음. 또한 이양호중장도 환영연설에서 아국수송단일행의 큰업적을 기원하고 미군측과 긴밀히 협조, 동지역의 평화와 안정회복에 기여하는 동시 이번파견을 전술전기연마의 기회로 활용하기 바란다는 요지로 당부하였음.

3. 2.23 자 당지 GULF NEWS 는 상기환영식 개최사실을 "KOREANS JOIN ALLIEDEFFORT"라는 제하로 크게보도하고 관련사진등을 동시게재함. 동기사 파편송부 위계임.

4. 한편 2.20 저녁 당지도착한 수송단 제 1 진은 숙소정리, 조직정비등 본격적인 작전부입에 대비 준비중에있음. 끝.

(대사 박종기-국장)

예고:91.12.31 일반

발 신 전 보

번   호 : ___WSB-0424___ ___910224 1835___ DQ 종별 : __지급__
WAE-0174

수   신 : 주수신처 참조   ~~대사//총영사~~

발   신 : 장   관   (중동일)

제   목 : 대통령 각하 전문

　　　　　군의료지원단 및 공군 수송단에 대한 대통령 각하의 전문을 별첨 송부하니
각각 단장에게 전달하고 결과 보고 바람.

　　　　　첨   부 : 대통령 각하 전문 1부.　　　끝.

　　　　　　　　　　　　　　　　　　　　　(중동아국장 이 해 순)

수신처 : 주 서우디, UAE 대사
예   고 : ~~91. 12. 31. 일반~~

검 토 필 (1991. 6. 30.) 예

添付:

閣下의 軍醫療支援團 및 空軍輸送團에 대한 電文

　　모든 世界人이 걸프戰의 平和的 解決에 대한 期待를
가져왔으나 이라크의 無謀한 쿠웨이트 撤收拒否로 不幸하게도
地上戰이 始作되었음.

　　우리政府가 軍醫療支援團과 空軍輸送團을 派遣한 것은
유엔決議에 따라 侵略을 膺懲하여 國際平和와 正義를 지키기
위한 것임. 나는 우리 軍醫療支援團이 現在 훌륭히 任務를
遂行하고 있으며 空軍輸送團도 現地到着以後 높은 士氣속에
活動을 開始할 態勢를 갖추고 있다는 것을 알고있음.

　　나는 이제 本格的인 地上戰이 展開됨과 함께 우리 空軍
輸送團과 醫療支援團이 多國籍軍에 대해 效率的인 支援活動을
展開함으로써 우리 國軍의 名譽와 聲望을 드높임은 물론 國際
平和를 위한 우리나라의 寄與를 世界속에 빛내주기 바람.

　　나는 모든 將兵이 걸프戰場에서 큰 成果를 거두고
머지않아 終戰과 함께 健康하게 歸國하기를 온國民과 함께
祈願함.

0225

외 무 부   원 본

종   별 : 지 급

번   호 : AEW-0152   일   시 : 91 0224 1300

수   신 : 장관(중동일,아서), 사본:주인도, 주스리랑카대사

발   신 : 주 UAE 대사

제   목 : 군수송단 파견

연:AEW-0144

대:WAE-0153

아국공수단 제 2 진 3 대는 당지 알아인 기지에 2.23(토) 20:15 무위 도착하였음을
보고함. 끝.

(대사 박종기-국장)

91.12.31 일반

검 토 필 (1994. 1. 6. 30)

외 무 부

종 별 : 지급

번 호 : AEW-0165   일 시 : 91 0227 0630

수 신 : 장관(중동일,기정),사본:청와대,총리실,국방부

발 신 : 주 UAE 대사

제 목 : 공군수송단 방문

연:AEW-0160,161

1. 조사단 일원인 김희상 비서관은 장병들과 오찬을 같이한후, 업무현황을 보고받고 장병들의 생활환경과 복무여건을 세밀히 확인하였으며, 애로사항을 파악하였음.(상세는 귀국후 보고)

2. 장병들은 전반적으로 매우 불비한 여건임에도 불구하고, 각자 사명감에 충실하여 최선을 다하고 있었으며, 2.26.13:15 첫 임무비행을 위해 발진하였음. 장병들은 지상작전이 조기에 종결되더라도 전후처리와 복구소요등을 고려 상당기간 임무수행을 계속하여야 할것으로 인식하고 있었음.(미군은 장기주둔 임무수행을 계속할 예정이라함). 끝.

(대사 박종기-국장)

예고:91.6.30 일반
의거 일반문서로 재분류

중아국   장관   차관   1차보   청와대   총리실   안기부   국방부

관리
번호 : 91-893

외 무 부

종 별 :

번 호 : AEW-0170 　　　　　　　　　　　일 시 : 91 0228 1900

수 신 : 장관(중동일,총인)

발 신 : 주 UAE 대사

제 목 : 공군수송단 지원활동

　　당지 알아인 공군기지에 주둔, 활동중인 아국 공군수송단은 영국, 미국등이 쿠웨이트 해방에 즈음하여 대사관을 쿠웨이트에 재개하고 있는바, 아국 대사관도 쿠웨이트에 재개할시 동 공군수송기로 인적, 물적 수송에 협조할수 있을것이라고 알려 왔는바 참고바람. 끝.

　　(대사 박종기-국장)
　　91.12.31 일반

중아국　　장관　　차관　　1차보　　2차보　　총무과　　청와대　　안기부

PAGE 1　　　　　　　　　　　　　　　　　　　91.03.01　　00:24
　　　　　　　　　　　　　　　　　　　　　　외신 2과 통제관 CF

　　　　　　　　　　　　　　　　　　　　　　　　0228

주아랍에미리트연합국대사관

주 에미리트(정) 720-358   1991 . 2. 28.

경   유 :

수   신 : 장 관

참   조 : 중동 아프리카 국장

제   목 : 공군 수송단 환영식 개최

연 : AEW - 0148

연호, 표제기사 별첨과 같이 송부 합니다.

별 첨 : 기사 사본

주아랍에미리트연합국대사

14620   0229

Koreans join allied effort

By Laurie Lande

AT AN AIRBASE IN THE ARABI-
AN PENINSULA -- Two Korean C-
130 Hercules aircraft and 150 Korean
Air Force (KAF) personnel have
joined the largest U.S. airlift base in
the Gulf in a symbolic move that re-
flects more than forty years of Ameri-
can-Korean military cooperation.

The occasion was marked in a cere-
mony yesterday that emphasized the
cooperation between the two nations
and the host country. Three more Ko-
rean C-130's are due to arrive at this
base tonight, their arrival delayed by
India's decision Wednesday not to al-
low the aircraft to refuel in India or
fly over its airspace.

The morning ceremony was sprin-
kled with references to the the re-
versed situation in 1950, in which US
AF joined the Koreans to retard the
North Korean invasion. The Korean
ambassador to the host country
stressed this point in a speech wel-
coming his country's air force to the
Gulf.

"As you know, we were helped by
14 to 16 friendly countries during the
time of the Korean war in 1950. I
therefore believe we have a debt to
pay to international society by partici-
pating in the activities now to restore
peace and security to this area."

The ambassador added, "Remember
the Korean war, when we had a diffi-
cult situation the UN forces, includ-
ing the US, came to our aid."

Brig. General Ed Tenoso, 50, US
spokesman and head of Military Air-
lift Command for Desert Storm, also
stressed the history of mutual cooper-
ation between the two nations. "The
US has stood shoulder to shoulder
with the Republic of Korea for many
years to stop aggression to the North.

It is appropriate as we stand here on
the possible eve of a major battle that
we again stand shoulder to shoulder
with allies as part of the coalition to
drive back an aggressor from the
North."

Tenoso reiterated the firm stance
taken by President George Bush re-
cently about the need for full compli-
ance with all UN resolutions as a pre-
requisite to end the Gulf war. "The
war will not be over until Saddam
Hussain competely complies with all
UN resolutions. The coalition will be
here until that is accomplished."

The Korean C-130's will play a "vi-
tal role" in the airlift function of
Desert Shield, the commanders said,
adding the cooperaton marked a "new
chapter of friendship between the US,
the host country and Korea."

Lt. Col. Y.H. Kim, 40, a 17-year
veteran of KAF, indicated agree-
ment with his county's decision to
join the Allied forces. "We feel
strongly about this (mission.) In
South Korea we've never expected
such a massive and far deployment.
This is a 22-24 hour journey for us."
The Seoul native noted that aside
from Korean participation during the
Vietnam war, this is their first foreign
deployment.

The commander of the C-130 base,
Col. John Wingfield III, said the Ko-
reans would be completely integrated
with the American forces. He did not
anticipate language to be a problem,
as the allied aircrews communicate
with "aviation language, a language
all the air forces know."

Wingfield added that the Koreans
were placed with his base because
there was adequate room to accomo-
date five more planes and almost 400
new personnel. Also, the Korean C-

Korean airmen being welcomed at the U.S. airlift base in the
Gulf.

130's are very similar to the Ameri-
can C-130's.

The transport role of the C-130's
have changed with each phase of the
war, and will change again if a
ground assault is launched, according
to Tenuso.

"Until the air war started, we were

primarily transporting supplies. Dur-
ing the past month we primarily
moved people." If a ground war be-
gins, the transport aircraft will proba-
bly bring supplies in and casualties
out. He said the USAF was prepared
to transport both Allied and enemy
casualties.

0230

U.S. Brig. Gen. Ed Tenoso with the Korean ambassador to the host country of the base, who is
greeting the Korean airmen.

Korean forces in theatre

By a staff reporter
US Media Pool

AT AN AIRBASE IN THE ARABIAN DESERT—Forty-one years after the start of the Korean war, South Korean Air Force (KAF) personnel have joined a US military airlift command unit to support operation Desert Storm.

Two C-130 cargo planes arrived at this base, the largest in the war theatre, on Wednesday night with 150 KAF personnel. Three more planes carrying about 75 personnel each were expected to arrive later.

The Korean ambassador to the host country said on the occasion, "I am happy to be here on this historic occasion." I wish all the men success in their mission.

He said it was Korea's duty as a member of the international community to preserve peace and security in the region. "That is why you were dispatched. As you know from history, Korea was helped by 14 to 16 friendly countries during the time of the Korean war in 1950," he explained.

Col. John Wingfield, base commander said, "the Koreans will be mixed in with our forces. We are able to communicate while flying using aviation language known to all the air forces."

Capt. Soo Cheol Park, 29, a co-pilot from Seoul does not know how long they are staying, but said "we will stay for the duration of the war. I am proud to participate with allies. Most of my missions will be transporting casualties."

Two US airmen pose with their new Korean colleagues

0231

외 무 부

종 별 : 지 급

번 호 : AEW-0186

일 시 : 91 0310 1300

수 신 : 장관(중동일)

발 신 : 주 UAE 대사

제 목 : 특사 파견

관리번호 : 비 -14(0)

연:AEW-0172

대:WAE-0187,0200,0190

1. 대호, 소직은 금 3.10. 주재국 외무부 ZAABI 의전장을 방문, 연호에 이어 아국 특사의 주재국 방문 접수 의사를 재 타진한바, 동인은 연호 언급 내용을 재차 되풀이하고 특히 4 월말-5 월초는 라마단이 끝나는 시기로 이슬람국 관행상 이 시기에 많은 이슬람국 귀빈들이 내방하는바 차기(10 월경)에 방문하여 줄것을 재차 강조하였음.

2. 소직은 이어 대호 WAE-0190 장관친전을 전달하면서 아국공군이 알아인 기지에서 철수시에도 필요시 협조를 당부하였음.(아국 수송단은 4.20. 이전 주재국 알아인 공군기지에서 철수를 예정하고 있음)

3. 연호 보고와 같이 주재국은 아국특사 접수를 차기에 희망하고 있으므로 추후 적절한 시기를 택하여 특사방문을 추진하는 것이 바람직한 것으로 사료됨. 끝

(대사 박종기-국장)

91.12.31 일반

검 토 필 (1991. 6. 3.)

중아국   장관   차관   1차보

외무부

종　별 :

번　호 : AEW-0193　　　　　　　　일　시 : 91 0317 1100

수　신 : 장관(중동일)

발　신 : 주 UAE대사

제　목 : 공군수송단 격려

　　소직은 3.16. 알아인에 주둔하고 있는 아국 공군수송단을 방문 (오참사관및 노무관
수행),당관에서 준비한 중식을 장병들과 함께 나누고 유종의 미를 거두도록 격려
하였음을 보고함.

　　　끝.

　　(대사 박종기-국장)

중아국

PAGE 1　　　　　　　　　　　　　　　　91.03.18　　05:48 DA
　　　　　　　　　　　　　　　　　　　　외신 1과　통제관

　　　　　　　　　　　　　　　　　　　　　0233

관리 번호	9/213			분류번호	보존기간

발 신 전 보

번   호 : WSB-0576   910318 2007 FH 종별 : 지급

WAE-0213

수   신 : 주 사우디, UAE 대사. 총영사/// (사본 : 주쿠웨이트대사)

발   신 : 장 관 (중동일)

제   목 : 군의료단 및 공군 수송단 철수

    1. 국방부는 4.9(화) 대한항공 전세기 1대를 다란 및 아부다비에 운항시켜 의료지원단(약 150명) 및 공군수송단 (약 100명)을 각각 철수시킬 계획이며, 이에 앞서 4.6(토) 수송기 5대와 병력 일부(약 60명)를 출발시킬 예정임.

    2. 해당 공관장은 상기 계획을 주재국 측에 사전 통보하고 결과보고 바람. 단, 이에 관한 정부의 최종 결정은 3.20 관계부처 장관 회의에서 확정될 예정임을 참고 바람.   끝.

(중동아국장   이 해 순)

검 토 필 (1991. 6. 20)

예   고 : 1991.12.31. 까지

외 무 부

종 별 : 지 급

번 호 : USW-1265

일 시 : 91 0319 1547

수 신 : 장관(미북,중동일)

발 신 : 주 미 대사

제 목 : 의료단 및 수송단 철수 보도

연 USW-1108

1. 작일 국내 언론 보도에 의하면 걸프지역에 파견된 아국의 의료단 및 수송단이 공히 4.10 경 철수될것이라고 하는바, 주재국 고위 관리와의 접촉 활동에필요하니 본건 관련 정부의 입장을 알려주기 바람.

2. 금후 미 의회에서는 걸프전 지원에 대한 청문회등을 통해 우방국의 협조내용이 논의될것으로 보이는바, 그 경우 연호로 기 보고한바와같이 아국의 의료단 및 수송단이 현지에 계속 주둔하여 연합군(미군)의 철수를 지원하고 있다는것으로 과시하는것이 당초 동 부대의 파견 취지에도 적합할것으로 생각되는바, 이에 대한 본부의 검토 결과를 회시 바람.

(대사 현홍주-국장)

91.12.31 일반   검 토 필 (1991. 6. 30.) 허

미주국   차관   1차보   2차보   중아국   정와대   안기부   장관

91.03.20   08:45

외신 2과   통제관 FE

0235

발 신 전 보

WUS-1086   910320 2026 DQ   종별: 지급

번   호 :

수   신 : 주 미 대사. 총영사!!

발   신 : 장 관 (중동일,미북)

제   목 : 군의료단 및 수송단 철수

대 : USW-1108, 1265

1. 정부는 당초 의료단의 쿠웨이트 이동을 긍정적으로 검토키로 하고 쿠웨이트
   정부에 통보도 하였으나 그후 국방부는 원래 의료진이 부상병 치료를 주
   목적으로 편성 되었기 때문에 쿠웨이트로 이동하더라도 소기의 성과를 기대
   하기는 어려울 것이므로 사우디에서의 임무가 끝나는대로 철수시킬것을 희망
   하였으며 공군 수송단의 경우는 현재 배치된 UAE의 알아인 미군 수송기지가
   4.11. 폐쇄되고 그후 미군 주력은 본국으로 철수할 예정임에 비추어 우리도
   그전에 철수해야 할 현실적 필요성이 있다 하므로 정부는 수송기 5대와 병력
   65명은 4.6에, 나머지 병력 약 100명과 의료지원단 154명은 4.9. KAL 특별기편
   철수키로 하였음. 이러한 결정 과정에서 의료단 및 수송단의 계속 주둔으로
   아국이 미군의 철수를 계속 지원하고 있다는것을 과시하는것이 좋겠다는 대호
   의견도 충분히 고려가 되었음.

2. 필요하다면 이상을 미측에 적절히 설명 바람. 끝.

(중동아국장   이 해 순)

예 고 : 91.12.31. 일반

검 토 필 (198 91 . 6 . 30 .)

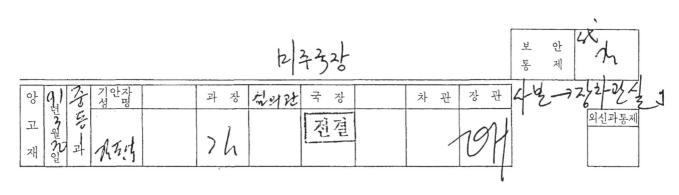

미주국장

앙고재	91 년 3 월 20 일 중동과	기안자 성명		과 장	심의관	국 장		차 관	장 관	보 안 통 제
						전결				외신과통제

0236

1991. 3. 20

軍 醫療團 及 輸送團 此後 運用
(建 議)

國 防 部

0237

醫 療 支 援 團

▲ 支援 實績

o 支援期間 : 1.31 - 3.17(46일)

o 診　療 : 1,254명

사 우 디	이 라 크	다 국 적 군	비 고
779	122	353	1일 27명

▲ 此後 運用 檢討

o 「쿠」轉換時 一部 制限事項 豫想 : 適期撤收 / 「쿠」要請시

別途 對策 검토

· 國會 再同意 및 地位協定 체결 필요

· 現 醫療團 再編成 不可避 (戰鬪負傷兵 診療爲主 편성)

· 醫療裝備, 醫藥品 全無 및 給食, 補給등 自體解決 긴요

▲ 現地 協議結果

o 사우디側 意見 (3.9 駐 사우디大使 電文)

· 支援所要 別無, 撤收意思 書面通報時 同意 예정

o 쿠웨이트 경우 (3.13 駐 쿠웨이트大使 電文)

· 아국의 醫療支援 提議(3.4) 辭議 가능성

· 현재 「쿠」政府 機能發揮 곤란으로 回答時期 遲延 예상

· 「쿠」側 回答 관계없이 我國計劃대로 撤收 바람직

* 「쿠」側 支援要求時 別途支援對策 협의 예정

(전쟁발발전 간호원 80명 취업 합의/필요시 의료요원편성 지원)

▲ 結論 및 建議

o 現位置 支援後 4.9(現地時間) 撤收 (KAL편, 전세기)

o 「쿠」 支援要請시 別途對策 檢討

0238

空軍 輸送團

▲ 支援 實績
  o 支援期間 : 2.26 - 3.17 (20일)
  o 支   援 : 148쏘티 (1일 7쏘티)

▲ 此後 運用 檢討

  o 檢討結果 : 對美關係 고려 制限된 期間(2個月內外) 支援後 撤收
   . 終戰에 따른 輸送所要 增加
   . 美側에서 당분간 支援希望
   (3.7 미 국방부 동아.태담당 부차관보)

▲ 關聯 事項

  o UAE基地 美 C-130 輸送機 : 4.11한 主力撤收 및 殘餘 8대 他基地
                       (사우디 알 카지)移動

  o 美側 意見 (3.18 연합사 참모장 書翰)
   . 미측 最終撤收日 (4.11) 數日前 撤收 同意

▲ 結論 및 建議 : 現位置 支援後 4.6(現地時間) 撤收

※ 國防部主管 兩個部隊 合同 歡迎行事 예정
   . 日時(案) : 4.10 오후
   . 場   所 : 서울空港(성남)
※ 걸프戰 分析 및 戰略態勢 補完 : 4月末 以前 報告

0239

첨 부

關係部處 協調事項

▲ 醫療團/輸送團 撤收 協調 (외무부)

o 사우디, UAE에 대한 撤收 협조

o 領空 및 FIR(비행정보구역) 通過 協調

   . 영공통과 (8개국) : 오만, 인도, 스리랑카, 태국, 말레지아, 필리핀, 크라크(미국), 대만

   . FIR통과 (12개국) : 상기 8개국 + 미얀마, 싱가폴, 인니, 일본

o 中間寄着地 宿食 및 給油 協調

   . 기 착 지 : 콜롬보(봄베이), 방콕, 크라크

   . 지원대상 : 인원 65명, C-130기 5대

▲ 걸프 2次支援金중 1.7億弗 支援方案 再檢討

o 最初計劃 : 2.8億弗중 1.7億弗은 軍需物資 및 裝備로 支援

o 美側反應(3.7 주미대사 전문, 포드부차관보):물자지원 불필요,

                                전액 현금지원 희망

  * 最初 反應 (2.19 주미 국방무관 전문)

   - 5千萬弗은 中東에 轉換한 駐韓美軍 戰爭豫備物資 充當 希望
    * 걸프戰 期間중 駐韓美軍 轉換物資/「쿠」戰鬪服 2만착 (56만불)

   - 殘餘 1.2億弗은 이집트, 터키, 영국, 사우디 등 多國籍軍 支援希望

  * 3.7-15 리스카시 將軍 訪美시 5千萬弗은 中東轉換物資 充當 要望, 美 管理次官補

  재검토중

o 美 체니長官 公式書翰 조만간 送付 예상 (3.7 주미대사 전문)

※ 美側 公式立場 接受對備, 我國의 代案講究 必要(외무부, 경기원)
  * 軍需物資支援 결정시 着手金 早期 措置
  (8千萬弗 고려시 100億원)

0240

국　방　부

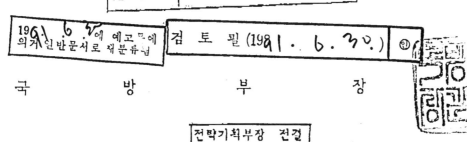

전령 24742-29 (3241) 1991. 3. 22.
수신 외무부장관
참조 중동아프리카 국장
제목 철수관련 전문 발송 협조

　　1. 관련근거: 전령 24742-26('91.3.19)
　　　　　　　　걸프지역 파견부대 철수 추진 계획

　　2. 위 근거에 의거 철수관련 사항을 통보하오니 주 사우디 및 UAE 대사관에
　　　처리하여 주시기 바랍니다.

첨부: 주사우디, UAE대사관 발송 전문 1부. 끝.

국　　방　　부　　장

전략기획부장 전결

0241

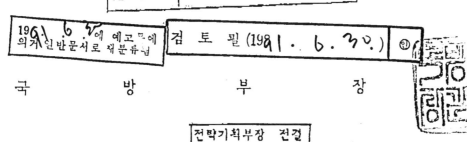

수신 : 주사우디, U.E 한국대사관

1. 정부는 4.0~4.9(현지시간) 간 걸프지역에 파견된 국군의료지원단과 공군수송단을 철수 시킬 것으로 확정하였으니, 세부철수계획은 다음과 같음.

　가. 철수일자 및 수송편
　　　(1) 의료지원단 : 4. 9　대한항공 전세기
　　　(2) 공군수송단 : 4. 0　C-130기 5대 동시 이동(인원 65명)
　　　　　　　　　　　4. 9　인원 95명, 대한항공 전세기
　　　　　　　　　　　(의료지원단 철수 항공기 아부다비 경유시 동승)

　나. 귀국경로
　　　(1) 대한항공 전세기 : 다란 - 아부다비 - 태국 - 서울
　　　(2) C-130 수송기　 : 문산보 - 방콕 - 클라크 - 서울(김해)
　　　　　　　　　　　(외무부 입공 통과 승인 주재국과 협조중)

　다. 양개부대 도착 후 4. 10 15:00 귀국 환영행사 예정.

　라. 정확한 출발일시는 항공편, 경보협조 문제등으로 다소 변경가능성도 배제 분가.
　　　변경사항 발생시 추후 통보 예정임.

2. 상기 철수계획은 주재국 대사관 및 무관, 미중앙사 및 주한미군사와의 협조사항을 기초로 현지사령관 입의한 기초서 확정 되었음.

○ 각 대사관은 본 사항은 기초보 무관 및 현지단장과 입조, 주재국 정부 및 군당국에 아 정부의 철정사항을 공식 통보하고, 다음사항을 조치후 보고할 것.

　가. 주둔군민 입조에 감사표시
　나. 현지공항다지의 육보교통편 입조
　다. 기타 철수관련 후속조치사항
　라. 주사우디 : 공군수송단 철수계획 미대사에 통보
　　　U.E : 공군수송단 철수계획 미대사 및 미공수단장에 통보

4. 양개부대 주둔관련 주재국 및 미중앙사 유공인사에게는 장관 또는 합참의장 감사장을 발송할 예정임

5. 본내용은 주미 및 주사 무관에도 발송되었음은 참고 바람. 끝.

0242

1-1

발 신 전 보

	분류번호	보존기간

번   호 : WKU-0031   910322 1309 CT 종별 : _____

수   신 : 주쿠웨이트   대사. ~~총영사~~ (주바레인 경유)

발   신 : 장   관 (중동일)

제   목 : 군의료단 및 수송단 철수

　　　　1. 정부는 의료지원단과 군수송단 ~~을~~ ~~을~~ ~~을~~
~~4.9~~ KAL 전세기편 ~~철수할 계획~~이니 필요하다면,

　　　　~~～~~ 쿠 정부측에 적의 설명 바람 ~~～~~

~~～～~~　　끝.

　　　　　　　　　　　　　　　　(중동아국장 이 해 순)

	보 안 통 제	₩ 기

앙고재	91년2월21일 중동과 ...	기안자성명		과장 기	심의관	국장 전결		차관	장관

0243

관리번호	91/159

외 무 부

종 별 : 지 급

번 호 : KUW-0043   일 시 : 91 0322 1000

수 신 : 주 UAE대사, 사본:장관(중동일),국방부장관,주사우디대사

발 신 : 주 쿠웨이트 대사

제 목 : 공군 수송단 활용

1. 미,영,불,카나다등 주요 서방측 다국적군 참가국 대사관들은 각각 자국군의 지원을 받아 KU의 현재 실정에도 불구하고 비교적 불편없이 운영되고 있는것 같음.

2. 다국적군 참가 군대가 KU에 있는 자국대사관을 지원하는 것은 KU 수복이라는 다국적군 활동목표에도 부합하는 것으로 생각됨. 따라서 우리 공군 수송단이 당 대사관 복구사업을 지원하는 것도 대미, 또는 기타 다국적군 관계에도 무리가 없을 것이며 작전 지휘계통인 현지 미측 관계당국에서도 반대할 이유는 없을것임.

3. 우선 3.31.경에 다음 임무로 KU에 비행할 수 있게 교섭해 주기바람.

가. 당관에 부임하는 직원의 수송.

나. 식량등 보급품 수송.

4. 위의 비행이 가능하게 되면, 식품등 보급품 구매요구를 귀관에 타전 하겠음. 당지는 당초(월초) 예측보다 기초생활조건 복구에 시간이 걸리고 있어서식품과 전기(발전기), 자동차 용품등의 외부로 부터의 보급이 절실하게 필요한사정임. 끝.

(대사 소병용)

예고:91.12.31 까지

중아국	차관	1차보	2차보	청와대	안기부	국방부

분류번호 | 보존기간

발 신 전 보

번   호 : WKU-0035   910323 1331 FD   종별 :

WBH -0159

수   신 : 주 쿠웨이트   대사. 총영사

발   신 : 장 관   (중동일)

제   목 : 공군 수송단 활용

대 : KUW - 0043

대호 국방부측에 긍적적으로 검토. 실현될수 있도록 협조요청 하였음.

국방부측은 현재 KU측 공항 사정으로 쿠웨이트 운항이불가능한 것으로
알고 있다하니 확인 바람.   끝.

(중동아국장 이 해 순)

예 고 : 191. 6. 30. 일반

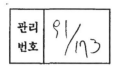

관리
번호 91/173

외 무 부

종 별 : 지 급

번 호 : AEW-0198
일 시 : 91 0323 1400

수 신 : 주쿠웨이트대사,사본:장관(중동일),국방부장관,주사우디대사

발 신 : 주 UAE 대사 (중계필)

제 목 : 공군 수송단 활용

대 : KUW-0043(WAE-0219)

1. 대호, 아국 공수단은 현재로서는 3.31 경 쿠웨이트 비행에는 별문제가 없을 것이라고 하며 미군측과 협의할 것이나 탑승자 인적사항및 적재물건의 무게및 부피등을 상세히 사전에 알려 달라고함.

2. 비행루트는 기지인 AL AIN(아부다비에서 180KM 지점)에서 쿠웨이트 직행또는 필요에 따라 사우디(리야드)를 경유하게 될것이라 함.(단 ABU DHABI 공항은 군용기 이착륙 불가)

3. 아울러 동수송단을 활용하여 귀지에서 필요한 물품을 구입코저 하는 경우에는 귀관직원(또는 부임직원)을 당지 또는 사우디에 출장케 하여 귀지 실정에맞는 물품을 직접구입토록 하는것이 바람직함. 끝.

(대사 박종기)

예고:91.12.31 일반

검 토 필(91. 6. 30.)

중아국   차관   1차보   2차보   안기부   국방부

외 무 부

관리
번호 91/174

종 별 :

번 호 : KUW-0045

수 신 : 장관(중동일)

발 신 : 주 쿠웨이트 대사

제 목 : 공군 수송단 활용

일 시 : 91 0323 1600

대:WKU-35

연:KUW-43

KU 공항에는 현재 민간항공기는 취항치 못하고 있으나 군 항공기는 운항되고 있음.

끝.

(대사-국장)

예고: 91.6.30 일반

중아국

91.03.24   15:53

외신 2과 통제관 CD

0247

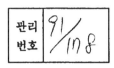

외 무 부

종 별 : 지 급

번 호 : AEW-0199   일 시 : 91 0325 1100

수 신 : 주쿠웨이트대사,사본:장관(중동일)

발 신 : 주 UAE 대사

제 목 : 아국 공수단 활용

대:WAE-0220(KUAE-01)

연:AEW-0198

1. 금 3.25. 당지 공수단장에 의하면 귀관 지원임무를 위한 3.31 자 KU 비행을 미군측과 협의를 완료하였으며, 또한 리야드, 다란, 바레인등 편리한 지역의 경유도 양해하였다 함.

2. 비행스케쥴은 봉상 1 주정도 사전계획되나 군작전기밀상 외부에는 아르켜 줄수없다고 하며, 만일 3.31 자 비행스케쥴의 변경이 요망될시는 최소한 48 시간이전 알려주기를 요망하고 있음.

3. 따라서 연호로 문의한바와 같이 탑승자의 인적사항, 적재화물의 대략적인 무게및 부피, 편리한 경유지등 귀관의 필요한 보급품 공수계획을 상세히 알려주기바람.

4. 동공수단은 4.6 비행기와 일부인원및 4.9 나머지 전원의 본국귀국을 예정하고 있음을 참고바람.

5. 어려운 곳에서 공관원들 모두 수고가 많으실것으로 염려되며 건승을 기원함. 끝.

(대사 박종기)

예고:독후파기-BA##########

중아국

국 　 방 　 부

전협 24742-4기 　　　　　(3243) 　　　　　　　　1991. 3. 25.

수신　외무부

참조　중동아프리카 국장

제목　걸프지역 파견부대 철수 관련 협조(2)

　　　1. 관련근거

　　　　　가. 전협 24742-26('91.3.19) 걸프지역 파견부대 향후 추진계획

　　　　2. 위 근거에 의거 철수관련 참고사항을 통보하오니 주 사우디 및 UAE 대사관에
전문처리하여 주시기 바랍니다.

　　　첨부: 주사우디, UAE 대사관 발송 전문(안) 1부. 끝.

　　　　　　국　　　방　　　부　　　　　　장

　　　　　　　　　　[전략기획부장 전결]

　　　　　　　　　　　　　　　　　　　0249

　　　　　　　　　　　　　　　　7P8-75P1. 김案.

수신: 주사우디, UAE 한국대사(공군수송단장)

1. 걸프지역 파견부대 철수판련 참고사항을 공보 및 지시함

　　가. KAL 전세기 현지 항발시 현지 위도 및 행사계획 안내, 공보 등 목적으로
　　　　하기인원 6명 동승 예정

　　　　ㅇ 인사국, 의무사, 공군본부 각 1명

　　　　- 홍보관리소(전 사진사 2명, 現 （사진사） 新 신진사　사진기자

　　나. 각 대사관은 주재국 정부, 교민회 등과 협조하여 현지 환송계획을 수립 및
　　　　시행하고 보고할 것.　　　　　　　　　　　　　　　　　　　（정보도
　　　　　　　　　　　　　　　　　　　　　　　　　　　　　　　　　총영）

　　다. 참전용사 환영식 및 해단식

　　　　ㅇ 환영식: 4.10, 1500

　　　　ㅇ 해단식
　　　　　. 의료지원단: 환영식후 의무사령관 책임하 시행
　　　　　. 공군수송단:　　　　　　　　　　　공군자체계획에따라　해단식시행

0250

분류번호	보존기간

발 신 전 보

번 호 : WSB-0625   910328 1803   FL   종별 :

수 신 : 주 사우디, UAE 대사. ~~총영사~~ (~~주~~) WAE -0231

발 신 : 장 관 (중동일)

제 목 : 군 수송단 및 의료단 철수 관련 협조

1. 국방부는 공군 수송단 및 의료단 철수 관련 아래와 같이 협조를 요청하여 ~~관련사항을 알려~~ 왔으니 적의 조치하고, 결과 보고 바람.

가. 주재국 정부, 교민회등과 협조, 현지 환송계획 수립 및 시행

나. 현지 위로, 행사계획 안내 및 홍보등 목적으로 군 관계자 6명(인사국, 의무사, 공군본부 각 1, 사진기자 3) KAL 전세기편 동승 예정

2. 참전용사 환영식은 4.10. 15:00, 해단식은 의료지원단 경우 환영식후 의무 사령관 책임하에, 공군수송단은 공군 자체 계획에 의거 별도 시행 예정임. 끝.

이 ㄴ 군의료단및 공군수송단에 통보바람.

(중동아국장   이 해 순)

예 고 : 91.6.30. 일반

	보 안 통 제	7ㄴ

앙 고 재	91년3월2?일 공동일화	기안자 성명 방재득	과 장 7ㄴ	심의관 애 전결	국 장	차 관	장 관	외신과통제

0251

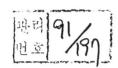

국 방 부

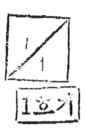

공작 24712-24 (790-3547) 1991. 3. 28.

수신 외무부 장관

참조 중동 아프리카 국장

제목 주 쿠웨이트 한국대사관 공수 지원 통보

1. 관련근거: KUW-0043 ('91.3.22) 공군수송단 간용

2. 위 근거에 의거 귀부에서 요청한 주 쿠웨이트 한국대사관 공수지원이 가능함을
   통보하며 실무 협조는 주 UAE 한국대사관을 통하여 공군수송단과 협조하시기
   바랍니다. 끝.

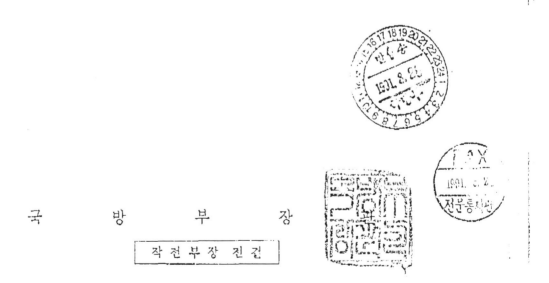

국 방 부 장

작 전 부 장 진 건

0252

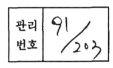

외 무 부

종 별 : 초긴급

번 호 : AEW-0209   일 시 : 91 0329 0930

수 신 : 주쿠웨이트대사-중계필, 사본:장관(중동일), 주사우디대사-중계필

발 신 : 주 UAE대사

제 목 : 공수단 활용

대:WAE-0233

연:AEW-0199

1. 대호, 당지 공수단에 확인한바, 동공수단은 당초 4.2. 모든 작전을 종료하려
했으나 대호 요청관계로 하루더 연장하여 4.3. 리야드 군공항(ALCE)에 12시(정오)
도착하여 13시에 출발하도록 재차 계획을 변경할 것이라함.

2. 동공수단은 4.6. 수송기는 전부 철수하는바, 상기 작전이
마지막(차후는불가능)이라 하고 탑승에 차질이 없도록 요망하였음을 참고바라며,
탑승인원및적재화물 확정시 조속 회보바람. 끝.

(대사 박종기)

예고:91.12.31 일반

검 토 필(1991. 6. 30.)

중아국   장관   차관   2차보

외　무　부

종　별 : 지　급

번　호 : AEW-0213

일　시 : 91 0330 1300

수　신 : 주사우디대사, 사본:주쿠웨이트대사, 장관(중동일)

발　신 : 주 UAE 대사

제　목 : 공수단 활용

연:AEW-0209

　연호 일정으로 확정, 추진중이며 아국 수송기 리야드(ALCE) 도착관련 필요시 미공군 COL.BURGE(전화번호 4766566 EXT.5794)와 연락 협조토록 알려왔음을 참고바람. 끝.

　(대사 박종기)

　예고:91.12.31 일반

중아국

1호

국   방   부

'63 P 2부여행

근계 24411- 6월   (795-6217)

                                        '91. 3. 29.
수 신   의무부장관   (1변)

참 조   중동/아프리카국장

제 목   UAE 알아인 비행장에 대한항공 기착승인 (의뢰)

        1. 공군수송단 철수에 따른 인원 수송을 위해   UAE 알아인 비행장에
대한항공 (DC-10) 비행기 기착을 의뢰 하오니 UAE 정부 승인을 받도록 조치
바랍니다.

        가. 대한항공 알아인 비행장 기착 예정 시간
           1) 4.9 1900 알아인 비행장 도착
           2) 4.9 2100   "   출발

        나. 항공기 회사 및 기종 : 대한항공 (KAL), DC-10 1대

        2. '91.4.9 17:00 다란 비행장 출발 알아인 비행장에서 공군수송단 인원
95명을 답승 예정입니다.   끝.

3.29. 17:30
대한항공 이한응 과장
과 통화, DC-10 기는
아부다비 Inte.l 공항에
                    장 기착
                    예정

군수계획과장 전결

(알아인은
  불가라)

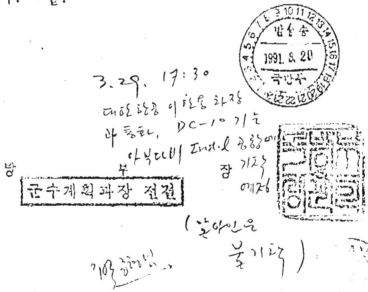

발 신 전 보

번   호 : WAE-0236   910330 1734 CO   종별 :

수   신 : 주 UAE   대사. 총영사

발   신 : 장 관   (중동일)

제   목 : 공군 수송단 철수

연 : WAE - 0213

연호 공군 수송단 철수와 관련, 국방부는 KAL전세기(DC-10기, 1대)의
알아인 비행장 기착승인을 의뢰하여 왔는바, 동 비행장 기착 가능 여부 및 가능한
경우 아래 일정으로 주재국의 승인을 득하고 결과 보고 바람.

1. 4.9   17:00   다란 비행장 출발
2. 4.9   19:00   알아인 비행장 도착
3. 4.9   21:00   알아인 비행장 출발   끝.

(중동아국장 이 해 순)

예 고 : 91. 6. 30.일반

보안통제

앙 고 재	91년 3월 3일 중동이라	기안자 성명		과 장	국 장 신의관		차 관	장 관		외신과통제

관리
번호 91/210

외 무 부

종 별 :

번 호 : AEW-0214

일 시 : 91 0330 1330

수 신 : 장관(중동일)

발 신 : 주 UAE 대사

제 목 : 공수단 철수

대:WAE-0231

연:AEW-0193

1. 대호건, 당관도 공수단 철수와 관련 여러가지 방안의 환송계획을 검토한바 있으나 아국 공수단의 주둔배경과 주재국의 사정및 미군의 철수사례등을 감안할때 공식적으로 환송식을 거행하는것은 바람직하지 않을것으로 판단됨. 따라서 공수단이 철수하는 현장에서 소직및 공관원, 교민 다수인사등의 간단한 전송으로대신할 계획임을 보고함.

2. 아울러 소직은 연호에 이어 4.4. 공수단 단장포함 주요장교들을 오찬에 초청, 그간의 노고를 치하하고 격려할 계획임.끝.

(대사 박종기-국장)

예고:91.6.30 일반

중아국

PAGE 1

91.03.30   19:26

외신 2과 통제관 CH

0257

관리
번호 91/215

외 무 부

종 별 :

번 호 : KUW-0086(B *!!w-02ch*)   일 시 : 91 0330 1130

수 신 : 장관(중동일)

발 신 : 주 쿠웨이트 대사

제 목 : 공수단 활용

대:WKU-0061

대호 WKU-63 과 같이 공수단측과 협의되어 그 내용대로 시행예정임.끝.

(대사-국장)

예고:91.6.30 일반

중아국

원 본

외 무 부

종 별 :

번 호 : SBW-0850   일 시 : 91 0331 1650

수 신 : 장관(중일,주UAE대사-필)

발 신 : 주 사우디 대사

제 목 : 군수송기 활용

군수송기 활용관련, 당지에서 탑승할 인원및 적재될 화물의 양을 아래 통보하오니 적의 처리및 연락해 주시기 바람

1. 탑승인원 3 명(온중렬, 이동응, 장동락)

2. 적재화물

-여행용 가방 10X20KG200KG

-기타박스 10X15KG150KG

-승용차 1 대

(대사 주병국-국장)

예고:91.6.30 까지

중아국

원 본

외 무 부

종 별 :

번 호 : AEW-0219

일 시 : 91 0401 1430

수 신 : 장관(중동일)

발 신 : 주 UAE 대사

제 목 : 공수단 철수

대:WAE-0236

1. 대호, 아국 공수단에 의하면 KAL 기 기착은 미군및 주재국 공군과 협조하면 가능하다함 .

2. 연이나 당지 KAL 측에 의하면 현재 알아인 공항은 군공항이고 민간항공은기착한 적이 전무(단, 대통령 전용기 상주)하며 동공항의 일반제원(활주로 길이, 방향)및 정보를 알수 없는바 기착 불가능하다함. 3. 또한 KAL 은 민간항공의 알아인 공군기지 착륙허가문제도 군항공과 민간항공의 CALL SIGN 등 다른체제로 인하여 허가가 용이하지 않을것이라 하며, 군공항의 민간항공 착륙에는 고도의 기술을 요하는등 위험도 무시할수 없다함을 첨언보고함. 끝.

(대사 박종기-국장)

예고:91.6.31 일반

중아국   2차보

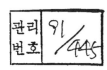

국 방 부
(3712)

합 작 24710 - 182   ㄲㄱ8- ㄱ591·   '91. 4. 3.

수 신   외무부 장관

제 목   지령 제 91-3호(해외파견단 철수 명령)

1. 관련근거

　　가. 작전명령 제 91-2호('91.3.23) 해외파견부대
　　　　복귀준비

　　나. 전협 24742-50 ('90.4.3) 걸프지역 파견부대
　　　　철수계획

2. 위근거에 의거, 해외파견단 철수명령을 첨부와같이
　　보고(하달) 합니다.

첨 부 지령 제 91-3호 1부. 끝.

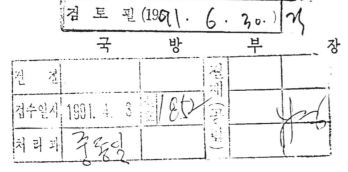

0261

지령 제 91-3호 (해외 파견부대 철수 명령)

참 조 : 가. 지령 제 91-1호('91.1.22) 의료지원단 사우디 파견 명령
　　　　나. 지령 제 91-2호('91.2.18) 공군수송단 아랍 에미리트 연합
　　　　　　　　　　　　　　　　　　파견명령
　　　　다. 국외 24101 - 75('91.3.21) 걸프지역 파견 의료단 및 수송단 철수
　　　　라. 작전명령 제 91-2호('91.3.23) 해외 파견부대 복귀 준비
　　　　마. 전협 24742-50('91.4.3) 걸프지역 파견 부대 철수계획

1. 상황

　가. 1990년 8월 2일 이라크가 쿠웨이트를 전격 기습 강점한 이래 계속된

　　　걸프전은, 1991년 2월 24일 지상전이 전개되고, 1991년 2월27일

　　　이라크가 유엔 결의안을 무조건 이행할 것에 동의하므로써

　　　1991년 2월 28일 종전이 되었으며, 쿠웨이트는 영토를 회복 하였다.

　나. 정부는, 1991년 3월 21일 관계장관회의에서, 해외 파견단의 걸프지역

　　　철수를 의결하였으며, 대통령은 1991년 3월 21일 이를 제가 하였다.

2. 임 무

　국방부는, 1991년 4월 9일 15:00 I시(현지, 09:00 C시)에 알 누아이리아로

　부터 의료지원단을,

　공군수송단 C-130항공기와 승무원 및 화물은 동년 4월 6일 14:00 I시

　(현지, 09:00 D시)에. 그리고 C-130항공기에 탑승치 않는 대한항공 특별기

　탑승 인원은 동년 4월 9일 23:30 I시(현지, 18:30 D시)에 알 아인으로

　부터 공군수송단을 철수한다.

1

0262

3. 실 시

가. 작전개념

(1) 의료지원단과 공군수송단의 일부는 현지를 출발하여 대한항공 특별기 편을 이용, 1991년 4월 10일 15:00 I시(한국시간) 서울공항으로 칠수(귀국)한다.

(2) C-130 항공기와 승무원 및 공군수송단 화물은 알 아인 기지를 출발. 지정된 항로를 따라, 1991년 4월 10일 15:00 I시 서울공항에 도착한다.

(3) 의료지원단은 대한항공 특별기 탑승 공항까지 육로 이동을 실시한다. (공군수송단은 기상 불량시 육로 이동)

나. 의료 지원단

(1) 의료지원단은 사우디 아라비아 왕국 주둔 미 합중국군 및 다국적군을 의료지원하는 현행 임무를 종료하고 철수하라.

(2) 1991년 4월 9일 15:00 I시(현지, 09:00 C시) 알 누아이리아를 출발하여 육로로 이동, 1991년 4월 9일 21:00 I시(현지, 4월 9일 15:00 C시) 대한항공 특별기에 탑승하여 아부다비를 경유, 1991년 4월 10일 15:00 I시에 서울 공항으로 귀국하라.

다. 공군수송단

(1) 공군수송단은, 걸프전에 참전한 미합중국군 및 다국적군을 공수지원하는 현행 임무를 종료하고 철수하라.

2

0263

(2) C-130 5대 항공기와 승무원 및 공군수송단 화물은 1991년 4월 6일
   14:00 I시(현지, 09:00 D시) 알 아인기지를 출발하여 콜롬보,
   방콕, 크라크기지를 경유, 1991년 4월 9일 16:00 I시에 김해기지에
   도착하고, C-130 항공기 1대와 승무원은 1991년 4월 10일
   13:30 I시에 김해기지를 출발, 1991년4월 10일 15:00 I시에
   서울공항에 도착하라.

(3) C-130 항공기에 탑승하지 않는 대한항공 특별기 탑승인원은
   알 아인기지에서 대기하다가, 1991년 4월 9일 23:30 I시
   (현지, 18:30 D시)에 알 아인 주둔 미군이 제공하는 C-130항공기로
   이동, 아부다비 공항에 도착, 아부다비 공항에서 1991년 4월 10일
   01:00 I시(현지, 4월 9일 20:00 D시) 대한항공 특별기에 탑승하여
   의료지원단과 합류, 서울 공항으로 귀국하라.

(4) 크라크기지에서 1박 불가시에 대비한 비상 비행계획을 수립하라.

(5) 기상 불량시에 대비하여, 아부다비공항으로 이동을 위한 우발계획
   (육로 이동)을 수립하라

라. 합 참

(1) 지휘통제본부 편성 요원은 해외 파견단 철수간('91.4.6~4.10)
   24시간 근무체제(사무실, 숙소)를 유지하라.

(2) 해외 파견단 귀국 환영행사 종료와 동시, 해외 파견단에 대한
   지휘권을 해제한다.

마. 공작사

(1) 공군수송단 C-130 항공기가 방공식별 구역(KADIZ) 진입시부터
   영공 비행간 항공관제 및 통제하라.

(2) 유사시 대비, 탐색 및 구조 전력이 출동할수 있도록 대기태세를
   유지하라.

0264

바. 협조 지시

    (1) 의료 지원단장 및 공군수송단장은 각각 주둔지 부대장과 최종 임무종결(완료)합의서류를 작성, 쌍방 서명하고 귀국후 제출 보고하라.

    (2) 육로 이동간 안전대책(과속 금지)을 강구하라.

    (3) 서울 공항(K-16기지)도착후 귀국 환영행사에(1991년 4월 10일 15:00 I시) 대비하라.

    (4) 매이동 구간 및 경유지 국제전화를 이용 합동상황실로 부대 이상유무를 보고하라.

    (5) 귀국 안내를 위하여 파견되는 안내 요원과 협조하라.

4. 전투근무지원 : 참조문서 "마"

5. 지휘 및 통신

  가. 통 신

    (1) 내부 통신망 및 비상통신망. 국방부 TTY망은 지휘소 폐쇄 3시간진에 철수/폐쇄하라.

    (2) 육로 이동 출발전 최종 상황 보고후 직통신(H/L)폐쇄

    (3) 우발상황 발생시 INMARSAT 장비와 국제전화, 외무부 TLX 망을 이용하라

  나. 지휘소 폐쇄 시간

    (1) 의료지원단 : 1991년 4월 9일 15:00 I시(현지 09:00 C시)

    (2) 공군수송단 : 1991년 4월 9일 23:30 I시(현지. 18:30 D시)

  다. 의료지원단장은 대한항공 특별기 이동간(아부다비 → 서울공항) 공군수송단 탑승 인원을 통제하라.

0265

수령후 보고

국 방 부 장 관   이

배부 : 청와대(외교/안보 보좌관), 외무부

　　　　국방부(정책기획관실 조직과, 연방과, 군수국, 인사국, 정보본부
　　　　　　　해외정보부, 100기무, 의무관리관실)

　　　　의무사령부 의료지원단, 공군수송단)

　　　　합참(전략기획본부, 지휘통제통신실, 교리훈련부, 지원본부) 끝.

　　　　육군본부, 공군본부, 특전사, 공작사.

5

0266

분류번호	보존기간

발 신 전 보

WAE-0243   910403 1834   DU

번   호 : _____   종별 : _____

수   신 : 주 UAE   대사. 총영사.

발   신 : 장   관 (중동일)

제   목 : 공수단 철수

연 : WAE - 0236

대 : AEW - 0219

대호, 국방부는 KAL기를 기존 일정대로 아부다비에 기착시켜 인원을
탑승시킬 예정이라하니 양지바람.   끝.

(중동아국장 이 해 순)

예 고 : 91. 6. 30.일반

1991. 6. 30에 예고
의거 일반문서로 재분류됨

	보안통제	

양고재	91년 4월 2일 중동1과	기안자 성명		과장 심의관		국장		차관	장관	

외신과통제

0267

외 무 부

종 별 :

번 호 : AEW-0221   일 시 : 91 0404 1300

수 신 : 장관(중동일), 사본:주스리랑카대사-필

발 신 : 주 UAE 대사

제 목 : 공군수송단 철수

대:WAE-0241(SKW-0222)

1. 대호, 아국 수송단 병력은 장교 36 명, 하사관 29 명이며 기내 당직은 없음.

2. 지휘장교는 이재기 대령(COL. 57770)임.끝.

(대사 박종기-국장)

예고:91.12.31 일반

검 토 필(91. 6. 30)

중아국   차관   1차보   2차보

PAGE 1   91.04.04   20:10

                                              외신 2과 통제관 CF

                                              0268

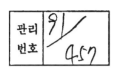

외　무　부

종　별 : 지급

번　호 : AEW-0224　　　　　　　　　　　일　시 : 91 0406 1430

수　신 : 장관(중동일),사본:국방부장관,주스리랑카,주인도대사(중계필)

발　신 : 주 UAE 대사

제　목 : 공군수송단 철수

대:WAE-0231

연:AEW-0221

65?

1. 연호, 아국공수단 제 1 진 75 명과 수송기 5 대는 예정대로 금 4.6.09:00
알아인기지를 출발하였음.

2. 상기 환송식에는 소직을 포함 전공관원과 미공군 WILLIAMS 부사령관(사령관은
본국출장중) 및 장교수명과 주재국 군연락관이 참석하였으며 현지교민으로서는
평봉자문위원, 한인회장, 무역관장등 다수 교민이 참석하였음을 보고함. 끝.

(대사 박종기-국장)

예고:91.12.31 일반

검 토 필 (19♀♀. 6. 2ν.)

중아국　　　1차보　　　국방부

판리
번호 91/502

외 무 부

종 별 :

번 호 : AEW-0229
일 시 : 91 0410 1000

수 신 : 장관(중동일),사본:국방부장관

발 신 : 주 UAE 대사

제 목 : 공군수송단 환송식

연:AEW-0224

대:AEW-0221

1. 연호에 이어 제 2 진은 4.9(화) 당지 아부다비공항에서 의료진과 합류, 북별기편으로 21:00 당지를 출발하였음.

2. 소직을 포함 전공관원및 아부다비주재 교민 40 여명은 공항에 출영, 화환증정등 간단한 환송식을 하였으며 이어 공수단에서는 주재국 연락장교에게 감사장을 수여하였음을 보고함. 끝.

(대사 박종기-국장)

예고:91.12.31 일반

검 토 필(1991. 6. 30)

중아국, 국방부

PAGE 1

외 무 부

종 별 :

번 호 : AEW-0230　　　　　　　　　　　일 시 : 91 0410 1030

수 신 : 장 관(총인,중동일)

발 신 : 주 UAE 대사

제 목 : 국방부 장관 감사장 수여

　　1. 당관 오기철 참사관은 이종구 국방부장관으로부터 주재국 주둔 아국 공수단의
성공적인 임무에 지원과 협조를 하여 감사하다는 내용의 감사장을 받았음을 보고함.

　　2. 동감사장 사본 파편송부 위계임. 끝.

　　(대사 박종기-총무과장)

종무과　　　중아국

외 무 부

종 별 :

번 호 : AEW-0231
일 시 : 91 0410 1300

수 신 : 장관(중동일),사본:국방부장관

발 신 : 주 UAE 대사

제 목 : 공수단 감사장 전달

1.국방부에서 당관으로 송부하여온 정호근 합동참모의장 명의의 사우디 미공군수송단 TORNUS 장군및 알아인 미공군기지 사령관 WINGFIELD 대령앞 감사장및 부상은 미공군의 철수 관계로 전달이 불가한바, 이의 반송여부 회시바람.

2.또한 스리랑카로 보내는 감사장및 부상도 아울러 반송여부 회시바람.끝.

(대사 박종기-국장)

중아국 국방부

PAGE 1
91.04.11   06:12 DF

외신 1과 통제관

0272

국 　 방 　 부

전합 24742-55   (3241)   1991. 4. 12.

수신　외무부 장관

참조　중동아프리카 국장

제목　공군수송단 관련 감사장 반송 협조 요청

　　　1. 관련근거

　　　　　가. 외무부 전문　AEW-0231('91.4.10) 공수단 감사장 전달

　　　2. 위 전문에서 합참의장 감사장 반송여부에 대한 UAE 대사관 문의에 대해 첨부와 같은 전문을 주 UAE 한국대사관에 발송 요청하며 상기 감사장이 도착시 통보하여 주시기 바랍니다.

첨부: 공군수송단 관련 감사장 반송 1부. 끝.

1991. 4. 12
국방부

국 　 방 　 부 　 장

전략기획부장 전결

0273

전 보 용 지   91 년 4월 12일

호 줄:	번 호:	우선순위:	밀시군:	종 뷰:

발   신: 국방부장관
수   신: UAE 대사
재   목: 공군수송단 관련 감사장 반송
문서번호: 전협 24742-   자어수:

대: AEW-0231

　　대호관련 미군철수로 미 전달된 감사장 및 부상 모두를 반송 바람.
　　기간중 공관장님과 관계관들의 협조와 노고에 감사드림. 끝.

선 명:	송수신시간:	송수산자:	검인:
발신부서: 군사협력과	전화번호: 3241	기 안 자: 대령 황진하	결재: 소장 박종권

0274

발 신 전 보

분류번호	보존기간

번 호 : WAE-0254   910415 1352 FN 종별 : _____

수 신 : 주UAE   대사. 총영사

발 신 : 장 관 (중동일)

제 목 : 공수단 감사장

대 : AEW - 0231

1. 국방부는 대호 미전달된 감사장 및 부상(스리랑카 송부분 포함)을 반송 요청하여 왔으니 조치바람.

2. 아울러 국방부는 공군수송단 주둔기간중 귀관의 협조와 노고에 대해 감사의 뜻을 알려왔음~~니다음~~. 끝.

(중동아국장 이 해 순)

앙고재	91년 4월 13일 중동일과	기안자 성명	과 장	국 장	차 관	장 관
		15중옥	7h	정결.		휴결.

보 안 통 제	72

외신과통제

0275

주아랍에미리트연합국대사관

주 에미리트(총) 20820-16

경   유 :

수   신 : 장   관

참   조 : 중동아프리카국장

제   목 : 공수단 감사장등 반송

1991 . 4 . 22 .

대 : WAE-0254

연 : AEW-0231

대호, 당지에서 미전달된 감사장 및 부상을 별첨 반송하오니 적의

조치 바랍니다.

첨   부 : 합참의장 감사장, 감사패, 부상 각 3점 .   /끝/

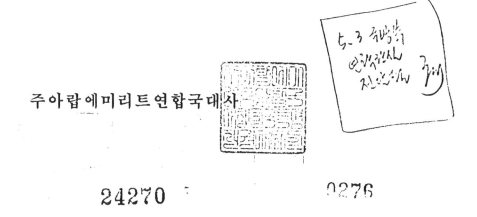

주아랍에미리트연합국대사

24270

0276

기록물종류	일반공문서철		등록번호	2020120229	등록일자	2020-12-29
분류번호	721.1		국가코드	XF	보존기간	영구
명 칭	걸프사태 : 의료지원단 및 수송단 파견, 1990-91. 전6권					
생 산 과	중동1과/북미1과		생산년도	1990~1991	담당그룹	
권 차 명	V.6 군수송단 영공 통과 국가 협조					
내용목차	* 군수송단 영공 통과 및 이착륙, 급유 관련 협조, 1991.2~4월					

0001

	분류번호	보존기간

발 신 전 보

번 호 : _____ 종별 긴급

WBH-0078 910203 1939 FF

수 신 : 주 수신처 참조 새싸//중영싸

발 신 : WU장-0475 WJA-0475 중반동-0103 WPH-0097 WMA-0137

제 목 : WDJ 군이송 단T파견195 WBM-0043 WND-0115 WPA-0089

WOM-0063 WAE-0099 WSB-0294 WKA-0029

1. 국방부는 C-130기 5대와 공군 요원 150명을 UAE내 알아인 미군기지에 파견하여 현지 미군 수송지원 임무를 수행할 계획임.

2. 동 계획 관련 자료 상세는 아래와 같음.

　　가. 수송기 출발 계획(KST) 제1진
　　　　1) 1991년2월19일 06:00 : 2대 제2진
　　　　2) 1991년2월20일 06:00 : 3대 (KST)
　　　　3) 출발기지 : 서울기지

　　나. 비행경로
　　　　서울-클라크-방콕-카라치-알아인

　　다. 영공통과 (13국)
　　　　일본, 대만, 필리핀, 말레지아, 인니, 태국, 미얀마, 인도,
　　　　파키스탄, 오만, 예멘, 바레인, UAE, 사우디. 싱가폴

　　라. 착륙허가 및 연료 보급지 투원 투원
　　　　클라크, 방콕, 카라치, 알아인

　　마. 숙소 예약 : 방콕 (2월19일 37실, 20일 37실)

　　바. 운항일정 (GMT시간, 괄호안은 2진)이 착륙임.

보 안 통 제	

앙 고 재	91년2월3일	종군동 과	기안자 성명		과 장		국 장		차 관	장 관		외신과통제

0002

○ 일 정 (제1,2진 하루간격으로 동일항로, 동일시간 운항)

2.18(19)	21:00	서울	출발		
2.19(20)	03:00	클라크	도착	연료공급	19일 6만 LBS 20일 9만 "
2.19(20)	05:00	"	출발		
2.19(20)	11:10	방콕	도착	연료공급	19일 7만 LBS 20일 10만 "
2.20(20)	02:00	"	출발		
2.20(20)	10:10	카라치	도착	연료공급	20일 6만 LBS 20일 9만 "
2.20(20)	12:10	카라치	출발		21
2.20(20)	~~16:10~~ 15:20	알아인 ~~출발~~ 도착	(현지임무 수행)		

~~(2) 비행운영~~
~~19일 C-130기 2대 출발~~
~~20일 C-130기 3대~~
~~동일구간, 동일시간으로 비행 운영~~

사. 호출 부호

1) 제 1진 KAF 81, KAF 83

  제 2진 KAF 85, KAF 86, KAF 78

2) 속도/고도 : 290KTS/24,000 피트

3) 항 로 : A586 CJU B576 APU B59 SAN TR20

아. 영공통과 ~~(GMT시간임)~~ (GMT, 제1, 제2진순)

1) 일본-클라크 (일본, 미국, 대만, 필리핀)

  RORG (ATOTI) 22:48 Z (18일, 19일)

  ROTP (SALMI) 23:10 Z (18일, 19일)

  RPMM (DOREX) 01:03 Z (19일, 20일)

2) 클라크-방콕 (필리핀, 미국, 싱가폴, 인니, 말레지아, 태국)

  필리핀 ADIZ : 06:11 Z (19일, 20일)

  WSJC (싱가폴 NISOR) 06:50 Z (19일, 20일)

  VTBB (방콕 BELER) 09:35 Z (19일, 20일)

  인니   06:30 Z (19일, 20일)

0003

3) 방콕 - 카라치 (태국, 미얀마, 인도, 파키스탄)

　　VBRR (미얀마 LIMLA) 02:45 Z (20일, 21일)

　　VECF (인도 CALCUTTA) 04:30 Z (20일, 21일)

　　VEBF (인도, 봄베이, PORUS) 07:00Z(20일, 21일)

　　POKR (파키스탄 KARACHI) 09:00 Z (20일, 21일)

4) 카라치 - BURAYMI, DAUDI(파키스탄, 사우디, 바레인, 오만,
UAE)

　　OOMM(무스캇 오만 ALPOR) 13:30 Z (20일, 21일)

　　OMAE(UAE, GOLNI) 14:50 Z (20일, 21일)

자. 항공기 호수 및 조종사 명단

1) ~~8.19일 출국~~ 제1진

　ㅇ 1번기

　　항공기 : 81호(호출부호: KAF 81)

　　조종사 : 중령 김영곤 (KIM. Y. K)

　　　　　　소령 고석목 (KO. S. M)

　ㅇ 2번기

　　항공기 : 83호(호출부호: KAF 83)

　　조종사 : 소령 김석종 (KIM. S. J)

　　　　　　대위 김창래 (KIM. C. R)

2) ~~8.20일 출국~~ 제2진

　ㅇ 1번기

　　항공기 : 85호 (호출부호 : KAF 85)

　　조종사 : 소령 임 호 (LIM. H)

　　　　　　대위 서희창 (SU. H. C)

　ㅇ 2번기

　　항공기 : 86호 (호출부호 : KAF86)

　　조종사 : 중령 신승덕 (SHIN. S. D)

　　　　　　대위 류보형 (RYU. B. H)

0004

o 3번기

　　　　　　항공기 : 78호(호출부호 :KAF 78)

　　　　　　조종사 : 소령 김찬수 (KIM. C. S)

　　　　　　　　　　대위 박수철 (PARK. S. C)

3. 국방부에서는 출발 일정상 영공 동과 및 이.착륙 허가를 2월 12일
까지 접수 요망하고 있으니, 허가번호와 기착지의 연료 공급 조치 (카라치 경우는
1시간내 급유완료 희망) 숙소 예약 및 교동편 마련 (방콕 경우)등 상기 자료를
참조 공관별 조치하고 결과 보고 바람.　　　　끝.

　　　　　　　　　　　(중동아국장 이 해 순)

　　　　　　　　　싱가폿

수신처 : 주바레인, 예멘, 미국, 일본, 대만, 필리핀, 말레지아, 인니,
　　　　　태국, 미얀마, 인도, 파키스탄, 오만, UAE, 사우디 대사. 주카라치총영사

예 고 : 91.12.31.일반

검 토 필 (198 91 . 6 . 30 .) X

0005

국 방 부

공군본부
506-7645-7
송대령
긴명해 중령

국 방 부
교수처장

공개 24413

수신 : 외무부장관

참조 :

제목 : 청송통과 및 작전 최가천 협조통긴의 (통보)

1. 관인 근거
   가. 한로공3 수송단 파껜 계획
   나. 공군 작전망 제122로 (호-3110) (1991. 2.2)

2. 위 관련근거에 의거 공로수송단 전개를 위한 비행계획

비행다군이) 통보하오니 목적기 까지 비행에 필요한 제반사항을

조치 바랍니다.

첨부 : 비행계획 참조 1부 끝.

국방부 장관

• 공군 수송단 (c-130) UAE
  다렌 주만 부서
• 담창 공중작전과
  과장: 공군대령 고년섭
  담당관: 〃 중령 긴박참
                〃   긴용욱
  전화 ①국방부②3730~3733
       직통 790-3547

FAX
1991. 2. 03

0006

비행계획 자료

1. 항공기 출발계획

　가. 1991. 2월 19일 06:00 : 2대
　나. 1991. 2월 20일 06:00 : 3대
　다. 출 발 기 지: 서울기지(5대)

2. 비행경로

　가. 제 1 안: 서울 - 크라크 - 방쪽 - 카라치 - 암아인
　X나. 제 2 안: 서울 - 크라크 - 방쪽 - 봄배이 - 암아인

3. 2 개안의 의미

　가. 봄배이 공항에 대한 착륙허가권과 연료 보급 문제가
　　　해결되면 제 2 안이 주 비행경로임.

　X나. 제 2 안중 봄배이 공항연료 보급 문제가 해결되지 못하면
　　　제 1 안으로 계획할 것임.

0007

4. 각 안별 조치 요구사항

　가. 제 1 안

　　(1) 영공통과
　　　바레인, 예멘, 미국, 일본, 대만, 필리핀, 말레지아,
　　　인니, 태국, 미안마, 인도, 파키스탄, 오만
　　　아랍에메레이트, 사우디

　　(2) 착륙허가 및 연료보급: 크라크 방콕 카라치 알아인

　　(3) 숙소예약: 방콕(19일 37실, 20일 37실)

　나. 제 2 안

　　(1) 영 공 통 과   : 제 1 안과 동일

　　(2) 착륙허가 및 연료보급: 크라크, 방콕, 봄베이, 알아인

　　(3) 숙소예약: 방콕(19일 37개실, 20일 37실)

5. 건의사항

　가. 최우선적으로 봄베이 공항연료 공급가능 여부 확인
　나. 연료 공급이 가능하면 제2안에 따른 영공통과 및 착륙허가 조치
　다. 봄베이에서 연료 공급이 불가능하면 제1안에 따른 영공통과 및 착륙허가 조치

0008

라. 영공통과 및 착륙허가 번호 하달(2월 12일 까지 접수요망)

마. 기착지에서의 연료보급 방법   (2월 12일 까지 접수요망)

바. 방콕에서의 숙소예약

사. 방콕에서 공항 ― 숙소간 교통편 제공 및 안내

아. 카라치에서 현지 대사관 직원의 연료 보급 협조
    (1시간내 급유완료 요망)

    * 비행기 수송시 연료보급에 장시간이 소요된바 있음.

6. 영공통과 및 착륙허가 요청자료: 별첨

0009

별 첨 1

o 비행경로: 서울 --> 쿠라크 --> 방콕 --> 카라치 --> 알아인

기 지	소요시간	착륙시간	이륙시간	인료보급(LBS) 19일	20일	이착륙 허가국
서 울			18일(19일) 21:00 Z			
쿠라크	6 + 00	19일(20일) 03:00 Z	19일(20일) 05:00 Z	60000	90,000	o
방 콕	6 + 10	20일(21일) 11:10 Z	21일(22일) 02:00 Z	70000	105000	o
카라치	8 + 10	21일(22일) 10:10 Z	21일(22일) 12:10 Z	60000	90,000	o
알아인	4 + 00	21일(22일) 16:10 Z				o
계	24 + 20			190000 LBS	285000 LBS	
비 고	o 19일 2대 C-130, 20일 3대 C-130 비행 예정이며 o 동일구간, 동일시간으로 비행운영					

o 인본 --> 쿠라크(영공통과국: 일본, 미국, 대만, 필러핀)

  - 호출부호

    , 19일: KAF 181, KAF 183

    , 20일: KAF 185, KAF 186, KAF 178

0010

- 속도/고도: 290 KTS/24,000 피트
- 항   로: A586 CJU B576 APU B591 SAN TR20
- FIR 통과
  . RORG(ATOTI): 2242 Z (19 일, 20 일)
  . ROTP(SALMI): 2310 Z (19 일, 20 일)
  . RPMM(DOREX): 0103 Z (19 일, 20 일)

o 클라크->방콕(영공통과국: 필리핀, 미국, 싱가폴, 인니, 말레지아, 태국)
  - 필리핀 ADIZ : 0611 Z(19 일, 20 일)
  - WSJC(싱가폴 NISOR): 0650 Z (19일, 20일)
  - VTBB(방콕 BELER): 0935 Z (19일, 20일)

o 방콕 -> 카라치(영공통과국: 태국, 미안마, 인도, 파키스탄)
  - VBRR(미안마: LIMLA): 0245 Z(20일, 21일)
  - VECF(인도 캘커타) : 0430 Z (20일, 21일)
  - VEBF(인도 봄베이: PORUS): 0700 Z (20일, 21일)
  - OPKR(파키스탄 카라치) : 0900 Z (20일, 21일)

o 카라치 -> BURAYMI, DAUOI(영공통과, 파키스탄, 사우디, 바레인,
                          오만, 아랍에밀레이트)
  - OOMM(무스켓오만: ALPOR) 1330 Z (20일, 21일)
  - OMAE(아랍에밀레이트 GOLNI) 1450 Z (20일, 21일)

0011

법첩 2

o 비행경로: 서울 —> 클라크 —> 방콕 —> 봄베이 —> 알아인

| 기 지 | 소요시간 | 착륙시간 | 이륙시간 | 연료보급(LBS) | | 이착륙 허가국 |
				19일	20일	
서 울			19일 21:00 Z			
크라크	6 + 00	20일 03:00 Z	20일 05:00 Z	60000	90000	o
방 콕	6 + 10	20일 11:10 Z	21일 02:00 Z	70000	105000	o
봄베이	6 + 10	21일 08:10 Z	21일 10:10 Z	60000	90000	o
알아인	5 + 40	21일 15:50 Z				o
계	24 + 00			190000 LBS	285000 LBS	
비 고	o 19일 2대 C-130, 20일 3대 C-130 비행 예정이며 o 동일구간, 동일시간으로 비행운영					

o 일본 —> 클라크(영공통과국: 일본, 미국, 대만, 필리핀)
  - 호출부호
    . 19일: KAF 5181, KAF 5183
    . 20일: KAF 5185, KAF 5186, KAF 5178

0012

- 속도/고도: 290 KTS/24,000 피브
- 항 코: A586 CJU B576 APU B591 SON TR20
- FIR 통과
  . RORG(ATOTI): 2242 Z (19 일, 20 일)
  . ROTP(SALMI): 2310 Z (19 일, 20 일)

○ 쿠알라크->방콕(영공통과국: 필리핀, 미국, 싱가폴, 인니, 말레지아, 태국)
  - 필리핀 ADIZ : 0611 Z(19 일, 20 일)
  - WSJC(싱가폴 NISOR): 0650 Z (19일, 20일)
  - VTBB(방콕 BELER): 0935 Z (19일, 20일)

○ 방콕 -> 뭄베이(영공통과국: 태국, 인도)
  - VBRR(미얀마: LIMLA)   : 0245 Z(20일, 21일)
  - VECF(인도 캘커타 SA GOD): 0429 Z (20일, 21일)
  - VABF(인도 뭄베이: PORUS): 0659 Z (20일, 21일)

○ 뭄베이 -> BURAYMI, DAUOI(영공통과: 인도 파키스탄, 오만
                       아랍에밉레이브, 바레인)
  - COMM(무스켓오만: MARDB)   : 1358 Z (20일, 21일)
  - OMAE(아랍에밉래이브 GOLNI): 1545 Z (20일, 21일)

0013

항공기 호수 및 특 명단

1. 1.19일 출국
   ○ 1 번기
   - 항공기: 5181호 (호출부호: KAF 5181)
   - 조종사: 중령 김영곤 (KIM. Y . K)
             소령 고석복 (KO . S . M)
   ○ 2 번기
   - 항공기: 5183호 (호출부호 : KAF 5183)
   - 조종사: 소령 김석종 (KIM. S . J)
             대위 김창태 (KIM. C . R)

2. 1.20일 합국
   ○ 1 번기
   - 항공기: 5185호 (호출부호 : KAF 5185)
   - 조종사: 소령 임 호 (LIM. H)
             대위 서희창 (SU . H . C)
   ○ 2 번기
   - 항공기: 5186호 (호출부호 : KAF 5186)
   - 조종사: 중령 신숭덕 (SHIN . S . D)
             소령 류보형 (RYU . B . H)
   ○ 3 번기
   - 항공기: 5178호 (호출부호: KAF 5178)
   - 조종사: 소령 김찬수 (KIM. C . S)
             대위 박수철 (PARK. S . C)

0014

외 무 부

종   별 : 긴 급

번   호 : PAW-0146   일   시 : 91 0204 1700

수   신 : 장관(중근동,국방부) 사본:주카라치 총영사-필

발   신 : 주 파 대사

제   목 : 군수송단 파견

대 WPA-89

연 PAW-99

1. 대호관련, 금 2.4(월)주재국 외무성 MASOOD KAHLID 북동아과장을 면담, 공한으로 요청한바, 동인은 사견임을 전제, 아래와같은 견해를 피력하면서, 동건 검토후 주재국정부 입장을 조만간 통보해주기로 약속함.

-아래-

-주재국정부로서는 우방국의 요청에 가능한 협조한다는 원칙하에 지난 1월말 아국 군수송기와 KAL 특별기의 기착을 허가한바, 이는 동비행기의 임무가 의료진 수송 및 교민송환의 인도주의적 목적임도 감안한것임.

-그러나 금번 군수송기 5대는 UAE 에서 연합군 지원을 위한 군사적임무를 띤 것으로 사료되는바(당관은 공한에 동수송기 파견의 목적을 명시하지 않았음), 동 임무의 민감성에 비추어, 만약 동사실이 주재국 언론등에 보도될경우 현재 주재국내 분위기로 보아 주재국정부에 정치적으로 곤란한 사태를 초래할 가능성이 있음(최근 인도에서 정부의 미공군기 기착허가가 정치쟁점화한 사례를 듬)

-동인은 일본정부도 자위대 수송기의 주재국 카라치 기착허가여부를 비공식 타진하였으나, 이에 대해 아직입장을 결정치 않았다고 첨언함.

2. 상기 과장반응에 비추어 주재국은 지난 1월 군수송기및 KAL 기착허가와는 별도로 금번 군수송기 기착허가여부를 신중검토할것으로 보이는바, 당관은 주재국 외무성 고위인사와도 계속, 접촉 주재국 정부의 허가를 득하도록 최대한 노력하겠으나, 주재국의 강한 국민여론에 비추어 허가여부를 전망키 어려운바, 여타 지역 기착가능성도 동시 타진하실것을 건의함. 당지 일본대사관에 탐문한바에 의하면 일본정부는 현재 자위대 수송기의 기착지로서 카라치와 아울러 콜롬보도 고려중이며,

주재국 외무성및 군부에 비공식 타진하였는바, 현재로서는 부정적이라함을 참고바람.

3. 이와 관련, 주재국정부에서 요청할경우, 동 수송기 파견목적(UAE 내 임무)을 주재국에 통보하여도 될지 여부에 대해 하시바람.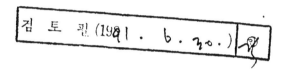

4. 카라치 공항에서 재급유는 주재국정부허가후 연호와 같이 주 카라치 총영사관을 통해 카라치 소재 SHAHEEN AIRPORT SERVICE 사에 연료소요량(등급)을 주문, 확보코자함.

5. 대호 2 항(3),(4)방콕-카라치-DAUDI 간 FIR 일자(20 일,21 일)는 항공일정에 비추어 (21 일,22 일)의 착오로 사료되는바, 확인통보바람. 끝.

(대사 전순규-국장)

예고 91.12.31 일반

검 토 필 (1991 . 6 . 30.)

외 무 부

종   별 : 긴 급

번   호 : DJW-0249

수   신 : 장관(중근동)

발   신 : 주 인니 대사

제   목 : 군 수송단 파견

일   시 : 91 0204 1500

대:WDJ-0140

대호 2 항 아. 항의 (1) 영공통과 일시를 긴급 재확인 회보바람. 끝.

(대사 김재춘-국장)

예고:91.12.31. 일반

검 보 판 (1991. 6. 30.)

발 신 전 보

번 호 : WDJ-0145   910204 2241 CT 종별 : 긴급

수 신 : 주 인도네시아 대사.총영사

발 신 : 장 관 (중근동)

제 목 : 군수송단 파견

대 : DJW-0249

귀지 영공통과 일시는 제 1진은 2.19일 06:30이며,
제 2진은 2.20일 06:30임.

(중동아국장 이 해 순)

예고 : 91.12.31. 일반

검 토 필 (1991. 6. 20.)

보안통제 74

앙고재	91년 2월 4일 중근동	기안자성명		과장	심의관	국장		차관	장관	
						전결				

외신과통제

외 무 부

종 별 : 긴 급

번 호 : SBW-0396   일 시 : 91 0205 1000

수 신 : 장관(중근동)

발 신 : 주 사우디 대사

제 목 : 군수송단 파견

대:WSB-294

대호 수송기의 사우디 영공통과 위치및 일시를 회보바람

(대사 주병국-국장)

예고:91.12.31 일반

검 토 필 (1991. 6. 30)

중아국

91.02.05   16:02
외신 2과 통제관 BN

0019

분류번호	보존기간

발 신 전 보

번   호 : WSB-0312   910205 2201   DQ종별 : 긴급

수   신 : 주   사우디   대사. 총영사

발   신 : 장   관   (중근동)

제   목 : 군수송단 파견

대 : SBW-0396

                GMT

수송단 본대 귀지 영공통과 시간은 15:30-15:50분(제1진 2월20일,
제2진 2월21일) 이며, 바레인 상공으로부터 사우디 영공 진입 UAE로 운항예정임.

(중동아국장 이 해 순)

예고 : 91.12.31. 까지

검 토 필 (1991. 6. 30.)

보 안 통 제	74

앙 고 재	이 년 월 5 일	중 근 동 과	기안자 성명		과 장		국 장		차 관	장 관		외신과통제
					74		후결					

0020

외 무 부

종   별 :

번   호 : THW-0252   일   시 : 91 0205 1730

수   신 : 장 관(중근동)

발   신 : 주 태국 대사

제   목 : 군수송단 파견

대 : WTH-0195

1. 대호건 주재국 외무성 및 국방성에 구두 및 문서로 협조 요청하였던바, 이.
착륙 허가번호등 결과 추보하겠음

2. 숙소및 차량편은 1 월말 군수송기 당지 경유시에 준하여 보안조치등을 유념,
주재국 군 당국과 협조중에 있음을 우선 보고하며 진전사항 있는대로 추보 예정임

(대사 정주년-국 장)

예고 : 91.12.31. 일반

검 토 필 (1991. 6. 30) 필

중아국

PAGE 1   91.02.05   21:29
                                                           외신 2과 통제관 DO

                                                           0021

외 무 부

종 별 :

번 호 : SKW-0075

수 신 : 장관(아서,기정,대책반)

발 신 : 주스리랑카 대사

제 목 : 걸프사태

일 시 : 91 0205 1540

연: SKW-0034(91.1.21)

표제관련 주재국의 최근 주요 동향을 아래보고함.

1. 비동맹 외상회의 참가

오는 2.12. 벨그라드 개최 걸프사태 관련 비동맹외상회의 (15개국 참가)에 주재국 H.HERAT 외무장관이 참석할예정임. 동 회의에 B.TILAKARATNA 외무차관등 외무부 고위관계관을 대동할 것이라함.

2. 연합군의 당지 급유 문제

가. 주재국 WIJAYADAS 대통령 비서실장은 걸프사태에 동원된 미국등 연합군 항공기 및 선박들의 콜롬보에서의 급유 요청에 언급하면서 아직 정부차원의 결론을 내리지 않았다고 하고, 국방담당, 외무, 법무, 산업, 문교 장관으로 구성된 내각 소위원회에 회부 되었다고 밝힘.

나. 이와관련 당지주재 미국 대사는 지난주 주재국 대통령에게 직접 정식 요청한바있다함. 주재국측은 금 2.5. 저녁 국회의원 전원이 참석하는 회의를 갖고 토의 예정임.

다. 한편, 주재국의 일부 야당 (SLMP,USA 등) 은 연합군 항공기에 대한 급유 편의제공을 반대하는 성명을 발표함.

3. 걸프 전쟁 환경 대책반 가동

가. 주재국 대통령은 걸프전쟁이 주재국에 미칠 각종 영향에 대하여 연구, 보고토 록하는 특별대책반을 구성함.

나. 동 환경 대책반은 환경및 의회부의 D.NESIAH 차관을 반장으로 유관 전문기관 대표 11 명으로 구성되며, 오는 2.15. 까지 보고서를 제출하기로 함.

(대사 장훈-국장)

아주국	장관	차관	1차보	2차보	중아국	중아국	정문국	정와대
총리실	안기부							

PAGE 1

91.02.05   21:03 CG

외신 1과 통제관

0022

┌──────────┐
│ 관리 │ 기/12/50 │
│ 번호 │
└──────────┘

외 무 부

종   별 :

번   호 : PHW-0184   일   시 : 91 0206 1045

수   신 : 장관(중근동,아동) 사본:국방부장관

발   신 : 주 필리핀 대사

제   목 : 군수송단 파견

대:WPH-97

주재국 외무부는 1991.2.4.(월)자 NOTE VERBALE(NO.910477)을 통하여 대호 아국

항공기(5 대)의 1991.2.19-2.20. 간 주재국 클라크 공군기지의 착, 이륙을 허용함을

알려왔음.

(대사 노정기-국장)

예고:91.12.31. 일반

┌──────────────────────────────┐
│ 검 토 필 (1991 . 6 . 30 .) │ 뀸 │
└──────────────────────────────┘

중아국   장관   차관   아주국   청와대   안기부   국방부

관리 번호	91 -1126

외 무 부

종 별 : 긴 급

번 호 : NDW-0235

일 시 : 91 0206 1100

수 신 : 장관(중근동)

발 신 : 주 인도 대사

제 목 : 군수송단 파견

대:WND-0115

1. 대호 허가조치에 필요하니 인도영공 통과시 이용항로의 명칭 회시바람.

2. 주재국측에서는 의료진 수송기에 대한 허가시와 같이 이용항로는 G472 로 할 것을 권고하고 있음을 참고바라며, 이에따라 FIR 통과지점및 시간이 변경될 경우 아울러 통보바람.

(대사 김태지-국장)

예고:91.12.31. 일반

중아국   차관   1차보   2차보

91.02.06   14:46

외신 2과 통제관 BA

0024

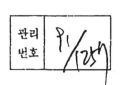

외　무　부

종　별 :

번　호 : JAW-0589

일　시 : 91 0206 1625

수　신 : 장관(중근동)

발　신 : 주 일 대사(일정)

제　목 : 군수송단 파견

대 : WJA-0475

연 : JAW-0285,0266

1. 대호 군용기의 통과구역은 연호 의료지원단 수송기의 통과구역과 동일한ADI 구역으로서, 일외무성측에 확인한 결과 금번에도 일정부의 허가는 필요치 않다함.

2. 다만 비상시등에 대비, 일관계관에 동군용기의 통과사실을 통보해 줄것을 일외무성측에 요청하였음. 끝

(공사 남홍우-국장)

예고:91.12.31. 일반

검 토 필 (1991 . 6 . 30.)

중아국

PAGE 1

91.02.06　17:03

외신 2과　통제관 BN

0025

	분류번호	보존기간

발 신 전 보

번   호 : WPA-0098   910206 2212 FI   종별 : 긴급

수   신 : 주   파키스탄   대사.총영사(사본 : 주카라치총영사 UKA-0033 WSK-0047
주 스리랑카, UAE 대사)

발   신 : 장 관   (중근동)

제   목 : 군수송단 파견

대 : PAW-0146, SKW-0075

1. 대호 3항 아국 군수송단 파견목적은 한국전쟁시 UN 참전국의 도움을
받은 국가로서 유엔결의를 존중하여 다국적군 수송지원 및 난민구호를 위해
군수송기를 파견한다는 취지를 주재국 정부에 롱보바람. *수송을*

2. 국방부는 현재 수송단의 카라치 기착, 급유가 가능할 것으로 보고,
서울-클라크-방콕-카라치-알아인 경로로 수송단을 파견할 것을 제1안으로
추진하고 있으나, 현지 사정이 어려울 경우, 서울-클라크-방콕-콜롬보-
알아인 경로, 또는 서울-클라크-방콕-디에고가르시아-알아인 경로로 변경
할것도 검토하고 있음.

3. 본부와 국방부는 주한 미대사관을 통하여 주파키스탄 미대사관에 주재국과
협조토록 요청하였으며, 주한 스리랑카 대사관을 통하여도 본국 정부에 상기관련
협조요청토록 교섭하였으니 귀주재국 정부와 접촉, 동 수송단의 이·착륙 허가
특히, 급유문제를 교섭하고 결과 지급 보고바람.

4. 대호 5항 FIR 일자는 연호대로 20일, 21일 임을 참고바람. 끝.

검 토 필 (198?1. 6. 2.)   (중동아국장 이 해 순)

예고 : 91.12.31. 일반

보안통제	2h

앙고재	기안자성명	과 장	국 장	차 관	장 관
		2h	후결		

외신과통제

0026

외 무 부

종 별 : 지 급

번 호 : PAW-0157   일 시 : 91 0206 1830

수 신 : 장관(중근동,국방부) 사본:주 카라치 총영사(중계필)

발 신 : 주 파 대사

제 목 : 군수송단 기착

연: PAW-146

1. 연호, 금 2.6(수)본직은 MUJAHID HUSSAIN 외무성 아태담당차관보와 통화, 아국 군수송기의 UAE 파견을 위한 카라치 공항기착허가와 관련하여 주재국정부에서 긍정적으로 검토하여 줄것을 요청함.

2. 이에 대해 동차관보는 외무성내 관련부서(중동담당 차관보)와도 협의한후 내주초 주재국 정부입장을 통보하여 주기로함.

주재국정부의 부정적반응 가능성에 대비하여 연호 건의드린대로 스리랑카등여타국가 공항사용 가능성도 동시 추진하시기 바람. 끝.

(대사 전순규-국장)

예고 91.12.31 일반

검 토 필 (198 91 · 6 · 30 ·)

중아국   2차보   국방부

PAGE 1

91.02.06   23:37

외신 2과 통제관 BW

0027

디　　　낭　　　부

(795-6217)

문 서: 24411- ㄹㅎㅎ　　　　　　　　　　　91 . 2 . 6 .
수 신: 비상대책분부장
참 조: 결등의 서기관
제 목: 군나행기(C-130) 영공통과 국가 면표 의회

　　　1. 관련근거 : 군계24413(91.2.3) 영공판곡 밎 ㄷ가 거가권 획득건의
　　　　　　　(등보)

　　　2. 의 관변근거에의가비행경도 1안(서을 - 브나프 · 낭라 - 카파직
-영구안)은 우신 확인 바라머 2안(흡베이 경유)과 3안으로 소미밤가 문답보 가작
유의 보근 덕부딘 검도하여 등보 나밤니두.

　　　3. 1, 2안 벌가서 3안으보 비헝경도를 변경 예정압니두.　　간

디　　낭　　주　　장

0028

수신 : 외무부 장관

참조 : 비상 대책반 (김용덕 서기관)

제목 : 군수 수송단 관계대책 통보

발신 : 국방부 장관 (해외파 계획과) : 795-6219

매수 : 2매

연수 계획과장

0029

도 착 시 간 계 획

기 지	소요시간	Z 시 간	현지시간	도 착 예 정	
솔		18일 19일 21:00		19일 06:00	20일 06:00
오 렐 즈	6시간	12일 03:00 20일	19일 11:00 20일	19일 12:00 20일	19일 16:00 20일
도 쿄	7시간10분	19일 11:10 20일	19일 18:10 20일	19일 20:10 20일	1박 20, 21일 11:00
카 라 치	6시간10분	20일 10:10 21일	20일 15:10 21일	20일 19:10 21일	20, 21일 21:10
알 라 인	4시간 (3시간10분)	20일 15:20 16:10 21일	20일 18:20 19:10 21일	21일 00:20 22일 01:10	
	24시간 20분				

※ 19일 1대, 20일 3대

0030

(Ⅱ)   (Ⅱ)

「별지 2, 별첨」내용수정 사항 (일자 조정)

○ 비행경로: 서울 ──> 클라크 ──> 방콕 ──> 카라치 ──> 리아드

기지	소요시간	착륙시간	이륙시간	연료보급(LBS)		이착륙 허가국
				19일	20일	
서울			18일 (19일) 21:00 Z			
클라크	6 + 00	19일 (20일) 03:00 Z	19일 (20일) 05:00 Z	60000	90,000	○
방콕	6 + 10	20일 (21일) 11:10 Z	20일 (21일) 02:00 Z	70000	105000	○
카라치	8 + 10	20일 (21일) 10:10 Z	20일 (21일) 12:10 Z	60000	90,000	○
리아드	4 + 00 (3 + 30)	20일 (21일) 16:10 Z				○
계	24 + 20	1520 Z		190000 LBS	285000 LBS	

비고	○ 19일 2대 C-130, 20일 3대 C-130 비행 예정이며 ○ 동일구간, 동일시간으로 비행운영

○ 일본 ──> 클라크 (영공통과국: 일본, 미국, 대만, 필리핀)

 - 호출부호

  19일: KAF 81, KAF 83

  20일: KAF 85, KAF 86, KAF 78

제1안

FIR 통과시간

강재처

o (제1안)

02:1일
D+1일: 20일

- SEOUL ---> CLARK   연료.

~~08~~ 일 21:00Z
~~09~~ 일 06:00L 일본 나하(ATOTI)   대만 타이페이(SALMI)   필리핀 마닐라(DOREX)
SEOUL -------> ROAG/D-1 일 22:42Z -------> ROTP/D-1 일 23:10Z -------> RPMM/D 일 01:03Z

-----> CLARK
        D 일 03:00Z
        D 일 11:00L

- CLARK ---> (BANGKOK)   연료. 숙박

~~10~~ 일 05:00Z
~~10~~ 일 13:00L   싱가폴(NTSOR)
CLARK -------> PHILIPPINE ADIZ/ D 일 06:11Z -------> WSJC / D 일 06:50Z

        방콕(BELER)
-----> VTBB / D 일 09:35Z   -----> BANGKOK(1박)
                                        D 일 11:10Z
                                        D 일 18:10L

- BANGKOK ---> KARACHI   연료
20
~~D+1~~ 일 02:00Z
20 ~~D+1~~ 일 09:00L 미얀마(LIMLA)   인도 캘커타(SAGOD)   인도 봄베이(PORUS)
BANGKOK -------> VBRR/D+1 일 02:45Z ---> VECF/D+1 일 04:30Z -----> VABF/D+1 일 07:00Z

        파키스탄 카라치
-------> OPKR/D+1 일 09:00Z   -----> KARACHI
                                        D+1 일 10:10Z
                                        D+1 일 15:10L

                        기지앙
- KARACHI ---> BURAYMI DAUDI (AL AYN)
                        UAE
20
~~D+1~~ 일 12:10Z
20 ~~D+1~~ 일 17:10L 무스캣 오만(ALPOR)   아랍에미레이트(GOLNI)
KARACHI -------> OOMM/D+1 일 13:30Z ---> OMAE/D+1 일 14:50Z -----> BURAYMI DAUDI
                                                        20 ~~D+1~~ 일 15:20Z
                                                        20 ~~D+1~~ 일 18:20L

＊ 제2제안 (3안)는 각주 늦게 출발 / 시간 동일

0032

제2안   공통 12

FIR 통과시간

o   제1제대 (2대 : KAF 81,83)

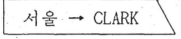
서울 → CLARK   연료

```
18일 21:00Z                        N29-350                      N28-18.9
19일 06:00L        일본 나하 BOLOD E125-01.6    대만 타이페이 SALMI E124-00.0
   서    울     →        RORG/18일 22:42Z    →       RCTP/18일 23:10Z
```

```
                    N21-000
필리핀(마닐라) DOREX E120-470
   →   RPMN/19일 01:03Z        →        CLARK
                                     19일 03:00Z
                                     19일 11:00L
```

CLARK → BANGKOK   연료/숙박

```
19일 05:00Z                                    N10-000
19일 13:00L                          싱가폴 NISOR E114-33.0
   CLARK     →    PHILIPPINE ADIZ/19일 16:11Z  →  WSJC/19일 06:50Z
```

```
              N07-000
태국 방콕 BELER E103-000
   →     VTBB/19일 09:35Z      →      BANKGKOK
                                     19일 11:10Z
                                     19일 18:10L
```

0033

```
┌────────────────────────────┐
│ BANGKOK → COLOMBO           │╲ 연도
└────────────────────────────┘ ╲
```

20일 02:00Z   N14-030   N12-270
20일 09:00L   미얀마 랭군 TANEK E098-585   인도 마드라스 LULDA E094-250
  BANGKOK   →   VBRR/20일02:40Z   →   VOMF/20일 03:52Z

                     N08-540
       콜롬보(DUGOS) E084-550
  →   VCCC/20일 06:22Z   →   COLOMBO
                                               20일 07:40Z
                                               20일 12:40L


```
┌────────────────────────────┐
│ COLOMBO → AL AYN            │╲
└────────────────────────────┘ ╲
```

20일 09:40Z   N12-312
20일 14:40L   인도(마드라스)   인도(봄베이) KAGLU E072-000
 COLOMBO   →   VOMF/20일 10:04Z   →   VABF/20일 12:13Z

                     N20-417
      오만(무스켓) ALAMA E061-033
  →   OOMM/20일 15:32Z   →   AL AYN
                                               20일 17:00Z
                                               20일 21:00L

※ 제2제대 (3대 : KAF 85,86,78)는 동일 경로로 1일 늦게 서울 출발

0034

제3안

디에고가르시아

FIR 통과시간

○ 제1제대 (2대 : KAF 81, 83)

┌─────────────────────┐
│ 서울 → CLARK   ╲ 연료
└─────────────────────┘

18일 21:00Z   N29-350   N28-18.9
19일 06:00L   일본 나하 BOLOD E125-01.6   대만 타이페이 SALMI E124-00.0
    서   울   →   RORG/18일 22:42Z   →   RCTP/18일 23:10Z

                        N21-000
        필리핀(마닐라) DOREX E120-470
          →   RPMN/19일 01:03Z   →   CLARK
                                                     19일 03:00Z
                                                     19일 11:00L

19일 05:00Z   N10-000
19일 13:00L   싱가폴 NISOR E114-33.0
    CLARK   →   PHILIPPINE ADIZ/19일 16:11Z   →   WSJC/19일 06:50Z

                    N07-000
        태국 방콕 BELER E103-000
          →   VTBB/19일 09:35Z   →   BANKGKOK
                                                     19일 11:10Z
                                                     19일 18:10L

0035

BANGKOK → DIEGOGARSIA 연료/숙영

20일 02:00Z   N14-030   N12-270
20일 09:00L   미얀마 랭군 TANEK E098-585   인도 마드라스 LULDA E094-250
BANGKOK   →   VBRR/20일02:25Z   →   VOMF/20일 03:37Z

                         N08-540   N06-000
        콜롬보(DUGOS) E084-550   인도 마드라스   MALE SEBLO E077-300
   →   VCCC/20일 06:07Z   →   VOMF/20일 07:57   →   VRMM/20일 08:07Z

                  S06-000
           ROBBY E072-540
   →   FIMP/20일 11:20Z   →   DIEGOGARSIA
                                                20일 11:40Z
                                                20일 16:40L

DIEGOGARSIA → AL AYN

21일 04:00Z   S06-000   N01-49.0
21일 09:00L   COLOMBO MALE BUMMR E071-550   BOMBAY ELKEL E069-110
DIEGOGARSIA   →   VRMM/21일 04:25Z   →   VABF/21일 06:30Z

                  N20-066
        MUSCAT VOTAN E060-21.8
   →   OOMM/21일 11:43Z   →   AL AYN
                                                21일 13:30Z
                                                21일 17:30L

※ 제2제대 (3대: KAF 85. 86. 7호)는 동일 경로로 1일 늦게 사후 출발.

0036

제4안

SEOUL → CLARK

시간. 장소 동일.

CLARK → 쿠알라룸프르

1日 0500Z
1日 1300L   1日 0611Z   상가트 (NISOR)
CLARK   →   필리핀 ADIZ   →   WSJC / 1日 0650Z

        →   쿠알라룸프르   →   쿠알라룸프르
            WMFC / 1日 0937Z   1日 1040Z
                                          1日 1740L.

쿠알라 → 디에고 가르시아

20日 0200Z
20日 1000L   자카르타 (PUGER)   콜롬보 (NIR)
쿠알라룸프르   →   WIIZ 0/20日 0222Z   →   VCCC / 20日 0432Z

    →   COCOSSI   →   BERAY.   →   디에고 가르시아
        APCC / 20日 0652Z   FIMP / 20日 0810Z   20日 1020Z
                                                            20日 1520L.

디에고 가르시아 → 바레인

        시간. 장소 동일

0037

승무원 현황

구분 항공기	조 종 사 (16)	항 법 사 (8)	정 비 사 (10)	적 재 사 (10)	탑 승 인 원
1 번 기 (# 5181) (9)	중령 김영곤 (사21) 소령 고석목 (사31) 중위 김해룡 (사36)	소령 한종희 (2사3) 소위 안병규 (사38)	상사 정구민 (기 4) 중사 한병구 (기16)	상사 최종천 (하 93) 하사 장용원 (기17)	36
2 번 기 (# 5183) (8)	소령 김찬수 (사30) 대위 박수철 (사33) 중위 홍석모 (사36)	대위 이기배 (학13)	상사 전봉진 (하112) 상사 고경식 (하130)	상사 좌정식 (하 88) 중사 김진욱 (하128)	37
3 번 기 (# 5185) (9)	중령 신승덕 (사24) 대위 이장룡 (사35) 대위 김대중 (사35)	소령 유헌주 (2사4) 소위 이동규 (사38)	상사 김상한 (기 4) 중사 이주희 (하119)	상사 장서영 (기 5) 중사 이상섭 (하128)	25
4 번 기 (# 5186) (9)	소령 김석종 (사29) 대위 김창래 (사33) 대위 서희창 (사34) 대위 조소연 (학14)	소령 김길수 (사31)	상사 최대성 (하113) 중사 김소하 (하125)	상사 정은우 (기 2) 중사 김택환 (기13)	24
5 번 기 (# 5178) (9)	소령 류보형 (사31) 대위 이해원 (사34) 대위 조규진 (사35)	대위 원광용 (학14) 중위 김기상 (학16)	상사 김작수 (하 93) 상사 김영일 (하112)	상사 배태규 (하113) 중사 심기택 (기11)	24
예 비 기 (# 5180) (10)	중령 권기춘 (사22) 중령 강대희 (사25) 대위 이수근 (사34) 대위 강 훈 (사35)	대위 이선근 (학14) 소위 이경현 (사38)	준위 장원준 (준38) 상사 이종수 (하93)	상사 홍대윤 (하94) 중사 장여선 (기16)	
예 비 기 (# 5179) (10)	중령 김상휘 (사26) 소령 강신종 (사27) 대위 이성우 (사33) 중위 정헌호 (사36)	대위 김선백 (2사7) 대위 김태진 (학13)	상사 김창한 (기 7) 상사 윤해옥 (하106)	상사 정대식 (하61) 하사 신종효 (기18)	

* 총파견인원 : 150명

* 사전 조사팀 현지 잔류 : 6명 (작전2, 정비1, 통신1, 보급1, 통역1)

* 미군 2명 추가 탑승 예정

* 총탑승인원 : 146명

    o 제1제대 : 73명

    o 제2제대 : 73명

0038

외 무 부

종 별 :

번 호 : SKW-0079   일 시 : 91 0206 1700

수 신 : 장관(아서,기정,대책반)

발 신 : 주 스리랑카 대사

제 목 : 걸프 사태

연:SKW-0075

1. 주재국 정부는 2.5. 걸프사태와 관련하여, 그간 논란이 되어온 외국 항공기및 선박의 자국 공항및 항만 사용에 대하여 비군사적 물자의 수송목적의 경우에만 허용키로 결정함.

2. 이는 연호 (2. 가항)의 2.5. 저녁 정부및 국회의원 연석회의에서 H.HERAT 외무장관이 밝힌것으로 스정부는 또한 관련외국 항공기나 선박에 대하여 유류및 비공격용 물자만을 제공할것이라고, 하고 그외 난민, 상병자들의 귀환등 여타긴급 사태시 도움 제공을 허용할것이라함.

3. 상기관련, 스정부는 유엔헌장, 비동맹원칙및 자국의 안보상 이해등 제반사항을 고려하여 구체 결정한것이라고 함. HERAT 장관은 걸프 사태와 관련한 유엔결의및 비동맹 정책에 비추어 아래 자국입장을 재천명함.

1) 외국군을 위한 자국내 기지및 시설 불허

2)외국군대의 자국내 주둔금지

3)공격 작전에 자국군대 해외 불파견

4)자국영토및 영해내 핵무기적재 항공기또는 선박의 통과나 기착 금지

(대사 장훈-국장)

예고:91.6.30 까지

아주국	장관	차관	1차보	2차보	중아국	정문국	안기부	국방부

PAGE 1   91.02.06   21:27
                                              외신 2과 통제관 BW

0039

외 무 부

종   별 : 긴 급

번   호 : MAW-0214   일   시 : 91 0207 1340

수   신 : 장관(중근동,아동,기정,국방)

발   신 : 주 말 대사

제   목 : 군수송단 파견

대:WMA-137

연:MAW-0093

1. 주재국 외무부는 2.7 대호 아국 수송기의 주재국 영공 통과를 허가하였음을 통보해왔음

2. 연호와 같이 특별한 허가번호는 없음. 끝

예고:91.12.31 일반

(대사 홍순영-국장)

검 토 필 (1991. 6. 30.) 기

중아국   아주국   안기부   국방부

문서번호	공작 24712	기 안 용 지	시행상	
		(3731/김종성)		
처리기간	90. 5. 5.			수
보존기간				2.6
시행일자				
보 국장				
조 차장				
기 과장	저 정			
기안책임자	대침 교섭관 김종성			법 령
경 유				FAX
수 신	외무부			1991. 2. 0..
참 조	안공 안..			
제 목	공군 급수 지원단			

1. 관련근거 : FAX - 0146 군 수송단 파견 ('91. 2. 6)

2. 위 근거에 의거 군 수송기 파견건은   과 같이 보고합니다.

   가. 목 적 : 한국은 한국전쟁시 16개 참전국의 고움을 받은 국가

표시, 한시적으로 수면권외로 한정하여 타국작전과 미군의 급수 지원 및 인

부요원 하여 군수송기편 파견함.   끝.

국 방 부

문 건 20011-2#/   (795-6217)

수 신   외무부장관

참 조   (정동익 서기관)

제 목   군용기(C-130) FIR통과시간 협의

        1. 첨부 내용과 같이 FIR통과 시간을 협의하오니 주재국에 통보하여 주시기
바랍니다.

        첨부 : FIR통과 시간 1부.   끝.

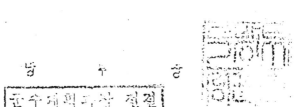

국 방 부 장

0042

FIR 통과 시간

○ 제1제대 (2대 : KAP 81, 83)

서울 → CLARK

18일 21:00Z	N25-350	N25-18.9
19일 06:00L	일본 나하 BOLOD E125-01.6	대만 나이제이 SALNI E124-00.0
서 울 →	RORG/18일 22:42Z	RCTP/18일 23:10Z

	N21-000	
필리핀 (마닐라) DOREX E120-470		CLARK
→ RP90/19일 01:03Z		19일 03:04Z
		19일 11:00L

CLARK → BANGKOK

19일 05:00Z		N10-000
19일 13:00L		싱가폴 N150R R114-33.0
CLARK →	PHILIPPINE ADIZ/19일 16:11Z	WSJC/19일 06:50Z

	N07-000	
태국 방콕 HELER E103-000		BANGKOK
→ VTBB/19일 09:35Z		19일 11:10Z
		19일 18:10L

0043

BANGKOK → COLOMBO

```
20일 02:00Z                    N14 030                      N12 020
20일 09:00L     미얀마 당칵 TANBK E096-565    인도 마드라스 IKLQA 093-045
BANGKOK      →     YBBR/20일02:40Z     →     VDCY/20일 05:55Z

                  N08 140
         스리랑카(COROS) B084-550
  →      VCCC/20일 06:22Z     →     COLOMBO
                                    20일 07:40Z
                                    20일 12:40L
```

COLOMBO → AL AYN

```
20일 09:40Z                                          N12 012
20일 14:40L        인도(마두라스)      인도(봄베이) XAGLU E072 000
COLOMBO      →     VOHF/20일 10:04Z    →     VABF/20일 12:13Z

                  N20 417
         오만(무스캇) ALAKA E061 073
  →      OORR/20일 15:32Z     →     AL AYN
                                    20일 17:00Z
                                    20일 21:00L
```

※ 제2제대 (3대 : KAF 95,96,78)는 공기 건조후 1일 늦게 서울 출발

FIR 통과시간

제1제대 (2대 : KAF 81, 83)

서울 ~ CLARK

18일 21:00Z
19일 05:00L   B49 350   R28-16.9
  서울   →   김포 이착 BOLOD E125-01.0 → 다시 다이렉어 SAUSA E124-00.0
                         ROUG, 18일 22:42Z   OGTP, 18일 23:10Z

                   N21-000
  필리핀(마닐라) DORIS E120-470
    TPAN/19일 01:08Z   →   CLARK
                                  19일 05:00Z
                                  19일 11:00L

CLARK ~ KUALA LUMPUR

19일 05:00Z
19일 13:00L   A40 260
  김포   →   PHILIPPINE ADIZ/19일 06:11Z → 싱가폴 NISOR E114-35.0
                                                      WSJC/19일 05:50Z

           ...
  ... FIR E...
    ... CASFC/19일 05:...   구알라 남포르
                                      19일 10:40Z
                                      19일 17:00L

0045

외 무 부

종 별 : 긴 급

번 호 : PAW-0161   일 시 : 91 0207 1300

수 신 : 장관(중근동)

발 신 : 주 파 대사

제 목 : 군수송단 파견일정

대 WPA-98,89

연 PAW-146

대호, 군수송기 운항일정과 FIR 일정상 아래와 같은 차이가 있는바, 재확인하시바람.

1. 운항일정(GMT)

2.19(20) 0500 클라크 출발

20(21) 1110 방콕도착, 연료공급(19,20 일)

21(22) 0200 방콕출발

21(22) 1010 카라치 도착, 연료공급(19,20 일)

그러나 상기 방콕도착일정은 클라크 출발일정및 연료공급일정(19,20)에 비추어,2.19(20)로 사료되며, 방콕출발시간은 대호 방콕 숙박일정에 비추어 2.20(21)이 되어야하고, 따라서 카라치 도착 일정도 2.20(21)이되고, 연료공급일정은 20 일 6 만 LBS, 21 일 9 만 LBS 가 되어야할것임.

2. FIR 일정(GMT)상기와 같이 운항일정이 수정될경우에야 FIR 일정이 대호대로 2.20(21)일이 될것으로 사료됨. 끝.

(대사 전순규-국장)

예고9 1.12.31 일반   검 토 필 (199 1. 6. 30.)

중아국   1차보   2차보

관리
번호 91/262

외 무 부

종 별 : 지급

번 호 : CHW-0254

일 시 : 91 0207 1530

수 신 : 장관(중근동,국방부)

발 신 : 주 중 대사

제 목 : 군수송단 파견

대:WCH-0103

대호 당관은 주재국 외교부및 국방부와 접촉, 대호 항공기의 주재국 영공 통과에 대한 허가를 득했음을 보고함. 끝

(대사 한철수-국장)

예고:91.12.31. 일반

검 토 필 (1991. 6. 30.)

중아국   1차보   2차보   국방부

발 신 전 보

	분류번호	보존기간

번 호 : WSK-0048   910207 1926 BX   종별: 암호송신

수 신 : 주 스리랑카   대사. //총영사   (친전)

발 신 : 장 관 (중동아국장)

제 목 : 업 연

대 : SKW-0075

수송기 파견 관련, 파키스탄 경유 급유가 어려우면 콜롬보 경유를 검토코자 함. 합참 전략기획부장 박종권 소장이 마침 스리랑카 공군사령관 AIR MARSHAL GUNAWARDANA 와 인도 국방대학원 동창이어서 통화해 보겠다 하니 전화번호를 회신 바랍니다. 축 건승.

보안통제	

앙고재	91 2월 일 종근동화	기안자 성명	과 장	국 장	차 관	장 관
		최달삼				

외신과통제	

0049

외 무 부

종 별 :

번 호 : BHW-0101   일 시 : 91 0207 1130

수 신 : 장관(중근동)

발 신 : 주 바레인 대사

제 목 : 군 수송단

대:WBH-0078

    대호 군 수송단 영공통과 허가관련, 주재국 항공당국은 항공기의 비행 목적지가
UAE 의 아부다비 또는 그 인근 군용 비행장일 경우, 주재국 영공통과 허가 필요없다는
입장임.끝.

    (대사 우문기-국장)

    예고:원본접수처-91.12.31 일반

    사본접수처:91.12.31 파기

    검 토 필 (1991. 6. 21.)

중아국

PAGE 1   91.02.07   18:47

                                        외신 2과   통제관 BA

                                              0050

외 무 부

종 별 : 긴 급

번 호 : KAW-0042   일 시 : 91 0207 1530

수 신 : 장관(중근동,국방부,사본:주파대사)

발 신 : 주 카라치 총영사

제 목 : 군수송단파견

대 WKA-0029,0030

1. 대호 군수송기 당지기착, 재급유관련 본직은 지난 91.2.4 이래 수차에 걸쳐 당지 PIA(파키스탄항공)와 접촉하였는바 PIA 측에의하면 주재국으로부터 착륙허가만 받기만하면 금 2.7 현재 급유에는 별문제 없음을 수차 다짐 받은바있음.

2. 동 급유대금 지불관련 PIA 측은 지난번 군의료진 수송시와 마찬가지로 KAL측이 동대금을 변제할것이라는 통보를 테렉스로 타전하여 줄것을 요청하고 있는바 당지 기착이 최종 확정될경우 KAL 측에 필요한 조치를 취하여 주시기바람.

3. 연이나 걸프사태에 임하는 주재국 정부의 공식입장과는 달리 당지 절대 다수 시민들의 반미.친 이라크 찬양 고무분위기등을 고려할때 군수송기 기착이 매스컴을통하여 일반인에게 알려지게 될경우 대 아국 우호적인 분위기의 반전및 카라치체류 한인에대한 과격분자의 테러위험 가능성이 증대되리라고 예상되는바 본건 추진에 참고바람.(협의필)끝

(총영사 조 규태-국장)

예고:91.12.31.일반검 토 필(198 91. 6. 20.)

수송기 ROUTE 보안 철저

중아국	장관	차관	2차보	상황실	정와대	안기부	국방부

PAGE 1   91.02.07   20:30

외신 2과 통제관 CH

0051

관리
번호 91/1245

외 무 부

종 별 :

번 호 : PAW-0165

일 시 : 91 0207 1800

수 신 : 장관(중근동)

발 신 : 주 파 대사

제 목 : 군수통단 기착

사본→주일대사관

연 PAW-146

1. 연호, 당지 일본대사관으로부터 확인한바에 의하면, 일본정부는 주재국정부의 정치적입장을 고려, 자위대 수송기 9C130)의 카라치 기착허가 요청을 하지않기로 결정하였다고 함.

2. 일본은 군용기대신 민항기 사용가능성이 있다는 첩보가 있음. 끝.

(대사 전순규-국장)

예고 91.12.31 일반

검 토 필(1991. 6. 30.) 印

중아국   차관   1차보   2차보   안기부   국방부

PAGE 1

91.02.07   22:57

외신 2과   통제관 CH

0052

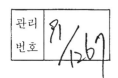

관리		분류번호	보존기간
번호			

발 신 전 보

번   호 : WPA-0105   910208 0011 DP   종별: 지급

수   신 : 주 파키스탄   대사. /총영사

발   신 : 장 관 (중근동)

제   목 : 군수송단 파견

대 : PAW-0161

1. 대호 운항일정 관련, 국방부측에서 방콕 1박 및 GMT시간 계산 착오가 있었는바, 대호 FIR 일정에 따른 연료 공급 교섭하고 결과 보고바람.

2. 정정된 운항일정 및 영공통과 시간 아래와 같음.

가. 일 정 (GMT, 제 1,2진 하루간격으로 동일 항로, 동일시간 운항)

```
2.18(19)  21:00 Z 서울  출발
2.19(20)  03:00 Z 클라크 도착  연료공급 19일 6만 LBS
                                      20일 9만  "
2.19(20)  05:00 Z 클라크 출발
2.19(20)  11:10 Z 방콕  도착  연료공급 19일 7만  "
                                      20일 10만 "

2.20(21)  02:00 Z 방콕  출발
2.20(21)  10:10 Z 카라치 도착  연료공급 20일 6만 LBS
                                      21일 9만  "
2.20(21)  12:10 Z 카라치 출발
2.20(21)  15:20 Z 알아인 도착  (현지임무 수행)
```

나. 영공통과 (GMT, 제1, 제2진순)

○ 일본-클라크 (일본, 미국, 대만, 필리핀)

```
RORG(ATOTI)  22:42 Z (18일, 19일)
ROTP(SALMI)  23:10 Z (18일, 19일)
RPMM(DOREX)  01:03 Z (19일, 20일)
```

(중동아프리카국장   이 해 순)

예 고 : 91. 12.31. 일반

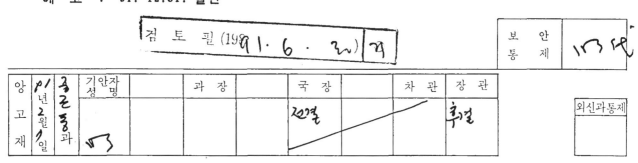

외 무 부

종 별 :

번 호 : SKW-0084　　　　　　　　　일 시 : 91 0208 1530

수 신 : 장관(중근동,아서)

발 신 : 주 스리랑카 대사

제 목 : 군수송단 파견

　　　대:WSK-0047(91.2.6)

　　　연:SKW-0028(91.1.18), SKW-0079(91.2.6)

　　1. 본직이 금 2.8. 주재국 외무부의 SENEVIRATNE 정무차관(STATE SECRETARY) 을 신임인사차 예방한 기회에 지난 1 월 군용기 기착허가 요청건을 환기하고 대호 아국 군수송단의 2 월중 콜롬보 기착 가능성을 언급하자, 동인은 3-4 일전 주한 대사관으로 부터도 관련 보고가 있었다고 하면서 아래와 같이 말함.

　　가. 최근 걸프 사태 관련, 미국등 연합국 항공기의 콜롬보 기착에 대한 허가 문제는 지난 2.5. 스정부가 발표한 기준(연호 SKW-0079 참조) 에 따라 외무부가 판단할것임.

　　나. 한. 스 양국간 기존우호 관계에 비추어 비살상용(NON-LETHAL) 물품을 수송하기 위한 목적으로 동 적재내용을 명시하여 요청해 올때에는 연호 요건에따라 호의적으로 검토 될수 있을것임.

　　다. 한국측의 요청은 아래 요건을 담은 콜롬보 주재 한국 대사관 명의 공한으로 주재국 외무부에 제출하기 바람.

　　1)기종, 호출번호, 등록번호, 소유자, 기장및 승무원(수및 계급), 탑승자, 적재화물(무기에 관한 구체사항 포함 명세), 비행목적, 비행고도, 항로

　　2)도착및 출발일시

　　3)소요 연료 내역, DIPLOMATIC CLEARANCE등 관련 사항

　　2. 동인은 또한 급유를 포함한 기착 허가여부 검토는 국방성등 관련기관과의 협조를 거쳐야 하며 동 검토에 3-4 일정도 소요될것이라고 한바 참고 바람.

　　(대사 장훈-국장)

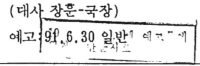
예고:91.6.30 일반

중아국　　아주국　　국방부

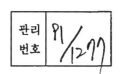

외 무 부

종 별 :

번 호 : BMW-0082

일 시 : 91 0208 1730

수 신 : 장관(중근동,아서)

발 신 : 주 미얀마 대사

제 목 : 군수송단 파견

대:WBM-0043

대호건 2.8(금) 주재국 ACC 측은 영공통과를 허가하나, 다만 허가번호는 절차상 과거와 같이 아측으로부터 AFTN (AERONAUTICAL FIX TELECOMMUNICATION NETWORK)이 주재국 ACC 에 직접 접수된뒤 주겠다고 하니, 상기 사항 조속 조치바람.

(대사 김항경-국장)

예고:91.12.31 일반

검 토 필 (1991. 6. 30.)

중아국	장관	차관	1차보	2차보	아주국	정와대	안기부	국방부

관리 번호	91/2/1

외 무 부

종 별 : 지 급

번 호 : CHW-0267

일 시 : 91 0209 0900

수 신 : 장관(중근동)

발 신 : 주 중 대사

제 목 : 군수송단 파견

대:WCH-0103

연:CHW-0254

대호 군수송기의 주재국영공 통과관련 일본-클라크간 비행시간을 한국시간으로
환산하여 당관에 조속 회시바람. 끝

(대사 한철수-국장)

예고:91.12.31. 일반

검 토 필 (1991. 6. 30)

중아국

PAGE 1

91.02.09   10:29

외신 2과 통제관 BT

0056

```
┌────┬─────┐
│관리│     │
│번호│ P/2~│
└────┴─────┘
```

외 무 부

종 별 : 지 급

번 호 : PAW-0171   일 시 : 91 0209 1330

수 신 : 장관(중근동)

발 신 : 주 파 대사

제 목 : 군수송기 기착

연 PAW-161

1. 연호, 본직은 금 2.9(토)오전 주재국외무성 MR.AFZAL QADIR 중동차관보를 면담, 아국 군용기 기착허가를 호의적으로 검토해주고, 주재국 정부입장을 가부간 조속(가급적 내주초)봉보해줄것을 요청함.

2. 이에대해 동차관보는 국내정치적 민감성에 비추어 동건관련, 신속한 결정을 내리기어려운 입장임을 암시한바, 이러한 주재국 반응에 비추어 여타국가 공항사용도 동시추진하여 주실것을 건의드림.

3. 당지 스리랑카대사에 의하면, 스리랑카 정부의 원유사정이 최근 호전되었으며, 일본대사에 의하면 일본자위대 수송기는 콜롬보와 디에고 가르시아 기착을 교섭중이라고함.(디에고 가르시아 기착문제는 미, 영과 동시 교섭중이라함.). 끝.

(대사 전순규-국장)

91.12.31 일반

```
┌─────────────────────┬───┐
│ 검 토 필(91. 6. 3..) │ 예 │
└─────────────────────┴───┘
```

동 전보 내용
주 스리랑카(대)
타전 토록
외신라에 8항
요함
2.9. 21시
장석천印

중아국

외 무 부

종 별 :

번 호 : SKW-0089

일 시 : 91 0211 1115

수 신 : 장관(중근동,아서)

발 신 : 주 스리랑카 대사

제 목 : 군수송단파견

연:SKW-0084(91.2.8)

1. 표제관련, 당관에서 금 2.11 주재국 외무부및 항공국에 확인한바에 의하면 아국 군수송단의 당지기착및 연료 보급에 관한 아측 요청에 대하여 지난 2.8(금) 주재국 (외무부)는 원칙적으로 허가 하기로 방침을 정했다고함.

2. 아국 군수송단의 당지기착 비행일정등 연호 1 항 다. 에 언급된 사항을 당관에 조속 통보조치해 주시기 바람.

(대사 장훈-국장)

예고:91.6.30 일반 예고들에 의거 일반문서로 대분류함

중아국   아주국

PAGE 1

91.02.11   15:09

외신 2과 통제관 BN

0058

14:47 2086

국 방 부

(795-6217)

'91 · 2 · 11
(1년)

1-

피:방장관

국장

공군수송기 파견 관련 사우디국 협조 (의뢰)

공군 수송기 C-130 5대가 UAE 압아인기지에 주둔 다국적군 지원 임무를
수락 ~ 임무수행 지역인 사우디국의 영공비행 및 기지 이.착륙허가가
요구되는 사항임)하여 아래사항을 협의 요청하니 조치 바랍니다.

가. 요청 내용

(1) 사우디국 작전 기간중 영공비행 허가 및 기지 이착륙 허가

(수시로 비행허가를 요청하는방법을 배제하여 원활한 비행절차로
협의 요망)

(2) 기지 착륙시 연료지원 문제

(3) 비상발생 및 긴급지원 사항 협조

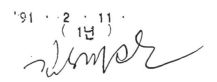

나. 주 사우디 무관은 사우디 승인결과를 획득 즉시 미 중앙사령부
공수사령관(JANOSO 중장)에게 긴 통보 바람.

국 방 부 장

0059

원 본

외 무 부

종 별 : 긴 급

번 호 : DJW-0308

일 시 : 91 0211 1640

수 신 : 장관(중근동)

발 신 : 주 인니 대사

제 목 : 군수송단 파견

대:WDJ-0140(91.2.3)

대호, 주재국 정부는 2.11. 아국 군수송기의 영공통과를 허가하였으며,

허가번호(FLIGHT CLEARANCE NO.)는 271/UD/2R/91/P 임.끝.

(대사 김재춘-국장)

예고:91.12.31. 일반

검 토 필(198 91. 6. 30.) 여

중아국

PAGE 1

91.02.11   19:09

외신 2과 통제관 BA

0060

344 걸프 사태 의료지원단 및 수송단 파견 2

외 무 부

종 별 : 지 급

번 호 : OMW-0038

일 시 : 90 0211 1340

수 신 : 장관(중근동)

발 신 : 주 오만 대사

제 목 : 군용기 영공통과 허가

대:WOM-0063

대호 아국 군용기 5 대의 주재국 영공통과건, 주재국측으로부터 2,10 자로 허가를 득한바, 허가번호는 "DGCAM-313"임.끝

(대사 강종원-국장)

예고:91,6,30. 일반

중아국

PAGE 1

91.02.11   20:12

외신 2과 통제관 EE

0061

관리
번호 91/1300

외 무 부

종 별 : 지 급
번 호 : CHW-0290   일 시 : 91 0212 1700
수 신 : 장관(중근동)
발 신 : 주 중 대사
제 목 : 군수송단 파견

     대:WCH-0103
     연:CHW-0267
     대호 군수송기의 주재국영공 통과관련, 연호 문의사항 조속 회시바람.(주재국측에
사전통보 필요) 끝
     (대사 한철수-국장)   전화통보
     예고:91.12.31. 일반

     검 토 필 (1991. 6. 30.) 이

중아국

PAGE 1   91.02.12   19:07

세계적인 기업으로 ─ 기술과 신의 그리고 패기에 찬 한맥가족과 함께 합시다

1. 모집부문 및 응모분야

모집부문	직종	응모자격	인원	근무지
경영부문	생산직	용접, 제관, 선반, 밀링, 기계조립, 배관, 도장, 비계	●간부사원 ●관련분야 해당부문 실무 경력 10년이상 유경험자	○○명	방배공단 사택공급
	여자직	경리, 총무, 타자, 컴퓨터	●경력사원 ●관련분야 해당부문 실무 경력 2년이상 유경험자	○명	사택공급
관리부문	간부 · 일반직	기획, 총무, 경리, 자재, 외자, 영업, 홍보		○○명	사택공급
	신입사원	경영학, 법학	●신입사원 ●관련분야 해당부문 실무 경력 2건이상 유경험자		
산업기계 사업부	간부 · 일반직	기계, 기계설계, 생산관리, 제어계장	●신입사원 ●신체 대부분줄(예정)이 상 · 군 방역필 또는 면제자	○○명	서울
	신입사원	기계설계			
SPACE		영업(건축자재) 건축구조 영(건축자재) 건축구조물설계, 건축설계			서울

2. 제출서류

가. 가입원이력서 (사진부착) 1통
 이력서 하단에 모집부문, 직종, 전화번호까지 명기할 것.
나. 자기소개서 1통
 성장과정 및 가족사항, 경력사항 (직위, 업무계통) 및 희망사항
 (직위, 급여, 근무지) 등을 상세히 기록할 것.
다. 최종학교 성적증명서 (생산직제외) 1통
라. 주민등록등본 1통

3. 전형방법

가. 1차 서류심사
나. 2차 면접 (1차 합격자에 한하여 개별통지함)

4. 서류접수

로 美國 UNISTRUT社와 연구실
g Software System의 개발완료로
수출하여 호평을 받고 있습니다.

및 축적된 기술력으로 가장 저렴
등한 자유수직 현재 한맥 JUST PARK
해결의 선두주자로 부상하고 있음

"창기, 교량 Vessel, Tower, Flare
1각, 시공하고 있으며, 미국 JOHN

주택복권 (684회)

1 등(3조)433524	
다복상(" ")	1등의 앞뒤번호 요다번호와 조가 다른 것
2 등 (1조) 643347 / (4조) 243891	
3 등 (각조) 677548	
4 등 (") 590	
5 등 (") 08, 50, 32	
6 등 (") 9, 5, 4	

국 방 부

(795-6217)

근 계 24411-270

수 신   외무부장관

참 조   비상대책반장(김동억서기관)

제 목   공군 수송단 비행 경로 조정 협의

91. 2. 12.

(1년)

    1. 공군 수송단 파견에 따른 수송기 비행경로 협조 사항중 인도 및 파키스탄을 경유하는 방안은 철회하고 서울 - 방콕-콜롬보-알아인 경로도 확정할 수 있도록 협의 바랍니다(이동시간 계획은 기 통보된 계획과 동일함). 끝.

국   방   부   장

0064

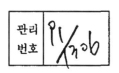

외 무 부

종 별 :

번 호 : THW-0302   일 시 : 91 0212 1830

수 신 : 장 관(중근동)

발 신 : 주 태 국 대사

제 목 : 군수송단 파견

　　　　대 : WTH-0195

　　　　연 : THW-0252

　　　1. 주재국 공군은 2.12(화) 대호 군용기 5 대의 방콕 공군기지 착륙 허가번호가
MOD 0312.4/613 임을 당관에 봉보하여 왔음

　　　2. 주재국 공군당국의 협조로 수송기 승무원들의 숙소로 대공포연대장병막사를
사용키로 하였음

　　　3. 군용기의 정확한 도착 및 출발시간 회시바람

　　(대사 정주년-국장)

　　예고 : 91.12.31. 일반

검 토 필 (199 91 . 6 . 30 .)

중아국

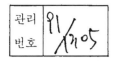

분류번호	보존기간

발 신 전 보

번   호 : WSB-0349   910212 1847 CG종별 : 긴급

수   신 : 주   사우디 대사. 총영사//

발   신 : 장 관   (중근동)

제   목 : 군수송단 파견

연 : WSB-0283, 0294, 0311

아국 공군 수송단은 연호와 같이 UAE 알아인 미군기지에 주둔 하면서 다국적군 지원 임무를 수행하게 됨에 따라 주 임무수행 지역인 귀 주재국의 영공 비행 및 기지 이.착륙 허가가 필요한 바, 아래 사항을 주재국 관계당국과 교섭, 조치하고 결과 보고 바람.

- 아   래 -

1. 사우디 국내 작전기간중 영공비행 및 기지 이.착륙에 관한 원칙적 허가

2. 기지 이.착륙시 연료 지원

3. 비상 발생시 긴급 지원

4. 무관은 사우디 승인 결과를 미중앙사령부 공군사령관(JANOSO 중장)에게 긴급 통보. 끝.

(중동아국장 이 해 순)

예   고 : 91.12.31.일반

검 토 필 (1991. 6. 30.)

결재

보안통제

앙고재	91년 2월 1일	기안자 성명		과 장	국 장	차 관	장 관
					후결		

외신과통제

0066

095-6217

공 군 본 부

모사전송
113-P-120940

작전작 제 704 호 (도-3113)

1991. 2. 12.
(수신처 보관:

경 유:

수 신: 국방부장관

참 조: 군수국장(군수계획과장)

제 목: 비행 자료 보고

1. 관련근거: 외무부 무전SKW 0084('91.2.8)'군 수송단 파견'

2. 위 관련근거에 의거 한국공군 수송단의 물품보 기착 및 연료 보급을 위한 관련자료를 다음과 같이 보고합니다.

3. 비행관련 자료

가. 항공기 기종 및 대수: C-130H (5대)

나. 모출번호(등록번호): KAF81, KAF83, KAF85, KAF86, KAF88

나. 소 유 자   : 대한민국 공군

다. 기장 및 승무원(첨부1)

아. 탑 승 자   : (추무보고)

바. 적 재 화 물   : 항공기 정비용 수리부속 및 요원 생활용품
맛 자위용 총기류 (CAL38 권총, K-1 소총, M-16소총 및 탄약)

사. 비 행 목 적   : U.A.E AL AIN 기지로전개

아. 비 행 고 도   : 29.000 Ft

자. 항 로 (첨부2 참조)

2 - 1

0

'91-02-12 09:39

0067

차 · 노착 및 출발일시(첨부2 참조)

가 · 소요연료 내역 : (20일) 55,000 LBS   (21일) 82,500 LBS

계 137,500 LBS (JP-4 또는 JET A-1)

첨 부 : 1. 승무원 명단 1부

2. 비행 결보. 1부 끝.

공 군 참 모 총 장

작전참모부장   전결

〈첨부1〉

부표 1

탑승원 현황

구분 항공기	조 종 사 (16)	항 법 사 (8)	정 비 사 (10)	적 재 사 (10)	탑승 인원
1 번기 (# 5181) (9)	중령 김영근 (사21) 소령 고석욱 (사31) 중위 김희문 (사36)	소령 함동희 (2사3) 소위 한병규 (사38)	상사 정무민 (기 4) 중사 한병구 (기16)	삼사 최종천 (하 93) 하사 정송원 (기17)	37
2 번기 (# 5183) (8)	소령 김찬수 (사30) 대위 박수철 (사33) 중위 홍성호 (사36)	대위 이기배 (학13)	상사 전부찬 (하112) 상사 고경식 (하130)	상사 박정식 (하 88) 중사 장여선 (기16)	37
3 번기 (# 5185) (9)	중령 신종덕 (사26) 대위 이상훈 (사35) 대위 김대중 (사35)	소령 유헌주 (2사4) 소위 이동규 (사38)	상사 김상한 (기 4) 중사 이주희 (하119)	상사 상서영 (기 5) 중사 미상섭 (하128)	27
4 번기 (# 5186) (9)	소령 김성춘 (사29) 대위 김창욱 (사33) 대위 서희창 (사34) 대위 고소연 (학14)	소령 김진수 (사31)	상사 최대성 (하113) 중사 김소하 (하125)	상사 정윤우 (기 2) 중사 김덕한 (기13)	29
5 번기 (# 5178) (9)	소령 류보령 (사31) 대위 이해원 (사34) 대위 조규진 (사35)	대위 원광용 (학14) 중위 진기상 (학16)	상사 김작수 (하 93) 상사 김염임 (하112)	상사 배태규 (하113) 중사 심기덕 (기11)	24
예 비 기 (# 5180) (10)	중령 권기순 (사22) 중령 강대회 (사25) 대위 이수근 (사34) 대위 강 준 (사35)	대위 이선근 (학14) 소위 이경언 (사38)	중위 장원수 (준38) 상사 이종수 (하93)	상사 송대응 (하94) 하사 신윤호 (기18)	
예 비 기 (# 5179) (10)	중령 김상위 (사26) 소령 강신류 (사27) 대위 이성우 (사33) 중위 정현호 (사36)	대위 김신박 (2사7) 대위 김배힌 (학13)	상사 김창학 (기 7) 상사 윤채욱 (하106)	상사 정대식 (하61) 중사 김진축 (하128)	

* 총파견인원 : 15?명

* 총탑승인원 : 1?명 (승무원 : 44명, 승객 : 10?명, 비군 : 2명)

  * 제1편대 : 7?명 (1,2번기)

  * 제2편대 : 8?명 (3,4,5번기)

* 승객 명단은 추후 보고

0069

〈첨부2〉

FIR 통과시간

○ 제1제대 (2대 : KAF 81,83)

서울 → CLARK

18일 21:00Z
19일 06:00L   일본 나위 DOLOD B125-01.0   대만 라이페이 SALMI B124-00.0
서 울   →   BOBG/18일 22:42Z   RCTP/18일 21.10Z

B/21 (세)
필리핀(미닉락) DOBEX B120 470
→ RPMN/19일 01:03Z   CLARK
                                        19일 03:00Z
                                        19일 11:00L

CLARK → BANGKOK

19일 05:00Z
19일 13:00L   실가폼 NISOR B114-33.0
CLARK   →   PHILIPPINE ADIZ/19일 16:11Z   WSJC/19일 06:50Z

B07 000
태국 방콕 RELER B101 000
→ VTBB/19일 09:35Z   →   BANGKOK
                                     19일 11:10Z
                                     19일 18:10L

0070

BANGKOK → COLOMBO

20일 02:00Z   N14 0X0   N12-270
20일 09:00L   미얀마 방콕 BANGKOK E098-585   입고 마드라스 LULDA E094-250
BANGKOK   VRBK/20일 02:40Z   VOMF/20일 03:52Z

                    N08-540
        부봄부 (COLOS) E084-550   COLOMBO
        VCCC/20일 06:22Z   20일 07:40Z
                                                        20일 12:40L

COLOMBO → AL AYN

20일 09:40Z   N12-312
20일 14:40L   인도 (마드라스)   인도 (본베시) KAGLU E072-000
COLOMBO   VOMF/20일 10:04Z   VABB/20일 12:13Z

                    N20-417
        오만 (구수케겔) ALAMA EOG1 033   AL AYN
        OOKM/20일 15:32Z   20일 17:00Z
                                                        20일 21:00L

비 제2비대 (3대 : KAF R2,80,78)는 통합 정비조 1개 능격 사유 총빙

	분류번호	보존기간

발 신 전 보

WSK-0060   910213 1140 BX

번   호 : _____   종별 : 긴 급

WPA -0123   WAE -0128

수   신 : 주 스 리 랑 카   대사. 총영사 (사본 : 주파키스탄, UAE 대사)

발   신 : 장 관 (중근동)

제   목 : 군 수 송 단 파견

대 : SKW - 0084, 0089
연 : WSK - 0048, 0047

대호 귀주재국 정부의 아국 수송단에 대한 기착 및 급유 허가가

가능해짐에 따라 (카라치 기착이 불가능할 경우), 군수송단은 귀지 경유 운항

예정이니 아래 자료를 주재국 관계 당국에 통보하고 필요한 협조 요청 바람.

2.12자 국내일간지 (조선일보)는 스리랑카 당국의 아국수송기 기항허가
사실을 콜롬보발 AFP를 인용 1단 보도한 바 있음.

1. 기   종 : C-130H 5대

2. 호출번호 (등록번호)

KAF 81, KAF 83, KAF 85, KAF 86, KAF 78

3. 소유자 : 대한민국 공군 (KAF)

4. 항공기 호수 및 조종사 명단

가. 제1진 2대

o 1번기

항공기 : 81호 (호출부호 : KAF 81)

조종사 : 중령 김영곤 (KIM, Y. K)

소령 고석목 (KO. S. M)

o 2번기

항공기 : 83호 (호출부호 : KAF 83)

조종사 : 소령 김석증 (KIM, S. J)

대위 김창래 (KIM, C. R)

/.....

보 안 통 제	가

앙 고 재	91년 2월 13일	중근동과	기안자 성명		과 장		국 장		차 관	장 관		외신과통제
					가		전결					

0072

나. 제2진 3대

  ㅇ 1번기

      항공기 : 85호 (호출부호 : KAF 85)

      조종사 : 소령 임 호 (LIM. H)

              대위 서희창 (SU. H. C)

  ㅇ 2번기

      항공기 : 86호 (호출부호 : KAF 86)

      조종사 : 중령 신승덕 (SHIN. S. D)

              대위 류보형 (RYU. B. H)

  ㅇ 3번기

      항공기 : 78호 (호출번호 : KAF 78)

      조종사 : 소령 김찬수 (KIM. C. S)

              대위 박수철 (PARK. S. C)

5. 탑승자 : 158명 (명단은 필요시 추후 동보)

6. 적재화물

  가. 항공기 정비용 수리 부속

  나. 수송단 요원 생활용품

  다. 자위용 총기류 (CAL 38권총, K-1 소총, M-16 소총 및 탄약)
      (주재국에 문제가 없을 경우 동보 요망)

7. 비행목적 : UAE ALAIN 기지 주둔

8. 비행고도 : 29,000 ft

9. 항   로 (GMT, 제1진, 2진 하루간격 동일항로, 동일시간 운항)

  가. 서울-클라크

          서울 출발   21:00 Z   (18일, 19일)

          RORG 진입   22:42 Z   (18일, 19일)

          ROTP 진입   23:10 Z   (18일, 19일)

          RPMM 진입   01:03 Z   (19일, 20일)

          클라크 도착   03:00 Z   (19일, 20일) 급유 19일 6만 LBS
                                                      20일 9만 LBS

  나. 클라크-방콕

          클라크 출발   05:00 Z   (19일, 20일)

          필리핀 ADIZ진입 06:11 Z (19일, 20일)

          WSJC 진입   06:50 Z   (19일, 20일)

                              /.....

G073

VTBB 진입	09:35 Z	(19일, 20일)
방콕 도착	11:10 Z	(19일, 20일) 1박 급유 19일 7만 LBS 20일 10만 LBS

다. 방콕-콜롬보

방콕 출발	02:00 Z	(20일, 21일)
VBRR 진입	02:40 Z	(20일, 21일)
VOMF 진입	03:52 Z	(20일, 21일)
VCCC 진입	06:22 Z	(20일, 21일)
콜롬보 도착	07:40 Z	(20일, 21일) 급유 20일 8만 LBS 21일 12만 LBS

라. 콜롬보-알아인

콜롬보 출발	09:40 Z	(20일, 21일)
VOMF 진입	10:04 Z	(20일, 21일)
VABF 진입	12:13 Z	(20일, 21일)
OOMM 진입	15:32 Z	(20일, 21일)
알아인 도착	17:00 Z	(20일, 21일)

10. 소요 연료 내역 (총 20만 LBS : 기당 4만 LBS)

ㅇ 종   류 : JP-4 혹은 JET A-1.   끝.

(중동아국장   이 해 순)

예고 : 91.6.30.일반 예고
의거 일반문서로 재분류

0074

WSG-0096 발신 전보 위0213 0945 BN

W SG (추가)

번 호 : ~~WBH-0078 910203 1939 FF~~   종별 긴급

수 신 : 주   수신처 참조 ~~태사//총영사~~

발 신 : ~~WJ장-04판~~ WJA-0475 ~~중반동-0103~~ WPH-0097 WMA-0137

제 목 : ~~WDJ 군이 수송단 파견195~~ WBM-0043 WND-0115 WPA-0089

          ~~WOM-0063 WAE-0099 WSB-0294 WKA-0029~~

1. 국방부는 C-130기 5대와 공군 요원 150명을 UAE내 알아인 미군기지에
파견하여 현지 미군 수송지원 임무를 수행할 계획임.

2. 동 계획 관련 자료 상세는 아래와 같음.

    가. 수송기 출발 계획 (KST) 제1진
        1) 1991년2월19일 06:00 : 2대
                    (KST) 제2진
        2) 1991년2월20일 06:00 : 3대

        3) 출발기지 : 서울기지

    나. 비행경로

        서울-클라크-방콕-카라치-알아인 ~~(경유)~~

    다. 영공통과 (13국)

        일본, 대만, 필리핀, 말레지아, 인니, 태국, 미얀마, 인도,
        파키스탄, 오만, ~~예맨~~, 바레인, UAE, 사우디.

    라. 착륙허가 및 연료 보급지   투원   투원

        클라크, 방콕, 카라치, 알아인

    마. 숙소 예약 : 방콕 (2월19일 37실, 20일 37실)

    바. 운항일정 (GMT~~시간~~, 괄호안은 2진) ~~착륙임~~

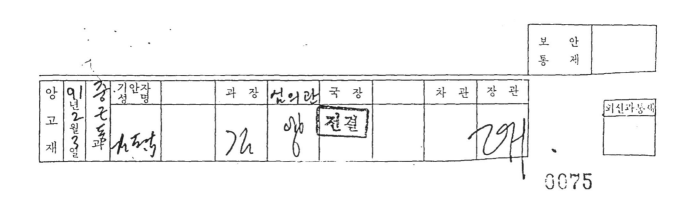

앙 고 재	91년 2월 3일	기안 자 성명 중군 도과	과 장 가	심의관 양	국 장 전결	차 관	장 관 영	외신과 통제

보 안 통 제

0075

관리
번호 91/310

외 무 부

종 별 :

번 호 : SKW-0097

수 신 : 장관(중근동, 아서)

발 신 : 주 스리랑카 대사

제 목 : 군수송단 파견

일 시 : 91 0213 1630

대:WSK-0060(91.2.13)

1. 대호 아국 군수송기건 당관명의 공한과 함께 금 2.13(수) 1530 주재국 외무부 의전장에 직접 전달 조치함.

2. 진전사항 추보 하겠음.

(대사 장훈-국장)

예고:91.6.30 일반 예고문에 의거 일반문서로 재분류 -

중아국   아주국   국방부

91.02.14   01:53
외신 2과 통제관 DO

0076

관리
번호 91/131

외 무 부

종   별 : 지 급

번   호 : SBW-0474   일   시 : 91 0213 1800

수   신 : 장관(중일,국방부)

발   신 : 주 사우디 대사

제   목 : 군수송단 파견

대:WSB-294,312

　　주재국 관계당국은 금 2.13 주재국 외무부를 통해, 대호 아국군수송기 사우디 영공통과 허용요청과 관련, 동수송기가 통과하는 바레인과 UAE 간 항로가 사우디영공으로부터 멀리떨어져 있어, 동수송기가 사우디 영공을 통과하지 않을것이라고 당 관에 통보하여 왔음을 보고함

　　(대사 주병국-국장)

　　예고:91.12.31 일반

검 토 필 (1991. 6. 30.)

중아국   국방부

PAGE 1   91.02.14   01:54

                                                    외신 2과 통제관 DO

                                                    0077

관리
번호 91/1323

외 무 부

종 별 : 긴 급

번 호 : SGW-0097

일 시 : 91 0213 1215

수 신 : 장관(중근동)

발 신 : 주 싱가폴 대사

제 목 : 군수송단 파견

대: WSG-0096

대호, 싱가폴 영공통과 허가를 금 1.13. 주재국정부에 긴급 공식 요청하였는바,
추보하겠음. 끝.

(대사-국장)

예고: 91.12.31. 일반

검 토 필 (199 91 . 6 . 30.)

중아국   국방부

외 무 부

관리
번호 PY/1312

종 별 : 지 급

번 호 : KAW-0047   일 시 : 91 0213 1520

수 신 : 장관(중근동,국방부,주파대사)(중계필)

발 신 : 주 카라치 총영사

제 목 : 군수송기 급유

연 KAW-0042(91.2.7)

1. 군수송기 당지 기착관련 급유 재확인등을 위하여 PIA 측과 재접촉하였으나 실무책임자들이 해외출장중이었기 동 유류를 PIA 를 매개로 하여 아측에 제공하는 석유회사 CALTEX 실무책임자와 접촉, 급유문제를 재확인하였는바 내용은 아래와같음.

가. 급유

파키스탄정부로부터 착륙허가만 득하기만하면 동착륙허가를 근거로 CALTEX 가 파키스탄 석유성(MINISTRY OF PETROLEUM)에 급유허가를 신청, 신청당일 급유허가를 받을수있다함.

나. 대금지불

동대금은 군의료지원단 기착시와 마찬가지로 KAL 측에서 PIA 뉴욕지사에 기착일시, 기종, 유류등급, 급유양등 필요사항을 전문요청하므로써 PIA.KAL 간 실시되고있는 양자 기존 합의에따라 현지(카라치)에서의 지불절차없이 처리될것이나 동지불 보증없이는급유할수없다함.

2. 본건관련 연호 등의와같이 본부에서 수송기 당지 기착확정시 KAL 측이 즉시 PIA 측에 전문요청하도록 사전조치바라며 대사관에서는 착륙허가교섭시 급유문제도 아울러 요청바람.끝.

(총영사 조규태-국장)

예고:91.12.31.일반   검 토 필 (198 91. 6. 30)

중아국   국방부

1 교기

수신: 외무부 장관

참조: 내성대책 반장

제목: 광료 수용산 관련 전로 송부

문 A: 국방부 장관

매 수: 2매

근무 계획 과장   〔서명〕

0080

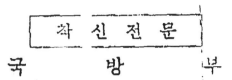

착 신 전 문

국 방 부

종 별 : 지급	암 호 수 신
번 호 : THW-0272	일 시 : 102071500
수 신 : 국방부장관(정보본부장)	
발 신 : 주태국무관	
제 목 : 군수송단사우디파견관련	

대 : WTH-0195(2.3일, 외무부)

1. 대호건 공군수송요원의 태국기착간 태 공군사령관의 특별배려로 돈무영 국제공항의공군 경비연대 막사를 사용토록 조치중이며, 아측공군요원에 대한 경비 및 간단한 음료수도 제공 예정임.

2. 한편 태국 공군사령관은 2.21 24일 아 김포공항 관리공단장의 초청으로 방한예정임.

3. 무관주기

태 공군사령관은 취임과 동시 타이항공(국영) 회장 및 태 신역의 공항관리 책임자에 자동겸직되는 등의 위상을 고려, 아래사항이 군사 및 국가외교에 기여할 것으로 판단건의함.

- 아 공군요원의 대국 기착간 태 공군사령관의 조치에 대한 아 공군총장 명의의 사의표시 서한 발송.

- 태 공군사령관의 방한간 가급적 아 공군총장과의 자연스런 접촉. 끝.

착 신 전 문

무 운	기 획 실	장 관 실	판 실	외 장 실	청 화	육 군
1 과 ✓ 무 연	기관실장	1차관보	3 국	안 기 부	해 군
2 과 △ 수 존	정 기 판	2차관보	5 국	보 안 사	공 군 ◎
3 과 △ 기 정	인 사 국	수 국 ○7 국	국 방	연 한 사
정 경 정 보	방 산 국	업관실	제 조 실	국 과	국 대 원

PAGE 1

0081

1800

호
1991. 2. 07

NO.354 P.02   91-02-13 16:12   KUKBANG

착 신 전 문

국 방 부

암 호 수 신

증   별 : 긴급
호 : THW-0300   일   시 : 102121330
신 : 국방부장관
신 : 주태국무관
목 : 공군수송단파견

　　대 : WTH-0195(2.3 : 외무부), 0223
　　연 : THW-0272, 0276, 0289, 0290

1. 대호건 주재국 외무성, 최고사 및 공군사령부와 주재국 공항사용 및 영공통과
   관 협조 완료하였으며, 공군사령부는 아 공군요원에 대한 숙소제공 및 경호지원과
   항공기에 대한 연료 및 정비동의 지원을 협조하였음.

　　- 주재국 이착륙 인가번호 : MOD 0312.4/613
　　- 연료대금은 추후 대사관에서 지불.
　　- 공항사용은 돈무앙 국제공항의 군용터미널 WING 6 사용.
　　- 숙소는 공군 대공포연대 막사 사용.
　　- 공항-숙소간 공항버스 지원. 끝.

착 신 전 문

무 운	기 획 실	장 관 실	차 관 실	외 장 실	청 와 대	육 군
1 과	✓무 연	기획신장	1차관보	3 국	안 기 부	해 군
2 과	수 전	정기관	2차관보	5 국	보 안 사	공 -군
3 과	기 정	인사국	군수국	7 국	국방연	연 합 사
경 경	정 보	방산국	사업환실	지조심	국과연	국 대 원

PAGE 1

0082

항공기 명단

구분 / 항공기	조종사 (16)	항법사 (8)	정비사 (10)	적재사 (10)	탑승 인원
1 번기 (#5181) (9)	중령 김영근 (사21) 소령 고성욱 (사31) 중위 김희준 (사36)	소령 함종희 (2사43) 소위 안병규 (사38)	상사 정우민 (기 4) 중사 한병무 (기16)	상사 최용철 (하 93) 하사 장용철 (기17)	37
2 번기 (#5183) (8)	소령 김산수 (사30) 대위 박수설 (사33) 중위 송석로 (사36)	대위 이기배 (학13)	상사 전봉치 (하112) 상사 고경식 (하130)	상사 O정식 (하 88) 중사 장여선 (기16)	37
3 번기 (#5185) (9)	중령 신승덕 (사26) 대위 이창우 (사35) 대위 임태종 (사35)	소령 유현주 (2사4) 소위 이동규 (사38)	상사 김상한 (기 4) 중사 이후희 (하119)	상사 장서영 (기 5) 중사 미상섭 (하128)	29
4 번기 (#5186) (9)	소령 김석춘 (사29) 대위 김창림 (사33) 대위 서희창 (사34) 대위 고소연 (학14)	소령 김진수 (사31)	상사 최대성 (하113) 중사 김소하 (하125)	상사 정은우 (기 2) 중사 김덕산 (기13)	29
5 번기 (#5178) (9)	소령 류고점 (사31) 대위 이해원 (사34) 대위 도규진 (사35)	대위 원광문 (학14) 중위 지기상 (학16)	상사 김작수 (하 93) 상사 김영일 (하112)	상사 배녕규 (하113) 중사 심기덕 (기11)	29
예비기 (#5180) (10)	중령 권기순 (사22) 중위 강대회 (사25) 대위 이수문 (사34) 대위 강준 (사35)	대위 이선근 (학14) 소위 이정선 (사38)	중위 장원준 (유38) 상사 이종수 (하 93)	상사 홍대용 (하94) 하사 신O호 (기18)	
예비기 (#5179) (10)	중령 김상득 (사26) 소령 강신유 (사27) 대위 이성우 (사33) 중위 정현호 (사36)	대위 진신택 (2자7) 대위 김대진 (학13)	상사 최창만 (자 7) 상사 윤회육 (하106)	상사 정대식 (하61) 중사 김진욱 (하128)	

• 총파견인원 : 15X명

• 총탑승인원 : 156명 (승무원 : 44명, 승객 : 110명, 비공 : 2명)
  • 제1편대 : 74명 (1.2번기)
  • 제2편대 : 82명 (3.4.5번기)

• 승객 명단은 추후 보고

외 무 부

종 별 : 지 급

번 호 : BMW-0092

일 시 : 91 0214 1730

수 신 : 장관(중근동,아서)

발 신 : 주 미얀마 대사

제 목 : 군수송단 파견

대:WBM-0043

연:BMW-0082

연호 주재국 ACC 측과 접촉 아래 영공통과 허가번호를 받음

-아래-

ATS(I)35/3-55/FEB 91/11

(대사 김향경-국장)

예고:99.6.30 일반
의거 일반문서로

중아국	장관	차관	1차보	2차보	아주국	청와대	안기부	국방부

PAGE 1

91.02.14   22:50

외신 2과 통제관 DG

0084

외 무 부

종   별 : 지급

번   호 : SKW-0102   일   시 : 91 0215 1700

수   신 : 장관(중근동,아서)

발   신 : 주 스리랑카 대사

제   목 : 군수송단 파견

대:WSK-0060

연:SKW-0097

　　1. 대호 아국 군수송기건, 주재국 외무부는 금 2.15(금) 오후 허가를 공식 봉보해
왔음. 허가번호는 아국 군수송기의 호출번호와 동일함.(즉 KAF81, KAF83,KAF85,
KAF86, KAF78 임)

　　2. 상기관련, 주재국 석유공사측 문의 이오니 동 회사측의 연료공급에
대한지불방법 시기등 관련 참고 사항 회시바람.

　　(대사 장훈-국장)

예고:91.6.30 일반

중아국　　아주국

발 신 전 보

WND-0142　　910216 1602　DY　　종별 : 긴급

번　호 :

수　신 : 주 인 도　　　대사. 송영식// (사본 : 주파키스탄, 스리랑카 대사)

발　신 : 장　관　(중동1)

제　목 : 군수송단 파견

연 : WND-0115

대 : NDW-0235

1. 연호, 군수송단이 골롬보를 경유케 됨에따라 귀지 영공 통과시간
및 지점이 아래와 같이 변경 되었는바, 영공통과 허가 조치 바람.

　　　가. 방콕-콜롬보 (GMT)

　　　　　방콕　출발　　02:00 Z (20일, 21일)

　　　　　VBRR　진입　　02:40 Z (20일, 21일)

　　　　　VOMF　진입　　03:52 Z (20일, 21일)

　　　　　VCCC　진입　　06:22 Z (20일, 21일)

　　　　　콜롬보 도착　07:40 Z (20일, 21일)

　　　나. 콜롬보-알아인 (GMT)

　　　　　콜롬보 출발　09:40 Z (20일, 21일)

　　　　　VOMF　진입　　10:04 Z (20일, 21일)

　　　　　VABF　진입　　12:13 Z (20일, 21일)

　　　　　OOMM　진입　　15:32 Z (20일, 21일)

　　　　　알아인 도착　17:00 Z (20일, 21일)

2. 출발 일정등 기타 자료는 연호와 동일 함.　　끝.

예 고 : 91. 12. 31. 일반　1991. 6.30 예고 예
의거 일반문서로 재분류됨

<table>
<tr><td rowspan="2">앙고재</td><td rowspan="2">91년 2월 16일</td><td rowspan="2">중동1과</td><td>기안자
성 명</td><td></td><td>과 장</td><td>신익관</td><td>국 장</td><td></td><td>차 관</td><td>장 관</td></tr>
<tr><td></td><td></td><td></td><td></td><td>전결</td><td></td><td></td><td></td></tr>
</table>

보 안 통 제

외신과통제

0086

P-81-161440

국 방 부

군 계 24411-81   1991. 2. 16
                                    (1면)

수 신 외무부 장관

참 조 비상대책 반장 (중근동 과장)

제 목 주 소리광카 대사관 근무적물 보충 요청

　　1. 관련전제 : 9KW-0100Z (91. 2. 15) 군 수송단 다전

　　2. 위 전제에 의거 소리광카로 부터 요청해 온 연료

공급에 대한 대금 지불은 주 소리광카 대사관에서 지불 보증을

하고 공급받 수 있도록 필요한 조치를 취해 주시기 바랍니다. 끝

현금 상관

즉 아당시가격

국 방 부 장 관

0087

분류번호	보존기간

발 신 전 보

WSK-0062   910216 1903 CT   종별: 긴급

번 호 :

수 신 : 주 스리랑카   대사 · 총영사

발 신 : 장 관 (중동일)

제 목 : 군 수송단 파견

대 : SKW - 0102

군수송단 급유 대금은 귀관이 주재국 석유 공사에 지불 보증 해주면,
국방부에서 예산조치가 끝나는대로 조속 귀관앞으로 송금한다 하니 적의 조치 바람.

(중동아국장   이 해 순)

예고 : 91. 12. 31. 일반

91. 6. 기

	보 안 통 제	

앙 고 재	91년 2월 16일	중동1 과	기안자 성 명		과 장	심의관	국 장		차 관	장 관	외신과통제
							전결				

0088

발 신 전 보

분류번호	보존기간

번 호 : WSG-0106   910218 1136   ER   종별 : 긴급   WND-0144

수 신 : 주 수신처 참조   /대/사// /총/영사/

발 신 : 장 관 (중동일)

제 목 : 군수송단 파견

대 : SGW-0097

연 : WND-0142

군수송단은 예정대로 출발 예정이니 연호 주재국 영공 통과 허가 여부 확인 지급 바람.

(중동아프리카국장 이 해 순)

수신처 : 주 싱가폴, 인도 대사

예 고 : 1991.12.31. 일반

91. 6. 30 정도 연

보안통제	2h

앙고재 91년 2월 18일 중동과	기안자 성명		과 장 7h	심의관	국 장		차 관	장 관	외신과통제

0089

외 무 부

종 별 : 초긴급

번 호 : SGW-0100

수 신 : 장관(중동일)

발 신 : 주 싱가폴 대사

제 목 : 군수송단 파견

일 시 : 91 0218 1210

연: SGW-97

대: WSG-96,106

1. 당관은 지난 2.13. 대호전문 접수하고 동일자로 즉시 주재국 정부에 긴급 요청한바 있음.

2. 주재국 관계당국은 당관의 긴급요청에 따라 2.14. 부터 구정 연휴기간임에도 불구하고 관계기관 협의를 갖고 금 2.18. 오전 우선 구두로 영공봉과를 허가한다고 통보하면서 공한은 금일중 발송하겠다고 알려왔음. 끝.

(대사-국장)

예고: 91.12.31. 일반

중아국   국방부

91.02.18   13:34

외신 2과 통제관 BW

0090

	분류번호	보존기간

발 신 전 보

001-91-11-601601
604392
604845

WND-0148   910218 1649 ER   종별 : 김중

수 신 : 주   인도   대사. 총영사/

발 신 : 장 관   (중동일)

제 목 : 군수송단 파견

연 : WND-0142, 0106

대 : NDW-0235

1. 연호 군수송단의 귀지 영공 통과 AIR WAY는 아래와 같은바 영공 통과 허가

   조치하고 결과 지급 보고 바람.

   ○ AIRWAY

   방콕 → TANEK → G 465 → 콜롬보 → G 462 → 알아인

2. 출발 일정 및 FIR은 연호와 동일함. 끝.

(중동아국장   이 해 순)

예 고 : 1991. 6. 30. 에 일반
의거 일반문서로 재분류

보안통제 : 김중

앙 고 재	91년 2월 18일 중동과	기안자 성명 한종희		과 장 김	심의관 국 장		차 관	장 관

외신과통제

0091

관리
번호 91/1328

외 무 부

종   별 : 초긴급

번   호 : NDW-0282

일   시 : 91 0218 1530

수   신 : 장관(중동일)

발   신 : 주 인도 대사

제   목 : 군수송단 파견

대:WND-0115(1), 0142(2)

연:NDW-0235

1. 대호 관련, 당관이 주재국 외무부및 공군본부측과 협조한데 대해 주재국측은 상부재가에 필요하다고 하면서 대호(2) 영공통과지점외에 연호 보고와 같이 이용항로 명칭을 알려줄 것을 요청해 온바, 국방부측과 협조, 긴급 회시바람.

2. 주재국 외무부측에 의하면, 그간 정치쟁점이 되어 온 미군용기 급유문제로 인해 외국군용기에 대한 영공통과 허가여부도 사안별(CASE-BY-CASE)로 검토 결정하도록 지침이 시달되어 있기 때문에 운항관련 정보가 정확하게 제공되어야 상부재가를 득할수 있다고 함.

    가. CHANDRA SHEKHAR 주재국 수상은 작일 기자회견을 통해 일반국민및 주요정당의 반대여론을 고려, 미군용기에 대한 급유지원을 중단하겠다고 밝힌바 있음.

    나. 당관으로서는 걸프사태와 관련한 외국군용기의 운항에 대한 주재국내 여론의 민감성을 감안, 주재국 외무부측에 아국 군수송기의 영공통과 허가를 당관 공한 첨부, 요청하면서 다음과 같이 통보하였음을 참고로 보고함.

    0 수송기 탑재화물은 없으며, 탑승인원은 군기술요원임.

    0 운항목적은 '비전투분야 수송기술요원의 운송'임.

    (대사 김태지-국장)

예고:91.12.31. 일반

중아국   국방부

91.02.18   19:42

외신 2과 통제관 DO

0092

외 무 부

종 별 : 지 급

번 호 : PAW-0206 일 시 : 91 0218 1200

수 신 : 장관(중동1)

발 신 : 주 파 대사

제 목 : 군수송단 파견

대 WPA-131

대호, 항공일정 변경을 2.17(일) 주재국 외무성에 공한으로 통보하고, 주재국 영공통과 허가신청한바, 발급되는대로 보고위계임.끝.

(대사 전순규-국장)

예고 91.12.31 일반

91. 6. 30 검토

중아국   국방부

분류번호	보존기간

발 신 전 보

WTH-0266   910218 2137 DQ   종별 : 긴급   WSK -0065   WAE -0138

번   호 :

수   신 : 주 수신처 참조   대사//총영사

발   신 : 장 관 (중동일)

제   목 : 직원 출장

1. 군수송단은 예정대로 2.19(제 1진), 20(제 2진) 서울을 출발 예정이며, 동 수송단의 ~~현지~~ 업무 협조를 위하여 본부 유시야 과장을 2.19-26간 파견하니 호텔 예약(방콕 1박, 콜롬보 1박, UAE 4박, 싱글 1실) 및 제반 업무 협조 바람.

2. 유 과장은 2.19 제1진 (수송기편)으로 출국, 콜롬보에서 1박후 2진응 만나 2.21 말아인 도착 예정임.   (수송기편)

(중동아국장 이 해 순)

수신처 : 주 태국, 스리랑카, UAE 대사
예 고 : 91의거 6.30 일반문서일반 하람

	보안통제	74

앙고재	91년 2월 8일 중동일과 서현	기안자 성명		과 장	심의관	국 장		차 관	장 관	
										외신과통제

0094

발 신 전 보

번 호 : WPH-0136   910219 1014 BX   종별 : 긴급

WTH -0267   WSK -0066
WAE -0139

수 신 : 주 수신처 참조   대사//총영사

발 신 : 장 관   (중동일)

제 목 : 군 수송단 파견

1. 군수송단 제 1진 C-130기 2대 (72명 탑승)는 예정대로 2.19. 06:00
서울을 출발하였음.

2. 동 수송단의 귀지 도착 및 이상 유무 보고바람.

(중동아국장   이 해 순)

수신처 : 주 필리핀, 태국, 스리랑카, UAE 대사

예 고 : 90.6.30.일반
의거 ...

	보 안 통 제	7h

	91년 2월 13일	종료	기안자 성명		과 장	심의란	국 장		차 관	장 관	
앙 고 재					7h						외신과동제

관리 번호	이 -1750

외 무 부

종 별 : 초긴급

번 호 : NDW-0293

수 신 : 장관(중동일)

발 신 : 주 인도 대사

제 목 : 군수송단 파견

일 시 : 91 0218 2015

중동일

대: WND-0115,0142,0144,0148

연: NDW-0235,0282

대호, 아국 군수송기의 주재국 영통통과 허가번호는 AOR 550 및 551(2.20 및 2.21
일 동일번호 사용)임.

(대사 김태지-국장)

예고 : 91.6.30. 일반예고
근거 일반문서로 재분류

중아국   국방부

PAGE 1

외 무 부

종 별 : 긴 급

번 호 : PHW-0243

일 시 : 91 0219 1200

수 신 : 장관(중일,아동,국방부) 사본:주태국대사(중계필)

발 신 : 주 필리핀 대사

제 목 : 군수송단 파견

대:WPH-97,136

　　대호 군수송단 제 1 진 C-130 기 2 대는 예정보다 1 시간 당겨 2.19(화)
12:00(필리핀시간)에 당지 CLARK 공군 기지를 출발하였음.

　　(대사 노정기-국장)

　　예고:91.12.31. 일반

중아국　　아주국　　국방부

PAGE 1

원 본

외 무 부

종 별 : 초긴급

번 호 : NDW-0294

일 시 : 91 0219 1250

수 신 : 장관(중동일)

발 신 : 주 인도 대사

제 목 : 군수송단 파견

연:NDW-0293

1. 금 2.19 오전 주재국 공군본부측은 작일 부여된 연호 허가번호가 주재국외무부측의 동의없이 이루어진 것이므로 외무부측의 동의를 얻을 때까지 당분간 취소하겠다고 통보해 옴.

가. 상기에 대해 당관은 공군본부에서 외무부 동의를 포함한 내부절차를 완료한 이후에 허가번호를 부여해 온 것이 주재국측의 관례였음을 지적하면서 작일의 허가번호를 통보받을 당시에도 외무부 동의를 받았는지 여부를 누차 확인한바있음을 상기시키고 동 허가번호 취소가 의외임을 지적함.

나. 연이나, 공군본부측은 자신들로서는 외무부측에서 동의하지 않는 한 허가번호를 부여할수 없음을 양지해 달라는 요청만 반복함.

2. 상기에 따라 본직은 동문제에 대해 외무부측의 실무책임을 맡고 있는 SHYAM SARAN 동아국장과 지금 접촉, 상기 경위를 설명하고 특히 작일 허가번호 부여에 따라 아측 수송기는 이미 서울을 출발했을 것이기 때문에 이제와서 허가번호를 취소한다면 아측에게는 매우 당혹스런 일임을 지적한바, SARAN 국장의 반응은 다음과 같음.

0 허가번호 부여에는 관계부처 협조및 상부재가가 필요하기 때문에 절대적으로 소요되는 시간이 있는데, 어떻게 공군본부측에서 작일 허가번호를 부여하였는지 자신으로서도 경위를 알아보겠음.

0 외무부로서는 유사한 요청이 한국뿐만 아니라 여타 국가로부터도 와 있기때문에 이에대한 정부방침을 묶어서 검토해야 할 입장임.

0 따라서 동검토에는 다소 시간이 소요될 것으로 예상하고 있으나, 한국측의 사정을 유념해서 조속히 답변을 줄수 있도록 노력하겠음.

0 본직은 아측 수송기가 이미 서울을 떠났으며 명일에는 인도영공을

중아국	장관	차관	1차보	2차보	국방부		

91.02.19 19:13

외신 2과 통제관 BA

0098

봉과할계획임을 상기시키고 금일중 허가조처를 취하여 주기를 재차 요청함.

　3. 한편, 본직은 작일 저녁늦게 외교단 리셉션에 참석 한바, 당지뉴질랜드 대사는 본직에게 와서 다음과 같이 언급한바 있음.

　가. <u>뉴질랜드도</u> 비전투요원 탑승 군용기의 다음주 인도영공 봉과를 위해 봉과계획 2 주전에 신청해야 한다는 인도측 방침에 따라 지난주에 인도측의 동의를요청해 놓고 있음.

　나. 리셉션 참석전인 오후 6 시경 상기 신청에 대하여 외무부의 담당국장(동남아및 대양주국)은 영공봉과를 하는 경우에는 <u>인도에 한번 기착(단, 급유는 불가)해야 한다는</u> 것이 인도의 입장이라고 하면서 유사한 요청이 싱가폴및 한국으로부터 와 있는데 같은 내용의 방침이 봉고될 것이라고 하였음.

　4. 상기 관련, 본직은 금일 오전 <u>당지 싱가폴 대사와 접촉</u>한바, 동대사는 다음과 같이 언급함.

　가. 싱가폴은 걸프전 발발직후 군의료진 파견을 위해 한국측과 마찬가지로 영공봉과및 급유지원 요청을 하였으나, 인도측의 급유불가 방침에 따라 포기한바있음.

　나. 스리랑카측에도 급유지원 가능성을 타진하였으나 여렵다고 하여 디에고가르시아를 이용하였으며, 이에따라 인도영공도 봉과하지 않았음.

　다. 자신으로서는 앞으로 상기 요원의 교체와 관련, 다시 수송의 필요가 있을 것으로 예상하고 있음.

　5. 당관으로서는 외무부측에 대해 허가절차를 <u>금일중 완결해 줄것을 계속 강하게 요청할 계획이나, 걸프사태에 대한 주재국의 중립적 태도및 외국군용기의운항에 관한 주재국 여론의 민감한 반응등을 감안,</u> 허가조치가 지연될 가능성에 대비바람.

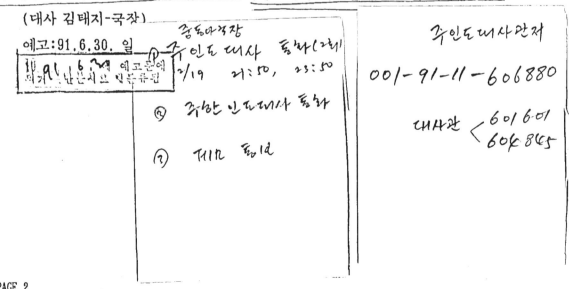

(대사 김태지-국장)

예고:91.6.30. 일

PAGE 2

외　무　부　　　　　　　　　　　　　원　본

종　별 : 초긴급

번　호 : NDW-0298　　　　　　　　　일　시 : 91 0219 2100

수　신 : 장관(중동일)

발　신 : 주 인도 대사

제　목 : 군수송기의 인도영공 통과

　　연:NDW-0293,0294

　　1. 본직은 금일 표제관련 주재국 외무부 책임자인 SARAN 동아국장및 MEHROTRA 외무차관에게 조속한 허가조치를 계속 독촉하면서 적어도 인도 공군본부측의허가번호 부여에 따라 서울을 이미 출발한 아측 수송기에 대해서는 책임을 져서 금일중 대책을 마련해 주어야 한다는 점을 강하게 지적한데 대해, SARAN 국장은 금일 저녁 늦게(당지시간 20:15) 다음과 같이 통보해 옴.

　　가. 비행정보구역 통과에도 관제국가의 허가가 필요함. 다만, 서울을 이미 출발, 방콕에 도착해 있는 한국 군수송기에 대해서는 인도도 다소의 책임이 있으므로 명일 인도영공을 통과하지 않고 우회해서 비행정보구역만 통과함을 허용하겠음.

　　나. 서울을 아직 출발하지 않고 있는 한국 군수송기는 인도정부의 검토가 완결될 때까지 기다려 주기 바람.

　　2. 상기에 따라 제 1 진 비행기의 운항루트를 FIR 만 통과하는 것으로 수정, 긴급 회시바람.

　　(대사 김태지-국장)　　　　　　　　　　토라허가 NDW-3C

　　　　　　　　　　　　　　　　　　　　　22:40

예고:191.6.30. 일반예고
이거 일반문서로 재분류됨

　　　　중계 : 주일본, 태국, 스리랑카, UAE, 대사

중아국　　2차보　　국방부

외 무 부

종   별 : 긴 급

번   호 : THW-0349 　　　　　　　일   시 : 91 0219 1740

수   신 : 장 관(중일)

발   신 : 주 태 국 대사

제   목 : 군수송단 도착보고

　　　대 : WTH-0267

　　　대호 군수송단 제 1 진 C-130 기 2 대는 금 2.19 16:50 당지 공군기지에
도착하였음

　　　(대사 정주년-국 장)

　　　예고 : 91.6.30 일반

　　　　　　19   예고에
　　　　　　의거   으로 대분류함

중아국 　　국방부

PAGE 1 　　　　　　　　　　　　　　　　　　　　91.02.19 　　20:23

　　　　　　　　　　　　　　　　　　　　　　　외신 2과 통제관 CH

　　　　　　　　　　　　　　　　　　　　　　　　0101

관리
번호 P1/370

원 본

외 무 부

종 별 : 지 급

번 호 : SKW-0109   일 시 : 91 0219 1800

수 신 : 장관(중동,아서)   WTH-0275

발 신 : 주 스리랑카 대사 (사본: 주태국대사

제 목 : 군수송단 경유

대:WSK-0062,65,66
연:SKW-0102

1. 대호 군수송단 당지 기착시 필요한 편의제공을 위하여 당관 정참사관 및파견관을 공항에 파견, 동수송단을 돌보도록 조치함.

2. 대호(WSK-0062) 에 따라, 군수송단 급유 대금(JET A-1, 갤론당 2 불 25 센트임)에 관하여 주재국 석유 공사앞 당관의 보증서를 제출하였음. 주재국측은 동 수송단 당지 경유시 지상조업등 관련 비용은 동 수송단이 주재국 관계기관에 직접 현금 지불토록 요청하고 있으니 필요 조치바람.

3. 대호(WSK-0065) 유시야 과장의 2.20(수) 당지 1 박을 위하여 TAJ 호텔을예약 하였음.

(대사 장훈-국장)

예고:91.6.30 일반 예고
의거 일반문서로 재분류

중아국   2차보   아주국   국방부   주태국대사

91.02.19   21:52
                                        외신 2과   통제관 CH
                                              0102

원 본

외 무 부

종 별 : 긴 급

번 호 : PAW-0214

일 시 : 91 0219 1800

수 신 : 장관(중동)

발 신 : 주 파 대사

제 목 : 군수송단 파견

연 PAW-206

1. 연호, 주재국 외무성은 현재 한국을 비롯 동 영공통과를 신청중인 국가들에 대해 원칙적 결정을 내려야 하는 입장이나 수상및 외상의 해외방문에 따른 업무폭주로 아직 결정을 내리지 못하고 있다고 함.

2. 당관은 명일(2.20)아침까지 동 허가하여줄것을 거듭 강력히 요구하고 있으며, 허가 즉시 본부와 주스리랑카 대사관에 통보위계임.

3. 콜롬보 출발후 파키스탄 영공을 통과하는지 아니면 영공외곽의 FIR 통과하는 여부및 FIR 통과시 사전승인또는 통보 의무만이 필요한지 여부를 참고로 알려주시기 바람. 끝.

(대사 전순규-국장)

예고 91.12.31 일반

91. 6. 31 까스 재

중아국   2차보   국방부

PAGE 1

외 무 부

종 별 : 긴 급

번 호 : THW-0351

일 시 : 91 0219 2100

수 신 : 장 관(중일,사본:주필리핀대사:중계필)

발 신 : 주 태 국 대사

제 목 : 군수송단 경유

대 : WTH-266,267

1. 대호 군수송단 제 1 진 2 대는 필리핀 클라크 기지를 출발 금 2.19 16:50 당지 공군기지에 도착함

2. 본직은 무관, 정참사관, 무관보 와 함께 군수송단 도착시 공항출영 이들을 격려하였음

3. 수송기 2 대는 도착직후 급유를 받았으며 수송단원들은 대외보안 노출방지를 위해 공군기지 인근에 위치한 대공포 연대 장병숙소에 부숙하였음

(대사 정 주년-국 장)

예 고 : 91.6.30. 일반예고 에
의거 인만문서로 재분류

중아국   2차보   국방부

91.02.19   23:27

외신 2과 통제관 CH

0104

외 무 부

종   별 : 초긴급

번   호 : NDW-0300   일   시 : 91 0219 2305

수   신 : 장관(중동일) 사본:주태국대사-본부중계필

발   신 : 주 인도 대사

제   목 : 군수송기 인도 FIR 통과

연:NDW-0298

연호, 주재국 공군본부측은 금 2.19 22:40(당지시각) 아측 군수송기 제 1 진의 FIR 통과번호및 비행루트를 아래와 같이 수정, 허가함을 통보해 옴.

1. 통과허가번호: AOR 564 및 565

2. 비행루트:

BANGKOK-MADRAS   FIR   LINPO-G465-LULDA-PORT   BLAIR
VOR-ATIDA-BUGOS-PTAPONI-BATTICALOA   VOR-COLOMBO-G462-TRIVANDRUM
VOR-MIKE-KAGLU-ENKAR-GULKA-DEMON-VERLA-EXIT BOMBAY FIR AT POINT LAMA-ALAINE

(대사 김태지-국장)

예고:91.6.30. 일반
(예고문에 의거 일반문서로 재분류됨)

중계:주 UAE, 스리랑카 대사

중아국   2차보   국방부

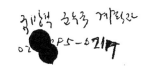

 506-3113
7645/7

外務部 걸프事態 非常對策 本部

송료건 : 31P8·/
(26)

題目: 각국 영공 통과 및 기착 여부.   1991.

('91. 2. 18~20 5(C-130))

국 명	영공통과	기착	연료보급		본시간로	기타
일 본	○	-	-		JAW-058P 91026 1624	통과사실 통보.
대 만	○				CHW-025K 91027 1530	
필 리 핀	○				PHW-0184 P1026 1645	클라크 76,% 기용
인 도 네 시 아	✓ ○				DJW-058 P1027 1640	2기/40/2時/4/ D
말 레 이 시 아	○				MAW-024 91.027 1314	특별기 허가없으도 통과
스 리 랑 카	○		○		SKW-059 91026 1115	
인 도	○		✗		NDW-023F 91026 1166	• 이동기 공수 ROUTE 32점 • FIR통과지점/시간 변경
태 국	○	THW-0062 91026 1830			THW-0300	허가번호 MKD-0512-4-613
파 키 스 탄	✗					
미 얀 마	○	ATS(E) 35/3-5/FEB 91/11 708			PMW-0032 91.025 1756	AFTN 접수후 허가번호 통보하겠다고함
오 만	○				CMW-035 90.0211 REC	허가번호 DEC-44-43
U A E	○		740		AEW-0061 P1026 1665	구체명 추후 통보
바 레 인	○					
사 우 디	○	T				
미 국	○ ✓	↗				
싱 가 폴	✓					

政府綜合廳舍 810號   電話 : 730-8283/5, 730-2941. 6. 7. 9, (구내) 2331/4, 2337/8   Fax : 730
0106

분류기호 문서번호	군계 24411 - 333	기 안 용 지 (전화 :)		시 행 상 특별취급	
보존기간	영구·준영구. 10. 5. 3. 1.				
수 신 처 보존기간	1 년				
시행일자	1991. 2. 20				

보조기관	국 장		협조기관		문 서 통 제
	차 장				FAX 730-8286
	과 장				
기안책임자	중령 박				반 송 인

경 유 수 신 참 조	외무부 장관 걸프사태 대책 본부장	발신명의		FAX 1991. 2. 20 전문통제관

제 목	공군 수송기 운항노선 변경 협의 (외무)

1. 관련근거 : NDW-0294 (91. 2. 19) 군수송단 파견

2. 위관련 근거에의거 군항공기의 인도영공 통과문제를 해결하기

   위하여 ~~와같이~~ 항로를 일부 조정하여 당초 계획대로 목적지로
   첨부

   항발할수있도록 인도 정부와 협조를 요망합니다.

3. 상기 변경 운항노선에대해 주인도대사와 유선으로 기협조 되었음을

   첨언합니다.

   첨부1. 변경 노선 1부

   끝

1505-25(2-1) 일(1)갑
85. 9. 9. 승인   "내가아낀 종이 탄장 늘어나는 나라살림"
190㎜×268㎜ 인쇄용지 2급 60g/㎡
가 40-41 1989. 12. 7.
P.1
9362 SI:60 16. 02 834
FEB 20 '91 03:15 2966
0107

첨부 : 비행노선

1) 제 1 군

가) F.I.R 통과시간

- BANGKOK → COLOMBO (소요시간)

BANGKOK → ... → COLOMBO

- COLOMBO → ... ... (소요시간)

COLOMBO → ...

나) ... ...

- COLOMBO → ... → (...) → (...)

→ ... → ... → SILANA...

2) 제 2 군

- BANGKOK → COLOMBO) ...

- COLOMBO → ... ... (소요시간)

COLOMBO → ...

0108

0109

	분류번호	보존기간

발 신 전 보

WND-0152   910220 0350 CG

번 호 :   종별 : 초긴급

WTH -0277   WSK -0068

수 신 : 주 인 도   대사/총영사 (사본 : 주태국, 스리랑카 대사)

발 신 : 장 관 (중일)

제 목 : 군수송단 파견

대 : NDW - 0298

　　　대호 2항 수송단 제2진 운항 루트 별첨 통보하니 주재국 FIR 통과
허가 조치 바람. 끝.

　　　　　　　　　　　　　　　　　　　(중동아국장 이 해 순)

예고 : 91.12.31. 일반

91. 6. 30 강호제

		기안자 성 명		과 장		국 장		차 관	장 관	보 안 통 제	
앙 고 재		중동과									외신과통제

0110

첨부 : 변경 노선

1) 제 1 안

가) FIR 통과시간

- BANGKOK → COLOMBO (4+41)

20일 02:00Z
20일 09:00L   YANGON   MADRAS
BANGKOK → VBRR/20일 02:25Z → VOMF/20일 03:4Z

COLOMBO
→ VCCC/20일 05:30Z → COLOMBO
    20일 06:41Z
    20일 12:11L

- COLOMBO → AL AIN (6+50)

20일 08:40Z
20일 14:10L   MADRAS   BOMBAY
COLOMBO → VOMF/20일 09:4Z → VABF/20일 10:33Z

  MUSCAT   BAHRAIN
→ OOMM/20일 13:50Z → OBBB/20일 15:11Z

→ AL AIN
20일 15:30Z
20일 19:30L

나) 비행 경로

- COLOMBO → (N 07-14.4 → (N 07-18.4 → (N 07-22.0
             (E 078-36.9   (E 077-21.8   (E 076-11.0

→ MIKE → G462 → ALAIN.

2) 제 2 안

가) FIR 통과시간

- BANGKOK → COLOMBO ; 1안과 동일

- COLOMBO → AL AIN (7+10)

20일 08:40Z
20일 14:10L   MADRAD   BOMBAY
COLOMBO → VOMF/20일 08:56Z → VABF/20일 10:35Z

  MUSCAT   BAHRAIN
→ OOMM/20일 14:15Z → OBBB/20일 15:33Z

→ AL AIN   0111
20일 15:50Z
20일 19:50L

나) 비행 경로

- COLOMBO → $\begin{pmatrix} N\ 07\text{--}14.4 \\ E\ 078\text{--}36.9 \end{pmatrix}$ → $\begin{pmatrix} N\ 07\text{--}18.4 \\ E\ 077\text{--}22.8 \end{pmatrix}$ → $\begin{pmatrix} N\ 07\text{--}22 \\ E\ 076\text{--}11 \end{pmatrix}$

→ $\begin{pmatrix} N\ 10\text{--}00.0 \\ E\ 071\text{--}05.0 \end{pmatrix}$ → ENKAR → G462 → AL AIN

	분류번호	보존기간

발 신 전 보

WJA-0720   외 별지참조   종별: 긴급.

번   호 :

수   신 : 주 수신처 참조   대사. 총영사

발   신 : 장 관 (중동일)   910220   0827

제   목 : 군 수송단 파견

1. 1.20. 06:00 (서울시간) 서울 출발 예정 이였던
   군수송단 제2진은 인도 정부의 인도 FIR 통과 방침
   미 결정으로 출발을 보류 하였음을 우선 중간 통보함.

2. 군수송단 제2진의 서울 출발 및 기지 통과 비행 일정은
   추보 위계임. 끝.

                              (중동아 국장 이 해순)

예고: **91.6.30.에 일반**
의거 일반문서로 재분류

수신처 : 주 일본, 주 대만, 주 필리핀, 주 인도네시아, 주 말레이지아
       주 스리랑카, 주 태국, 주 미얀마, 주 오만, 주 U.A.E.
       주 사우디 대사. 주 싱가폴

	보 안 통 제	ℛ

앙 고 재	91 년 1 월 20 일	중 동 1 과	기안자 성명 주보우		과 장		국 장 의명		차 관	장 관 이에		외신과통제

0113

WJA-0720   910220 0827 FK

WCH -0128 WPH -0140 WDJ -0187 WMA -0177 WSK -0071
WTH -0280 WBM -0054 WOM -0073 WAE -0145 WSB -0384
WSG -0114

0114

발 신 전 보

WTH-0279   910220 0826   FK   종별: 긴급

수 신 : 주 태국, 스리랑카 대사. ~~홍성녀~~ (유시야 과장: 사본)   WSK 0070

발 신 : 장 관 (중동일)

제 목 : 군 수송단 파견

군 수송단 제2진 출발이 연기됨에 따라

당초 콜롬보에서 1박후 제2진과 합류 예정이었던

본부 유시야 과장은 제1진과 계속 동행, UAE로

직행하는 것이 바람직한 것으로 판단되는 바,

이를 참고하여 일정 결정하고 결과 보고 바람.
끝.

(중동아국장 이 해 순)

예고 : 91.6.30 일반문서로 재분류됨

			보 안 통 제	乙

앙 고 재	91 년 2 월 2 일	중 동 일 과	기안자 성 명	과 장	국 장	차 관	장 관	외신과통제
					의명			

0115

외 무 부

종 별 : 초긴급

번 호 : THW-0352

일 시 : 91 0220 0800

수 신 : 장 관(중일,사본:주스리랑카대사(중계필)

발 신 : 주 태 국 대사

제 목 : 군수송단 경유

대 : WTH-0275(SKW-0109)

1. 대호 군수송단은 콜롬보 기착시 급유및 제반비용의 지불준비가 되어 있지 않다는바 본부에서 조치바람

2. 동 수송기가 콜롬보에서 도착직후 급유받을수 있도록 조치바람

(대사 정주년-국 장)

예고 : 91.6.30. 일반

중아국 국방부

PAGE 1

91.02.20 12:11

외신 2과 통제관 BW

0116

외 무 부

종 별 : 긴 급

번 호 : THW-0353   일 시 : 91 0220 0910

수 신 : 장 관(중일,사본:주스리랑카대사(중계필)

발 신 : 주 태 국 대사

제 목 : 군수송단 경유

대 : WTH-0267

군수송단 제 1 진 C-130 기 2 대는 예정대로 2.20(수) 0900(방콕시간)에 당지를
출발하였음

(대사 정주년-국 장)

예고 : 91.6.30 일반

중아국   국방부

분류번호	보존기간

발 신 전 보

WSK-0075   910220 1437 AO   종별 : 지급

번 호 :

수 신 : 주   스리랑카   대사 . 총영사

발 신 : 장   관 (중동일)

제 목 : 군수송단 파견

연 : WSK-0071

대 : SKW-0102

1. 제1진 2대는 예정대로 2.20.(수) 09:00 (방콕시간) 귀지 향발 하였는바,
   도착 직후 급유받을수 있도록 조치 바람.

2. 연호와 같이 군수송단 2진(3대) 출발일정 이 지연 ~~관계로~~ 귀주재국 영공통과 되고있어
   허가 및 급유 일정 ~~조정이 필요하나~~ 주재국과 ~~교섭~~ 조정 바람.

3. 제2진 서울 출발 및 귀지 운항 일정은 결정되는대로 추후 통보 예정임. 끝.

(중동아국장   이 해 순)

예 고 : 91.12.31. 일반

91. 6. 30까지

		보 안 통 제	

앙고재	91년2월20일 중동일과	기안자성명		과 장 신성완	국 장		차 관	장 관		외신과통제

0118

외 무 부

종　별 : 긴 급

번　호 : SKW-0110　　　　　　　　　　　일　시 : 91 0220 1400

수　신 : 장관(중동일,아서)사본:주UAE,인도 대사-본부중계필

발　신 : 주 스리랑카 대사

제　목 : 군수송단 파견

대:WSK-0075

1. 대호 제 1 진 2 대는 2.20(수) 1205(현지시간) 당지 도착 하여 급유 받은후 예정보다 20 분 빠른 1350(현지시간) 출발하였음.

2. 유시야 과장은 제 1 진과 계속 동행, UAE 로 직행하였음.

(대사 장훈-국장)

예고 '91. 6.30 일반
의거 인반분처

중아국　아주국　국방부

PAGE 1　　　　　　　　　　　　　　　　　　91.02.20　18:35

관리 P1/335
번호

외 무 부

종 별 : 초긴급

번 호 : NDW-0310

일 시 : 91 0220 1250

수 신 : 장관(중동일)

발 신 : 주 인도 대사

제 목 : 군수송기 인도 FIR 통과

연:NDW-0298,0300

대:WND-0152

1. 대호 관련, 본직은 금 2.20 주재국 외무부 SARAN 동아국장을 접촉, 아측입장을 다음 요지 설명함.

가. 아측 군수송기 제 1 진에 대해 작일 저녁 늦게나마 FIR 통과가 가능토록 협조하여 준데 감사함.

나. 연이나, 금번 파견임무의 수행을 위해서는 제 1 진과 제 2 진이 분리될수 없기 때문에 제2 진도 반드시 조속히 합류하여야 할 형편임.

다. 아측으로서는 인도측의 입장을 고려, 제 2 진을 많이 우회하더라도 인도 FIR 만 통과하도록 계획하고 있는바, 당초 예정인 2.21 인도 FIR 통과가 가능하도록 금일중 통과번호를 부여해 주기를 희망함.

라. 또한 아측은 외국군용기 운항에 대한 인도의 민감한 여론등을 감안, 금번 아국 군수송기의 인도 FIR 통과사실을 대외적으로 일체 비밀에 붙이겠으며, 유사한 요청을 한 국가에서 문의가 있을 경우에도 다른 비행루트를 사용했다는 식으로 답변하겠음.

마. 이번 케이스가 인도의 협조를 구하는 마지막이라고는 단언치 못하겠으나, 적어도 가까운 장래는 같은 케이스가 없을 것으로 예견되기 때문에 나머지도빨리 마무리질수 있도록 각별한 협조를 바람.

2. 상기에 대한 SARAN 국장의 반응은 다음과 같음.

가. 현재 인도는 아시다시피 미군용기 급유문제로 인해 걸프사태와 관련한 외국군용기의 운항문제(영공통과및 급유)가 매우 민감한 정치이슈화되어 있는데다가 한국측과 유사한 요청이 여타 국가로부터도 접수되어 있기 때문에 한국측에대해서만 분리해서 허가를 해주기 어려운 형편임.

중아국	장관	차관	1차보	2차보	국방부

PAGE 1

91.02.20 17:28

외신 2과 통제관 BA

0120

나. 작일 제 1 진의 FIR 통과허가는 인도 공군본부측의 허가번호가 잘못 부여되었었음을 감안, 자신으로서는 상당한 무리를 무릅쓰고 조치한 것임.

O FIR 만 통과하는 조건이라고 하였으나, 인도 공군본부측은 기술적으로 인도영공을 통과하지 않고 FIR 만 통과한다는 것이 어려울 것이라고 지적하여 온바있음.

O 상기에도 불구, 본인의 책임하에 통과허가번호를 부여해 주도록 하였음.

다. 제 2 진에 대한 허가는 상부의 재가를 받아야 하나 앞서 말한 바와 같이 외국군용기 운항에 대한 인도 국내여론이 가라앉지 않는 한 조속한 조치가 어려운 상황임. 다만, 본인으로서는 귀하가 언급한 내용을 유념해서 가능한 한 조속한 조치가 가능하도록 최선을 다하겠음.

3. 한편, 주재국 공군본부측은 대호 비행루트와 관련, 인도영공을 통과하지않고 FIR 만 통과하는 루트를 제시해 달라고 하면서 시간이 촉박함을 고려, 주재국 공항당국과 협의하여 줄것을 요청해 옴. 이에따라 주재국 공항당국이 권고한 비행항로는 다음과 같으니 하기 항로의 각지점 통과시간을 긴급 회시바람.

O BANGKOK-W10-SURAT HANI-W18-PHUKET-R203-APASI-R203-COLOMBO

O COLOMBO-(N 0718.4, E 07722.8)-(N 0722.0, E 07611.0)-MIKE(N 1037.4, E07420.3)-G462-KAGLU-MUSCAT-BHARAIN-ALAIN

4. 당관으로서는 금일중 허가를 득할수 있도록 최대한 조치 예정이며, 불연인 경우에는 명일 귀국예정인 DUBEY 수석외무차관과의 접촉을 추진할 계획임.(참고로 주재국 외상은 사표제출 상태에 있음.)

(대사 김태지=국장)
예고:91.6.30. 일반

PAGE 2

관리 번호	91- 1030

외 무 부

종   별 : 초긴급

번   호 : NDW-0313

일   시 : 91 0220 1545

수   신 : 장관(중동일)

발   신 : 주 인도 대사

제   목 : 군수송기 인도 FIR 통과

대:WND-0152

연:NDW-0310

주재국 공군본부측은 금 2.20 15:30 아측 군수송기 제 2 진의 인도 FIR
통과번호(비행루트는 연호 3 항과 동일)를 <u>AOR 564 및 565</u> 로(제 1 진과 동일)
부여하면서 한국측 사정에 따라 출발일자가 지연되는 경우에도 동일번호를 사용할수
있다고 통보해 옴.

(대사 김태지-국장)

예고: 91.6.30. 일반 예고
의거 일반문서로 재분류

주스리랑카, U.A.E, 태국, 필리핀대사 사본 19250

중아국   국방부

PAGE 1

91.02.20   19:37

외신 2과 통제관 BA

0122

1. 김대사 대사 통화 (●●.26 17:50)

① (역공이 아닌
   북한이) 제1R 통과 할때는 긴급적으로
   검토 요청, 인도정부 검토중

   - 긴방법도 추비 야:~ 초반추진 예비
② 아직은 결정이 안낳기 때문
   초 기다려 안 되겠요.

④ 긴급 1R2 예정

관리 번호	의124

외 무 부

종   별 : 초긴급

번   호 : NDW-0315

일   시 : 91 0220 1750

수   신 : 장관(중동일)

발   신 : 주 인도 대사

제   목 : 군수송기의 인도 FIR 통과

연:NDW-0313

주재국 외무부측은 아국 군수송기의 연호 인도 FIR 통과에 동의했음을 확인해 옴.

(대사 김태지-국장)

예고:91.6.30. 일반

중아국	장관	차관	1차보	2차보	청와대	안기부	국방부

PAGE 1

91.02.20   21:57

외신 2과 통제관 CF

0124

외 무 부

종 별 : 지 급

번 호 : NDW-0316

일 시 : 91 0220 1810

수 신 : 장관(중동일,법규)

발 신 : 주 인도 대사

제 목 : 아국 군수송기의 인도 비행정보구역(FIR) 통과

1. 당관은 아국 군수송기의 인도 FIR 통과와 관련한 인도측과의 교섭시 FIR 만 통과하는 경우에는 관할국에 대한 사전통보만으로 가능한 것이 일반적 관례로 이해하고 있다고 밝힌데 대해 인도측은 FIR 통과에 대해서도 단순한 통보가 아닌 사전허가가 필요하다는 입장을 주장한바 있음.

2. 인도측과 향후 유사한 교섭이 필요할 경우에 대비, 참고코자 하니 하기사항에 대해 지급 회시바람.

    가.FIR 의 국제법상 지위

    O 관할국의 관할권 범위

    O 영공과의 차이점

    나. 일국의 군용기가 타국의 영공을 통과하지 않고 동국이 관할하는 FIR 만 통과하는 경우의 국제법상 의무및 국제관례

    O 관할국의 사전허가를 받아야 하는지 또는 사전통보만으로 가능한지 여부

    (대사 김태지-국장)

예고 : 91.6.30. 일반 예고 ~
     의거 일반문서로 재분류

중아국	장관	차관	1차보	2차보	국기국

PAGE 1

91.02.20   22:10

외신 2과 통제관 CF

0125

걸프사태 : 의료지원단 및 수송단 파견, 1990-91. 전6권 (V.6 군수송단 영공통과 국가 협조) 409

	분류번호	보존기간

발 신 전 보

WJA-0746   별지참조

번   호 :   종별 : 긴급

수   신 : 주 수신처 참조   대사!!총영사!

발   신 : 장 관 (중동일)   910221 0157   0118

제   목 : 군 수송단 파견   0099

연 : WJA-0720 외 별지

연호 군수송단 제 2진은 인도 정부의 FIR통과 동의/승인에 따라 아래와
같이 운항 예정이니 자료를 주재국에 통보하고 필요조치 바람.

1. 기   종 : C-130H 3대

2. 호출번호 (등록번호) : KAF 85, KAF 86, KAF 78

3. 소 유 자 : 대한민국 공군 (KAF)

4. 항공기 호수 및 조종사 명단

　　가. 1번기

　　　　항공기 : 85호 (호출부호 :KAF 85)

　　　　조종사 : 중령 신승덕 (SHIN. S. D)

　　　　　　　　대위 이장용 (LEE. J. Y)

　　나. 2번기

　　　　항공기 : 86호 (호출부호 : KAF 86)

　　　　조종사 : 소령 김석종 (KIM. S. J)

　　　　　　　　대위 김창래 (KIM. C. L)

　　다. 3번기

　　　　항공기 : 78호 (호출부호 : KAF 78)

　　　　조종사 : 소령 류보형 (RYU. B. H)

　　　　　　　　대위 이해원 (LEE. H. W)

/ 계속 ·

보 안 통 제	72

앙고재	91년2월?일 중동과	기안자 성명	과 장	국 장	차 관	장 관		외신과통제

0126

5. 탑승자 : 84명

6. 적재화물

　가. 항공기 정비용 수리 부속

　나. 수송단 요원 생활용품

　다. 자위용 총기류 (CAL 38권총, K-1 소총, M-16 소총 및 탄약)

　　　(주재국에 문제 없을 경우 동보 요망)

7. 비행목적 : UAE ALAIN 기지 주둔

8. 비행고도/속도 : 29,000 ft/290 KTS

9. 항　　　로 (GMT)

　가. 서울 - 클라크 (일본, 미국, 대만, 필리핀)

　　　서울　　출발　21:00 Z　　　　(21일)

　　　RORG　진입　22:42 Z　　　　(21일, 일본)

　　　RORG　진입　23:10 Z　　　　(21일, 대만)

　　　RPMM　진입　01:03 Z　　　　(22일, 필리핀)

　　　클라크 도착　03:00 Z　　　　(22일, 급유 9만 LBS)

　나. 클라크 - 방콕 (필리핀, 미국, 싱가폴, 인니, 말레지아, 태국)

　　　클라크 출발　　　05:00 Z　(22일, 필리핀, 미국)

　　　필리핀 ADIZ 진입　06:11 Z　(22일, 인니)

　　　WSJC 진입　　　　06:50 Z　(22일, 싱가폴)

　　　VTBB 진입　　　　09:35 Z　(22일, 태국)

　　　방콕 도착　　　　11:10 Z　(22일, 급유 10만 LBS, 1박)

　다. 방콕 - 콜롬보 (태국, 말레지아, 인도, 스리랑카)

　　　방콕　　　출발　02:00 Z　(23일, 태국)

　　　SURAT HANI 진입　03:15 Z　(23일, 말레지아)

　　　PHUKET　　진입　03:33 Z　(23일)

　　　SAPAM　　진입　03:43 Z　(23일, 말레지아)

　　　SAMAK　　진입　04:22 Z　(23일, 인도)

　　　SULTO　　진입　05:50 Z　(23일, 스리랑카)

　　　콜롬보　　도착　08:00 Z　(23일, 급유 12만 LBS)

/ 계속 . . .

0127

라. 콜롬보 - 알아인 (스리랑카, 인도, 오만, 바레인, UAE)

콜롬보   출발 10:00 Z (23일, 스리랑카)

N0718.4, E07722.8 진입 10:36 Z (23일, 인도)

N0722.0 E07611.0 진입 10:51 Z (23일, 인도)

MIKE   진입 11:44 Z (23일, 인도)

KAGLU   진입 12:15 Z (23일, 인도)

MUSCAT   진입 15:10 Z (23일, 오만)

BHARAIN   진입 16:39 Z (23일, 바레인)

알아인   도착 16:50 Z (23일, UAE)

10. 소요 연료 내역 (총 31만 LBS)

     ㅇ 종류 : JP 4 혹은 JET A-1

11. 숙소예약 : 방콕 (2월 22일 투원 37실)   끝.

(중동아국장 이 해 순)

수신처 : 주 일본, 대만, 필리핀, 인니, 말레지아, 싱가폴, 인도, 스리랑카,
태국, 미얀마, 바레인, 오만, UAE 대사

예 고 : 91.12.31. 일반   (91. 6. 20 김종구)

WJA-0746   910221 0157   CT

WCH-0130	WPH-0145	WDJ-0191	WMA-0181	WAG-0118
WND-0154	WSK-0077	WTH-0289	WBM-0058	WBH-0099
WOM-0074	WAE-0153			

0128

<table>
<tr><td>관리
번호</td><td>에기</td></tr>
</table>

<table>
<tr><td>분류번호</td><td>보존기간</td></tr>
<tr><td></td><td></td></tr>
</table>

발 신 전 보

WOM-0075　　910221 1128　CG　　　종별: 긴급

WND-0155
WSK-0078
WAE-0154

번　호 :

수　신 : 주 오 만 대사. 송영사

발　신 : 장 관 (중동일)

제　목 : 군수송단 파견

연 : WOM-0074

　　　군수송단 2진 운항 관련, 연호 항로대로 비행 예정이나 만일의 경우
비상착륙 가능성에 대비 귀지 무스캇 또는 마쉬라(C-130 미군기지) 공항에
군수송단이 이.착륙 가능토록 주재국 정부에 사전 양해를 구해놓고 결과 보고
바람. 끝.

　　　　　　　　　　　　　　(중동아국장　이 해 순)

사본 : 주 인도, 스리랑카, UAE 대사

예 고 : 1991. 12. 31. 일반　　91.　6. 31 재분류

<table>
<tr><td>보 안
통 제</td><td>2L</td></tr>
</table>

<table>
<tr><td rowspan="3">앙
고
재</td><td>월
일</td><td>중동
앙액과</td><td>기안자
성 명</td><td>과 장</td><td>심의관</td><td>국 장</td><td></td><td>차 관</td><td>장 관</td></tr>
<tr><td></td><td></td><td></td><td>2L</td><td></td><td>전결</td><td></td><td></td><td></td></tr>
</table>

외신과통제

0129

관리 번호	91 -1710

외 무 부

종 별 : 긴 급

번 호 : NDW-0320   일 시 : 91 0221 1045

수 신 : 장관(중동일)

발 신 : 주 인도 대사

제 목 : 아국 군수송기 인도영공및 FIR 통과

연:NDW-0310

1. 금 2.21 당지 주요일간지(TIMES OF INDIA 및 HINDU)는 아국 군수송기의 인도영공 통과와 관련한 아국 국방부 대변인의 발표내용을 서울발 외신(2.20 자 REUTER)을 인용, 다음과 같이 1 면기사로 보도함.

　　0 인도는 걸프로 향하는 한국군용기의 인도영공 통과를 거부함.

　　0 한국 국방부대변인은 인도가 아무런 설명없이 한국군용기의 영공통과를 허가하지 않겠다고 갑자기 통보해 왔으며, 이에따라 불가피하게 한국 군수송단의 파견을 연기함.

　　0 동군용기는, 한국이 걸프지역에서 교전중인 다국적군을 위한 물자공급을 지원하기 위해 UAE 에 파견키로 이번달에 약속한 조종사, 승무원및 지원인력등 150 명과 C-130 수송기로 구성된 수송단의 일부임.

　　0 한국은 걸프전 관련, 다국적군의 경비분담을 돕기 위한 2.8 억불 상당의 지원약속도 한바 있음.

　　0 한국 국방부대변인은 인도가 2.19 에는 한국군용기 제 1 진에 대해서 영공통과를 허가했다고 언급하면서 상세내용에 대해서는 밝히지 않았음.

2. 금번 아국 군수송기의 인도영공 또는 FIR 통과와 관련한 교섭시 연호로 보고한 바와 같이 걸프전에 대한 주재국의 중립적 태도및 외국군용기 운항에 대한 주재국 여론의 민감한 반응등을 고려, 주재국측이 아측 군용기의 인도영공 또는 FIR 통과에 대해서는 일체 대외적으로 비밀에 붙이겠다는 점을 강조하고 아측도 그럴 것임을 주재국 외무부측에 강조했었던 바 있음.

3. 상기 보도와 관련, 주재국 외무부측의 반응은 상금 나타나지 않고 있으나 일단 보도가 된 이상 주재국 외무부대변인 브리핑 또는 정부 고위인사의 기자회견시등에

중아국　　장관　　차관　　1차보　　2차보　　국방부

PAGE 1

있을 가능성이 큰 인도측 기자의 질문에 대비한 인도정부 입장을 준비하게 될 것으로 예상됨.(TIMES OF INDIA 및 HINDU 지는 당지의 최대 영문일간지로서 미군용기 급유에 반대하는 보도를 계속 함으로써 인도정부의 급유중단 결정에 큰 영향을 미친바 있음)

4. 당관으로서는 주재국 외무부측의 반응등 상황의 추이를 보아가면서 대처할 계획인바, 우선 아국 군수송기의 인도 FIR 통과 관련사실에 대해서 아측에서는 가부간에 일체 더이상의 언급이 없도록 조치 건의함.

(대사 김태지-국장)

예고:91.6.30. 일반예고 등에 의거 일반문서로 재분류함

PAGE 2

0131

	분류번호	보존기간

발 신 전 보

WJA-0755 외 별지참조   종별: 초간급

번   호 :

수   신 : 주 수신처 참조   대사·총영사

발   신 : 장 관 (중동일)

제   목 : 군수송단 파견

연 : WJA-0746, WCH-0130, WPH-0145, WDJ-0191, WMA-0181,
　　　 WAG-0118, WND-0154, WSK-0077, WTH-0289, WBM-0058,
　　　 WBH-0099, WOM-0074, WAE-0153

　　　 연호, 군수송단 제2진 (3대)은 2.22. 06:00 (L)서울출발 예정인 바, 귀지
조치 결과를 지급 회보 바람.　끝.

　　　　　　　　　　　　　(중동아프리카국장 이 해 순)

수신처 : 주 일본, 대만, 필리핀, 인니, 말레지아, 싱가폴, 인도, 스리랑카,
　　　　 태국, 미얀마, 바레인, 오만, UAE대사

예 고 : 1991. 12. 31. 일반

91. 6. 30 해

	보 안 통 제	74

앙 고 재	9 년 월 일	중 동 과	기안자 성명		과 장		국 장		차 관	장 관		외신과통제

0132

0133

WJA-0755   910221 1614   CG

WCH -0133   WPH -0148   WDJ -0194   WMA -0184   WSG -0119
WND -0157   WSK -0080   WTH -0295   WBM -0060   WBH -0101
WOM -0076   WAE -0157

관리 번호	91 -1712

외 무 부

종 별 : 긴 급

번 호 : MAW-0280   일 시 : 91 0221 1700

수 신 : 장관(중동일,국방)

발 신 : 주 말련 대사

제 목 : 군 수송단 파견

대:WMA-0181

0183(국방)

0184

1. 대호 주재국과 영공통과 협조 완료 했음.

2. 단 주재국 입장을 고려 주재국 영공통과 사실에 대한 보안 유지를 희망했음. 끝

(대사 홍순영-국장)

예고:91.12.31 일반

중아국   국방부

원 .본

외 무 부

종   별 : 초긴급

번   호 : PHW-0256   일   시 : 91 0221 1710

수   신 : 장관(중동일,아동,국방부)

발   신 : 주 필리핀 대사

제   목 : 군수송단 파견

대:WPH-148

대호 주재국의 허가를 득하였으며 허가 문서번호는 NO. 910792 임.

(대사 노정기-국장)

예고:91.12.31. 일반

(91 6.30 까지)

중아국   아주국   국방부

관리 번호	이 -1713

외 무 부

종 별 : 초긴급

번 호 : DJW-0369

일 시 : 91 0221 1625

수 신 : 장관(중동일,국방부)

발 신 : 주 인니 대사

제 목 : 군 수송단 파견

대:WDJ-0191,0194

연:DJW-0308(91.2.11)

대호, 주재국은 2.21. 연호 와 동일한 번호(271-UD-2R-91-P)로 주재국 영공및 FIR
통과를 허가 하였음. 끝.

(대사 김재춘-국장)

예고:91.12.31. 일반

중아국   국방부

91.02.21   18:42

외신 2과 통제관 CH

0136

외 무 부

종 별 : 긴 급

번 호 : SKW-0114   일 시 : 91 0221 1500

수 신 : 장관(중동일,아서, 사본-주인도, 주 UAE 대사-본부 중계필)

발 신 : 주 스리랑카 대사

제 목 : 군수송단 파견

대:WSK-0077,0080

　대호 군 수송단 제 2 진의 변경 운항일정을 금 2.21(목) 오전 주재국 정부(외무부,
항공국, 공항당국, 석유공사) 에 통보 조치하고, 관련 협조를 확보 하였음.

　(대사 장훈-국장)

예고:91.6.30 일반 예고
의거 일반문서로 재분류

중아국　　아주국　　국방부

외 무 부

종 별 : 초긴급

번 호 : BMW-0112

일 시 : 91 0221 1600

수 신 : 장관(중근동,아서)

발 신 : 주 미얀마 대사

제 목 : 군수송단 파견

대:WBM-0060

연:BMW-0092

대호 군수송단 2 진의 당지 통과시간이 48 시간 지연됨을 주재국 ACC 측에 통보하였으며, 동측으로부터 동 통과허가를 받았음을 보고함

(대사 김항경-국장)

예고 : 91.6.30 일반 예고문에
의거 일반문서로 재분류됨

중아국   아주국   국방부

관리 번호	91 1918

외 무 부

종 별 : 긴 급

번 호 : JAW-0959   일   시 : 91 0221 1805

수 신 : 장관(중동일)

발 신 : 주 일 대사(일정)

제 목 : 군수송단 파견

대:WJA-0755

연:JAW-0589

1. 대호 군수송단 제 2 진 운항계획을 일 정부에 통보 조치 하였음.

2. 동 수송단의 통과구역은 연호와 같이 영공이 아닌 ADI 구역으로서 일정부의

허가는 필요치 않음을 참고 바람. 끝.

(공사 남홍우-국장)

예고:원본접수처:91.12.31. 일반

사본접수처:독후파기

중아국   국방부

PAGE 1   91.02.21   19:00

외　무　부

종　별 : 초긴급

번　호 : CHW-0331　　　　　　　　　　일　시 : 91 0221 1740

수　신 : 장관(중동일,국방부)

발　신 : 주 중 대사

제　목 : 군수송단 파견

대:WCH-0133

대호 군 수송단의 주재국 영공 통과관련, 주재국당국의 허가득했음을보고함. 끝

(대사 한철수-국장)

예고:91.12.31. 일반

중아국　　국방부

91.02.21　19:06

외신 2과　통제관 BA

관리 번호 이_1118

외 무 부

종　별 : 초긴급

번　호 : SGW-0111

일　시 : 91 0221 1815

수　신 : 장관(중동일)

발　신 : 주 싱가폴 대사

제　목 : 군수송단 파견

대: WSG-0118

1. 대호건 접수즉시(금 2.21. 17:20 당지시간) 주재국 외무부에 통보, 지급허가를 요청하였음.

2. 주재국 정부당국자는 이미 허가된 사항임을 상기시키고 금일중 관계기관협의후 조치키로 약속하였으며, 영공통과에 아무런 문제가 없겠다고 언급하였음. 끝.

(대사-국장)

예고: 91.12.31. 일반

(91. 6. 30 까지)

중아국　국방부

PAGE 1

91.02.21　19:33

외신 2과　통제관 BW

0141

| 관리번호 | 리_1706 |

외 무 부

종 별 : 긴 급

번 호 : THW-0363   일 시 : 91 0221 1730

수 신 : 장 관(중동일)

발 신 : 주 태 국 대사

제 목 : 군수송단 파견

        대 : WTH-0295

        연 : THW-0302

    대호 군수송단 제 2 진의 당지 경유관련, 이착륙허가번호, 숙소예약, 급유보급 및
기타시설지원등은 연호 보고와 같이 기조치 하였음을 보고함

    (대사 정주년-국 장)

    예 고 : 91.12.31. 일반

중아국   국방부

91.02.21   19:51
외신 2과 통제관 BW
0142

원 본

외 무 부

종 별 : 초긴급

번 호 : NDW-0321   일 시 : 91 0221 1620

수 신 : 장관(중동일)

발 신 : 주 인도 대사

제 목 : 군수송단 인도 FIR 통과

대:WND-0154,0157

대호, 당관의 필요조치는 기완료되었음.

(대사 김태지-국장)

중아국   국방부

관리 번호	이 _1705

외 무 부

종   별 : 초긴급

번   호 : BHW-0121 　　　　　　　　일   시 : 91 0221 1130

수   신 : 장관(중동일)

발   신 : 주 바레인 대사

제   목 : 군수송단 파견

대:WBH-0099,0101

　　1. 주재국 항공당국은 대호 항공기의 비행 목적지가 알아인이므로 주재국 영공 통과 허가는 불요하며, 주재국 FIR 진입시각등 상세 통보만으로 통과 가능하다는 입장임.

　　2. 본건, 당관은 동 상세를 금 2.21 오전 주재국 당국에 통보하여 주었음. 끝.

　　(대사 우문기-국장)

예고:91.12.31 일반

19　6　　　에 예고
의거 일반문서로 재분류됨

중아국 　　국방부

외 무 부

종 별 : 지 급

번 호 : OMW-0044

일 시 : 90 0221 1845

수 신 : 장관(중동일)

발 신 : 주 오만 대사

제 목 : 군용기 파견

대:WOM-0074,0075,0076

대호 군수송단 2 진의 주재국 영공통과 변경일정 주재국측에 지급 통보하였으며, 비상시 당지 SEEB 국제공항 또는 MASHIRA 공군기지 착륙이 가능토록 조치해줄것을 요청하였음. 끝

(대사 강종원-국장)

예고 :91.6.30. 일반

───────────────────────────────

중아국   국방부

'소득은 정당하게, 소비는 알뜰하게'

주 인 도 대 사 관

인도(정)20658-*163*   1991.2.21

수신 : 외무부장관

참조 : 중동아프리카국장, 아주국장, 국제기구조약국장

사본 : 국방부장관

제목 : 군수송기 인도영공 통과

1. NDW-0282및 0294 와 관련입니다.

2. 외국 군용기의 인도영공 통과절차에 대한 주재국측의 당지외교단 앞 아래
   요지 회람을 별첨 송부합니다.

                    - 아   래 -

가. 1973.5.15자 회람

  (1) 외국 군용기의 인도영공 또는 착륙을 위해서는 하기 사항 첨부, 비행계획
      최소 14일 이전 신청해야 함.

    ㅇ 군용기 종류, 번호및 호출부호

    ㅇ 등록번호

    ㅇ 기장 성명, 계급및 국적

    ㅇ 승무원 성명, 계급및 국적

    ㅇ 승객 성명 및 국적

    ㅇ 비행 일정

    ㅇ 사용할 항로 (entry 및 exit point 포함)

    ㅇ 화물내용

    ㅇ 운항목적

    ㅇ 운항고도

    ㅇ 착륙시 필요한 연료의 종류및 양

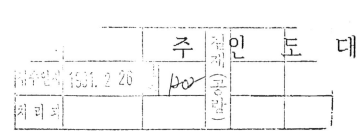

0146

(2) 모든 외국 군용기는 인도 영공진입시 지정된 인도공항에 일단 착륙해야
   함. 착륙공항에서 의무적으로 세관통관절차를 취해야 하며 기장은
   이를 위해 인도세관당국과 협조해야 함.

(3) 사전에 허가되지 않는 한, 야간의 인도영공 통과는 금지됨.

(4) 기장과 승무원을 제외한 군용기 탑승객은 민간인 복장을 착용해야 함.

(5) 사용항로는 국제지정 항로 (IPDR: International Pre Determined Route)
   또는 인도정부가 지정한 항로에 국한됨.(당지에서 일반적으로 사용하는
   국제지정항로는 JEPPESEN 지도임)

(6) 탄약, 무기류등 전쟁물자 및 핵물질등의 탑재는 허용되지 않음.

나. 1983. 6.6 자 회람
   o 상기 73.5.15자 회람내용중 인도공항의 의무착륙 조항을 정부또는 국가
     수반이 이용하는 군용기에 한해 면제함.

3. 주재국 외무부및 공군 본부측은 상기 절차에도 불구, 별다른 문제가 없는
   상황에서는 외국 군용기의 인도영공 통과를 통상적으로 (routine)허가해
   왔으나 최근 걸프전 발발 이후 미군용기 급유가 인도국내에서 정치 쟁점화 한
   이후에는 불가피하게 상기 절차를 엄격하게 직용할수 밖에 없음을 양지해
   달라는 입장임을 향후 관련업무에 참고하시기 바랍니다.

첨부 : 상기 회람 사본 2부. 끝.

예고 : 1991.6.30.. 월 별고문에
       의거 일반문서으로 재분류함

0147

GOVERNMENT OF INDIA
MINISTRY OF EXTERNAL AFFAIRS
(VIDESH MANTRALAYA)

No. AA/113/4/83.   New Delhi, the 6th June, 1983.

The Ministry of External Affairs presents its compliments to the Foreign Diplomatic Missions in India and has the honour to invite the attention of the Missions to the Ministry's circular No. AA/113/35/73 dated 15th May, 1973 (a copy of which is enclosed for facility of reference) regarding flight clearance of foreign military aircraft overflying India/staging through Indian territory.   *Se End 32C*

2.   The Foreign Diplomatic Missions are requested to note the following addendum to para 5 of the said circular:

5(2) : "The Ministry may, however, waive the condition of compulsory technical landing at any of the Indian airports and grant uninterrupted over-flight clearance only to the military aircraft carrying Heads of State and/or Government."

The Ministry of External Affairs avails itself of this opportunity to renew to the Foreign Diplomatic Missions in India the assurances of its highest consideration.

663/2d
01/7/83

All Foreign Diplomatic Missions in India,
New Delhi.

Copy to Affrs/Directorate of Air Intelligence Room no 572, Vayu Bhavan

0148

NO.AA/113/35/73   New Delhi, the 15 May, 1973

      The Ministry of External Affairs presents its compliments to the Foreign Diplomatic Missions in India and has the honour to state that all requests for flight clearance of foreign military aircraft overflying India/staging through India territory with a technical landing at any of the Indian airfields should reach this Ministry (in quadruplicate) at least 14 working days before the flight is due to take place. Copies of such requests involving military aircraft may simultaneously be forwarded in triplicate to Air Headquarters, addressed to the Director of Intelligence.

2.   All flight requests for foreign military aircraft transiting through India will contain the following information :-

     (a) Type, number and callsign of the aircraft.

     (b) Registration number.

     (c) Ownership of the aircraft.

     (d) Captain's name, rank and nationality*

     (e) Crew names, rank and nationality*

     (f) Names and nationality of passenger *

     (g) Time schedule/itinarary.

     (h) Route proposed to be followed(with entry/exit points).

     (i) Description of the cargo proposed to be carried.

     (j) Purpose of flight.

     (k) Cruising level.

     (l) Type and quantity of fuel required at various airfields of landing.

     * The list should be comprehensive. Vague expressions like "and a few others","... and 5 others","and staff members" etc. should be avoided.

3.   No aircraft will enter India Airspace without obtaining proper flight clearance in advance. Aircraft entering Indian airspace without proper flight clearance may be treated as hostile aircraft and will be liable to interception.

                       .. 2/-

          0149

- 2 -

4.   All flights approved will be valid for three days within plus/minus one hour of the given time schedule on each day, provided flight details remain unchanged. Any subsequent changes of the flight plan will require fresh clearance from Air Headquarters for which advance notice of 72 hours will be essential.

5. (/)   All foreign aircraft will be required to make their first landing at one of the following airfields :-

   (a) If the entry is from the West, Bombay airport; and if the entry is from West via Karachi airport, Bombay/ Ahmedabad or Delhi (Palam) airport;

   (b) If the entry is from the East, Calcutta airport but aircraft from Singapore may also land directly at Madras airport;

   (c) If the entry is from the tSouth, Madras airport or Tiruchirapalli airport; and

   (d) If the entry is from Nepal, Calcutta/Delhi (Palam) Patna or Varanasi (Babatpur) airports, as may be necessary.

6.   The aircraft will not fly below 8000 ft. AGL and above 40,000 ft. AGL, unless specifically permitted to do so.

7.   Foreign Military aircraft will   not be permitted to under- take any flights within India except transitting through the country, unless specifically authorised.

8.   Night flying over Indian territory is prohibited,   except when special permission has been obtained in advance.

9.   Foreign Military aircraft transitting through Indian territory will not, ordinarily be allowed to make a night halt at any of the airfields in India, unless so permitted by the Government of India.

10.   The passenger(s) travelling by the military aircraft should be in civilian clothes, the Captain and crew may be in uniform.

11.   Customs clearance at the first airfield of landing will be obligatory. The Captain of the aircraft should have instructions to cooperate with the Indian Customs officials in this respect. He will also hand over six copies of the manifests of passengers and cargo carried in the aircraft to the customs Authorities.

.. 3/-

0150

- 3 -

pre-determined route

12. The aircraft will adhere strictly to the International PDR, or other route specified by the Government of India. Any deviation will invite such measures as the Government of India may deem necessary.

13. Operators are to ensure availability of flight facilities at the point of departure, enroute and at destination before undertaking the flight.

14. Unless specifically permitted by the Government of India, no cargo or passenger(s) will either be uplifted or offloaded at any of the airfields in India.

15. The Captain or the Crew members should not bring any Consignment(s) meant for Foreign Diplomatic Missions in India.

16. All passengers and cargo will be subject to health, customs and immigration formalities as applicable.

17. No warlike materials, such as arms, ammunition, explosives (except escape aid explosives) pyrotechnics(except emergency Verey Pistol Signal Cartridges),Nuclear/fissionable materials, ABC gases or photographic material (whether or not installed), electronic devices other than required for the normal operation of the aircraft, may be carried in the aircraft.

18. Flights of foreign military aircraft over Indian territory will also be governed by such additional instructions as may be issued by the Government of India and relevant International conventions and practices.

19. The Government of India reserve the right to refuse / withdraw flight clearance to any foreign military aircraft, without assigning any reasons whatsoever.

20. This supersedes all previous circular Notes Verbales issued by the Ministry on the subject.

21. The Ministry of External Affairs avails itself of this opportunity to renew to the Foreign Diplomatic Missions in India the assurances of its highest consideration.

All Foreign Diplomatic Missions In India.

NEW DELHI.

0151

관리 번호	쉬- 1701

외 무 부

종   별 : 초긴급

번   호 : SGW-0115

일   시 : 91 0222 1240

수   신 : 장관(중동일)

발   신 : 주 싱가폴 대사

제   목 : 군수송단 파견

대: WSG-118

연: SGW-111

주재국 외무부 당국자는 금 2.22. 대호 조치하였다고 통보하여 왔음. 끝.

(대사-국장)

91. 12. 31 일반

검 토 필 (1991. 6. 30.)	利

중아국   국방부

관리 번호	이 -1702

외 무 부

종 별 : 긴 급

번 호 : PHW-0257   일 시 : 91 0222 1200

수 신 : 장관(중동일,아동,국방부), 사본:주태국대사-필

발 신 : 주 필리핀 대사

제 목 : 군수송단 파견

대:WPH-0145

1. 대호 군수송단 제 2 진 C-130 기 3 대는 2.22(금) 10:10(필리핀시간) 당지 CLARK 공군 기지 도착하여, 12:00 출발 예정이었으나, 그중 1 기의 유압기 계통 이상으로 14:00 경 출발 예정임.

2. 진전 상황 추보 위계임.

(대사 노정기-국장)

예고:91.12.31. 일반

검 토 필 (198 91. 6.

중아국   아주국   국방부

관리 번호	미 -1103

외　무　부

종　별 : 긴 급

번　호 : PHW-0258　　　　　　　　　　일　시 : 91 0222 1450

수　신 : 장관(중동일,아동,국방부) 사본:주태국대사 :중계편

발　신 : 주 필리핀 대사

제　목 : 군 수송단 파견

대:WPH-145

연:PHW-257

대호 군 수송단 제 2 진 C-130 기 3 대는 유압기 계통 수리를 완료하고,
금2.22(금) 14:30(필리핀 시간)에 당지 CLARK 공군 기지를 출발하였음.

(대사 노정기-국장)

예고:91.12.31. 일반

검　토　필 (1991. 6. 20.)	서명

중아국　　아주국　　국방부

91.02.22　　16:18
외신 2과　통제관 CH
0154

외 무 부

재수신분

종 별 : 지 급

번 호 : NDW-0332

일 시 : 91 0222 1630

수 신 : 장관(중동일)

발 신 : 주 인도 대사

제 목 : 아국 군수송기 인도 통과

연:NDW-0325

1. 금 2.22 자 당지 HINDU 지는 아국 군수송기 인도통과와 관련, 인도 외무부 대변인은 인용, 1 면기사로 다음과 같이 보도함.

0 인도는 걸프로 향하는 한국 군수송기의 인도영공 통과를 거부한바 없으며, 이에관해 한국정부로부터 항의(COMPLAINT)를 받은바 없음.

0 인도와 한국은 매우 좋고 우호적인(EXTREMLY WARM AND CORDIAL) 관계를 갖고 있으며 양국은 공히 이러한 관계의 강화를 위해 노력하고 있음.

0 한국의 영공통과 요청은 군용기 운항에 관해 전외교단에 회람된 1973 년도 지침에 명시된 요건이 일부 충족되지 못한바 있음.

2. 인도 외무부대변인의 상기 언급내용은 아국 군수송기의 인도 FIR 통과사실을 밝히지 않으면서 영공통과 거부에 관한 서울발 보도내용과 관련한 의문에 대해서는 73 년도 지침을 인용함으로써 상세경위에 대한 답변을 회피한 것으로 분석됨.

가. 연호 보고한 KHOSLA 차관과의 면담시 동차관은 아국 군수송기 인도통과문제가 원만히 해결되었음을 지적하면서 서울발 보도내용에 대해서는 필요한 경우 인도 외무부대변인에게 한. 인 양국관계가 매우 좋다는 점을 강조하도록 지시했다고 언급한바 있음.

나. 상기 73 년 지침의 주요골자는 인도영공을 통과하려는 모든 외국군용기는 상세비행계획(사용항로, 통과시간, 승객명단및 화물종류등 11 개항목)을 첨부, 최소 2 주전 허가신청을 해야 하며, 국가(또는 정부) 수반이 사용하는 경우를제외한 모든 군용기는 인도영공 통과시 반드시 지정된 공항에 착륙, 통관절차를 밟아야 한다는 것임.(상세내용은 파편송부한 인도(정)20658-143 참고)

0 아국과 유사한 요청을 한 당지 뉴질랜드대사에 대해 주재국 외무부측은 상기

중아국   장관   차관   1차보   2차보   정와대   국방부

PAGE 1

91.02.23   17:28

외신 2과 통제관 BA

0155

지침에 따라 인도공항에 착륙(단, 급유는 불가)해야 한다는 입장을 밝힌바 있음.

3. 상기 1 항 기사는 TIMES OF INDIA, ECONOMIC TIMES 및 INDIAN EXPRESS 등 여타 일간지에도 간략히 보도되었으며, TIMES OF INDIA 지는 콜롬보발 PTI(인도통신사)를 인용, 아국 군수송기 제 1 진의 콜롬보 급유에 관해 6 면기사로 다음과 같이 아울러 보도함.

0 2 대의 한국 군용기가 2.20 콜롬보 국제공항에 기착, 스리랑카 정부에 의해 제공된 급유지원을 받음.

0 스리랑카 정부소유의 CEYLON PETROLEUM CORPORATION 사 간부에 의하면, 2.21 에도 연합국측 수송기에 대한 추가적인 급유가 예정되어 있다고 함.

(대사 김태지-국장)

예고:91.6.30. 일반
의거 일반문서로 재분류

PAGE 2

0156

관리 번호	이 -1683

외 무 부

종 별 : 긴 급

번 호 : THW-0374 　　　　　　　　　　　　 일 시 : 91 0222 1930

수 신 : 장 관(중동일,국방부,사본:주비율빈대사)(중계필)

발 신 : 주 태국 대사

제 목 : 군수송단 경유

대 : WTH-0289,0314

1. 대호 군수송단 제 2 진 3 대는 필리핀 클라크 공군기지로부터 2.22(금) 19:30 당지 공군기지에 도착하였음

2. 본직은 무관, 정참사관, 무관보와 함께 군수송단도착시 공항출영, 이들을 격려하였음

3. 수송기 3 대는 도착직후 급유를 받았으며 단원들은 대외보안누출방지를 위해 공군기지 인근에 위치한 대공포연대 장병숙소에 부숙하였음

4. 동수송단은 명일 09:00 당지 출발예정임

(대사 정주년-국장)

예고 : 91.12.31. 일반

검 토 필 (198 91 · 6 · 30) 과

중아국　　국방부

외　무　부

종　별 : 긴　급

번　호 : SKW-0121　　　　　　　　　　일　시 : 91 0223 1500

수　신 : 장관(중동일,아서) 사본:주인도,주UAE대사-중계필

발　신 : 주 스리랑카 대사

제　목 : 군수송단 파견

대:WSK-0080(91.2.21)

연:SKW-0114(91.2.21)

1. 대호, 군수송단 제 2 진(3 대)은 금 2.23(토) 예정보다 빠른 12:55 (당지시간)콜롬보공항에 도착, 급유후 1500(당지시간)무사히 출발함

2. 제 1 진과 제 2 진의 급유대금은 주재국 석유공사측의 청구서를 접수하는대로 추보하겠음.

(대사 장훈-국장)

예고:91.6.30 일반 예고 에 의거 일반문서로 재문하급

중아국　　아주국

관리 번호	이 -1685

외 무 부

종 별 :

번 호 : SKW-0137   일 시 : 91 0304 1620

수 신 : 장관(중동일,아서,사본:국방부 장관)

발 신 : 주 스리랑카 대사

제 목 : 군수송단 파견(급유 대금)

대:WSK-0080(91.2.21)

연:SKW-0121(91.2.23)

1. 주재국 석유 공사측은 대호 아국 군수송단 1,2 진의 당지경유 (2 월 20 일및 23
일) 시 급유대금 청구서를 당관에 송부해오면서 아래 방법으로 송금해 줄것을 요청해
왔는바, 국방부로 하여금 조속 송금하도록 조치해 주시기 바람.

가. 총 급유대금: 미화 44,015 불 70 센트(스리랑카 루피화 1,790,303 루피79
센트)

나. 송금방법(미화지불)

1)전신송금의 경우, 아래 구좌로 입금함.

INTERNATIONAL DIVISION, BANK OF CEYLON, 75, JANADHIPATHI MAWATHA, COLOMBO
1. SRI LANKA(ACC NO:6600100023)

2)수표의 경우: CEYLON PETROLEUM CORPORATION 앞 수표를 아래 장소로 송부함.

SENIOR DEPUTY FINANCE MANAGER(REVENUE)

FINANCE DIVISION, CEYLON PETROLEUM CORPORATION, P.O. BOX 634, COLOMBO 3,
SRILANKA

3. 상기 청구서는 금파편 송부 하겠음.

(대사 장훈-국장)

예고:91.6.30. 일반에 예고

중아국   아주국   국방부

PAGE 1

한승수 유엔대

0160

CEYLON PETROLEUM CORPORATION
(Established by Act. of Parliament No 28 of 1961)
P.O. Box 634, Colombo 3, Republic of Sri Lanka.

Telephone: 25231 Cables: "CEYPETCO" Telex 21167, 21235,

STATEMENT OF INVOICES

Invoice

Date: 26.02.1991

DELIVERED TO: KOREAN AIR FORCE,
EMBASSY OF REPUBLIC OF KOREA.

Port/Airfield Katunayake

Account No. 6811
Terms: Credit

DESCRIPTION:	DATE	PRODUCT	QUANTITY	VALUE	
				U.S. Dollars	Rupees
AV 028012	20.02.91	0056	3468.59	7,804.33	316,996.28
028013	20.02.91	0056	3598.56	8,096.77	328,874.60
028067	23.02.91	0056	4039.20	9,088.21	369,944.68
028068	23.02.91	0056	3862.21	8,689.97	353,733.92
028009	23.02.91	0056	4593.97	10,336.42	420,754.31
		Grand Total		44,015.70	1,790,303.79

E & OE

Rate of Exchange = US $1 = Rs.
NF/sg.

Please instruct your Bankers to remit to
Bank of Ceylon

22 - 24 CITY ROAD, LONDON EC1 Y2 AJ
UNITED KINGDOM
For the account of Ceylon Petroleum Corporation

Ceylon Petroleum Corporation

	분류번호	보존기간

발 신 전 보

번 호 : WND-0242   910318 2005   FH   종별 : 지급
                                            WSK -0118

수 신 : 주 인도, 스리랑카대사. 총영사///

발 신 : 장 관   (중동일)

제 목 : 공군 수송단 철수

　　　U.A.E. 에 파견했던 공군 수송기 5대가 본국 철수를 위해 4.6(토) 귀지 도착, 급유를 받을수 있는지 우선 확인 보고 바람.　　　끝.

　　　　　　　　　　　　　　　　　　　(중동아국장　　이 해 순)

예 고 : 1991. 12. 31. 까지

검 토 필 (1991. 6. 30.)

	보 안 통 제	

앙 고 재	중동일과	기안자 성명	과 장	국장	차 관	장 관	
							외신과통제

0161

국   방   부

군게 24411-462   (795-6217)   91. 3. 19.
수신 외무부장관   (1년)
참조 총근동과장
제목 공군수송단 접수에 따른 인도(봄베이) 스리랑카(콜롬보) 기착 숙박
     여부 의뢰

     1. 관련근거 : NDW-0303(91.2.20) 주재국 영공통과 협조 관련
     2. 위 근거에 의거 최소 2주전 까지 이용 항도를 포함하여 제출해야
영공통과 승인 여부를 결정한다고 하오니 인도 및 스리랑카정부와 아래 사항을
협의하여 회신 바랍니다.
          가. 의뢰내용
             1) 인도(봄베이공항) 및 스리랑카(콜롬보)에 91년 4월 6일-
8일 사이 기착하여 유류 주입 및 숙박과 영공통과 가능 여부
             2) UAE (알아인) - 인도 - 방콕 - 크라크 - 서울 노선 운항을
위한 인도정부의 승인 여부
          나. FIR 통과시간 및 세부 비행경로는 추후 통보 예정임

국   방   부   장

0162

국 방 부

군 계 24411-491　　　　　（ 795-6217 ）

수 신 외무부장관　　　　　　　　　　　91 . 3 . 19 .
　　　　　　　　　　　　　　　　　　　　　（ 1년 ）
참 조 중동아프리카국장

제 목 공군 수송단 철수에 따른 FIR 및 영공통과 관계국 협조 의뢰

　　　1. 공군 수송단외 알아인 기지에서 91.4월 6일경 철수 예정이니 관계국가에 통보하여 FIR 및 영공통과 승인을 받을 수 있도록 관계국가와 협의 조치하여 주시기 바랍니다.

　　　2. 스리랑카(콜롬보), 태국(방콕), 필리핀(크라크)에서 숙박과 식사 및 유류 중간 급유기원을 받을 수 있도록 협거 바랍니다.

첨부 : 1. 영공통과 승인 의뢰 국가 현황 1부.
　　　 2. FIR시간 및 영공 통과 시간 1부.　끝.

國務會議 付
1公館에 通報 要望
　　　　　군수계획과장 3/20
　　　　　　09:30

국　　방　　부　　장

0163

영 공 통 과 승 인 의 뵉 국 가 현 황

순위	국 가 명	FIR승인	영공통과승인	기착(유류보급)	숙 식
1	오 만	∩	∩		
2	인 도 (봄베이)	0	문제없 0	0 X	0 X
3	스리랑카 (콜롬보)	0	'' 0	0 oK	0 oK
4	미얀마 (버마)	0			
5	태 국	0	0	0 oK	0
6	말레이지아	0	원칙적 문제없 0		
7	싱가포르	0			
8	인도네시아	0			
9	필 리 핀	0	0		
10	크락크 (미국)	0	0	0 oK	0 oK
11	자유중국	0	0		
12	일 본	0	ATS		

0164

첨부 2. 공군수송단 귀환항공기 운항자료

1. 기   종 · C-130H 5대

2. 호출부호(등록번호) : KAF 81, KAF83, KAF85, KAF86, KAF78

3. 소 유 자 : 대한민국 공군 (KAF)

4. 항공기 교수 및 교승사 명단

　가. 1번기

　　ㅇ 항 공 기 : 5181호 (호출부호 : KAF 81)

　　ㅇ 조 종 사 : 중령 김영곤 (KIM. Y. K)

　　　　　　　 소령 고석복 (KO. S. M)

　나. 2번기

　　ㅇ 항 공 기 : 5183호 (호출부호 : KAF 83)

　　ㅇ 조 종 사 : 소령 김찬수 (KIM. C. S)

　　　　　　　 대위 박수철 (PARK. S. C)

506 - 7665
~7
김영곤 부대
(항로비호)

0165

다. 3번기

   o 항 공 기 : 5185호 (호출부호 : KAF 85)

   o 조 종 사 : 중령 신승덕 (SHIN. S. D)

               소령 유헌주 (YU. H. D)

바. 4번기

   o 항 공 기 : 5186호 (호출부호 : KAF 86)

   o 조 종 사 · 소령 김서종 (KIM. S. J)

               소령 김길수 (KIM. K. S)

마. 5번기

   o 항 공 기 : 5178호 (호출부호 : KAF 78)

   o 조 종 사 : 소령 류보행 (RYU. B. H)

               대위 이해원 (LEE. H. W)

5. 탑 승 자 : 65명 (조종사 포함)

6. 적 재 화 물

  가. 항공기 정비용 수리 부속

  나. 수송단 요원 사용 생활용품 및 장비

7. 비 행 목 적 : UAE ALAIN 기지 주둔 공군 수송단 귀국

0166

8. 비고고고 / 속도 : 22,000㎏ / 290 KTS

9. 항 로 (GMT)

가. 알아인 - 콜롬보 〈U.A.E. 바레인. 오만, 인도, 스리랑카〉

알아인	출발	05:00 Z	(6일, U.A.E)
GADMA	진입	05:11 Z	(6일, 바레인)
ALAMA	진입	06:40 Z	(6일, 오만)
KAGLU	진입	09:35 Z	(6일, 인도)
MIKE	진입	10:06 Z	(6일, 인도)
NO718.4, E07722.8	진입	10:59 Z	(6일, 인도)
NO722.0 E07611.0	진입	11:15 Z	(6일, 인도)
콜롬보	도착	11:50 Z	(6일, 스리랑카, 급유15만LBS, 1박)

나. 콜롬보 - 방콕 〈스리랑카, 인도, 말레이지아, 태국〉

콜롬보	출발	03:30 Z	(7일, 스리랑카)
SULTO	진입	05:10 Z	(7일, 인도)
SAMAK	진입	06:43 Z	(7일, 말레지아)
SAPAM	진입	07:22 Z	(7일, 태국)
PHUKET	진입	07:33 Z	(7일, 태국)
SURAT HANI	진입	07:50 Z	(7일, 태국)
방콕	도착	09:50 Z	(7일, 급유15만 LBS, 1박)

0167

다. 방콕 - 클라크 (태국, 말레이지아, 인니, 싱가폴, 필리핀, 미국)

방콕	출발	02:00 Z	(8일, 태국)
BELER	진입	03:40 Z	(8일, 싱가폴)
NISUK	진입	06:40 Z	(8일, 인니)
필더핀ADIZ 진입		07:15 Z	(8일, 필리핀)
클라크	도착	08:10 Z	(8일, 필리핀, 미국, 급유15만LBS,1박)

라. 클라크 - 김해 (필리핀, 미국, 대만, 일본)

클라크	출발	01:00 Z	(9일)
DOREX	진입	02:15 Z	(9일, 대만)
SALMI	진입	03:55 Z	(9일, 일본)
ATTOTI	진입	04:20 Z	(9일, 한국)
김해	도착	05:20 Z	(9일, 한국시간 9일 14:20, 1박)

마. 김해 - 서울

김해	출발	05:00 Z	(10일)
서울	도착	07:00 Z	(10일, 서울지역 행사장 노선)

5

0168

10. 소요 연료 내역 (총 45만 LBS)

　　　o 종 류 : JP-4 혹은 JET A-1

11. 숙소 예약 : 콜롬보 (4월 6일 : 부원 34실)

　　　　　　　방콕 (4월 7일 : 부원 34실)

　　　　　　　홍콩 (4월 8일 : 부원 34실)

12. 영공 통과국 (FIR 통과국 포함)

일본, 대만, 필리핀, 인니, 말레지아, 싱가폴, 인도, 스리랑카,

태국, 바레인, 오만, UAE

0169

발 신 전 보

번 호 : WSK-0119   910319 1329 BX   종별 : 지급

수 신 : 주 스리랑카   대사. 총영사

발 신 : 장 관   (중동일)

제 목 : 군 수송단 철수

연 : WSK-0118

1. 연호 수송기 5대는 4.6(토) 오후 콜롬보 도착, 4.7(일) 오전 방콕 향발
    예정인바 동승 병력 65명이 공군 기지내에서 1박이 가능한지도 함께 보고 바람.

2. 본건 필요하면 ~~국방부 정책기획관~~ 박종권 장군이 ~~구나와드다~~ 공군총장에게 직접
    GUNAYADENA
    협조 요청하겠다 하니 참고 바람.

(중동아국장   이 해 순)

예 고 : 91.12.31. 일반

검 토 필 (1991. 6. 30.) 가   합참 전략기획부장

3. 국방부는 호텔유숙도 검토하였으나 다수 군인이 군복
   차림으로 호텔에 출입하는 것은 바람직하지 않다는
   결론이었다함.

									보 안 통 제	가

앙 고 재	91년 3월 19일 중동1과	기안자 성명		과장	심의관	국장		차관	장관		외신과통제
				가	앙	진찬			앙		

0170

원 본

외 무 부

종 별 :

번 호 : SKW-0181   일 시 : 91 0319 1130

수 신 : 장관(중동일,아서)

발 신 : 주 스리랑카 대사

제 목 : 공군수송단 철수

대:WSK-0118(91.3.18)

　연:SKW-0084(91.2.8)

1. 대호에 관하여 금 3.19 주재국 외무부 의전장에 확인한바, 아국 군수송기의 4.6(토) 당지기착및 급유에 문제점이 없다고함.

2. 동의전장은 외국 군용기의 기착에 관한 자국내 허가 절차상 통상적으로 요구하고 있는 연호 1 항 다. 에 언급된 비행내역 상세, 소요연료 내역등을 14 일전 당관 공한으로 주재국 외무부에 정식 요청해줄것을 요청하는바, 지난 2 월 아국 수송단의 당지기착 신청시와 같은 구체사항을 당관에 조속 통보 바람.

(대사 장훈-국장)

예고:91.12.31 일반

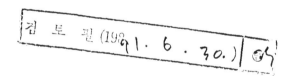

검 토 필 (198９1. 6. 30.) 이

중아국   차관   1차보   2차보   아주국   국방부

PAGE 1   91.03.19   15:06
                                                     외신 2과 통제관 DO

관리 번호	91 /335

외 무 부

종 별 :

번 호 : SKW-0184

수 신 : 장관(중동일,아서)

발 신 : 주 스리랑카 대사

제 목 : 군수송단 철수

일 시 : 91 0320 1120

대:WSK-0119

연:SKW-0181(91.3.19)

1. 대호 아국 군수송단의 당지 기착시 동승병력의 공항부근 공군기지내 숙박 문제에 관하여, 주재국 당국(외무부및 공군본부) 과 협의 중인바, 주재국 공군측은 기착 공항인접 공군 숙사내 수용가능함을 우선 구두 통보 받음.

2. 금 3.20 당관 공한으로 주재국 외무부측에 아측 요청 사항을 통보 하였으며, 주재국측 허가가 금명간 나오는대로 추보하겠음.

(대사 장훈- 국장)

예고:91.12.31 일반

| 검 토 필 (1991 . 6 . 20.) |

중아국   아주국

관리
번호 91/340

외　무　부

종　별 : 지　급

번　호 : SKW-0186

일　시 : 91 0320 1640

수　신 : 장관(중동일,아서),사본:국방부장관

발　신 : 주 스리랑카 대사

제　목 : 군수송단 철수

　　대:WSK-0119

　　연:SKW-0184

　1. 대호 주재국 외무부측은 금 3.20 오후 아국 군수송단의 당지 기착및 동승병력의 공항인접 공군 숙사에서의 숙박을 허가한다고 공식 통보해옴.

　2. 동숙박은 무료로 제공하겠다고 하며, 그외 식사및 음료수은 실비로 제공할수 있다고 함. 동시설 수용형편상 장교들을 분리 수용할수 없다함을 참고 바람.

　　당관에서는 동숙사 시설을 사전 점검할 예정임.

　3. 한편, 당관은 4.5-8 간 관계 기관에 의한 감사기간이나, 대호 군수송단 당지 경유시 불편없도록 편의제공 하겠음.

　　(대사 장훈-국장)

　　예고:91.12.31 일반

검　토　필(198 91 . 6 . 20 .)

중아국　　차관　　1차보　　2차보　　아주국　　국방부

PAGE 1

발 신 전 보

WSB-0592   외 별지참조   종별 :

번   호 :

수   신 : 주 수신처 참조   대사/총영사/

발   신 : 장 관   (중동일)

제   목 : 군수송단 철수

연 : WSB - 0576

1. 정부는 의료지원단과 군수송단의 임무 종료에 따라 3.20 이들을 철수한다는 방침을 세우고 대한항공 전세기 1대를 다란 및 아부다비에 운항시켜 의료지원단 154명과 공군 수송단 약 100명을 각각 철수시킬 예정이며, 이에 앞서 알아인 기지에 주둔 중인 수송기 5대와 공군 수송단 병력 일부(약 65명)는 4.6. 철수 시킬 예정임.

2. 상기 철수관련, 군수송단 운항 계획을 아래 통보하니 공관별 해당 사항을 주재국 관계 당국과 교섭하고 결과 보고 바람.

공군수송단 귀환 항공기 운항 자료

1. 기 종 : C- 130H 5대

2. 호출부호(등록번호) : KAF 81, KAF 83, KAF 85, KAF 86, KAF 78

3. 소 유 자 : 대한민국 공군 (KAF)

4. 항공기 호수 및 조종사 명단

　　가. 1번기

　　　　ㅇ 항공기 : 5181호 (호출부호 : KAF 81)

　　　　ㅇ 조종사 : 중령 김영곤 (KIM. Y. K)

　　　　　　　　　소령 고석무 (KO. S. M)   /.....

		보 안 통 제	가

		기안자 성명		과 장	국 장		차 관	장 관	
앙고재	91년 3월 길일	중동과 천픽			심의관	전결			

외신과통제

0174

나. 2번기
  ○ 항공기 : 5183호 (호출부호 : KAF 83)
  ○ 조종사 : 소령 김찬수 (KIM. C. S)
           대위 박수철 (PARK.S. C)

다. 3번기
  ○ 항공기 : 5185호 (호출부호 : KAF 85)
  ○ 조종사 : 중령 신승덕 (SHIN. S. D)
           소령 유헌주 (YU. H. J)

라. 4번기
  ○ 항공기 : 5186호 (호출부호 : KAF 86)
  ○ 조종사 : 소령 김석종 (KIM. S. J)
           소령 김길수 (KIM. K. S)

마. 5번기
  ○ 항공기 : 5178호 (호출부호 : KAF 78)
  ○ 조종사 : 소령 류보형 (RYIL. B. H)
           대위 이해원 (LEE. H. W)

5. 탑승자 : 65명 (조종사 포함)

6. 적재화물

  가. 항공기 장비용 수리 부속

  나. 수송단 요원 사용 생활용품 및 장비

7. 비행목적 : UAE ALAIN 기지 주둔 공군 수송단 귀국

8. 비행고도 /속도 : 22,000ft / 290 KTG

9. 항 로 (GMT)

  가. 알아인 - 콜롬보 (U.A.E., 바레인, 오만, 인도, 스리랑카)

     알아인   출발 05:00 Z (6일, U.A.E)

     GADMA   진입 05:11 Z (6일, 바레인)

     ALAMA   진입 06:40 Z (6일, 오만)

     KAGLU   진입 09:35 Z (6일, 인도)

                                    /....

0175

```
         MIKE                진입   10:06 Z (6일, 인도)
         NO 718.4. EO7722.8   진입   10:59 Z (6일, 인도)
         NO 722.0  EO7011.0    진입   11:15 Z (6일, 인도)
         콜롬보      도착 11:50 Z (6일, 스리랑카, 급유 15만 LBS, 1박)
   나. 콜롬보 - 방콕 (스리랑카, 인도, 말레지아, 태국)
         콜롬보      출발   03:30 Z  (7일, 스리랑카)
         SULTO       진입   05:10 Z  (7일, 인도)
         SAMAK       진입   06:43 Z  (7일, 말레지아)
         SAPAM       진입   07:22 Z  (7일, 태국)
         PHUKET      진입   07:32 Z  (7일, 태국)
         SURAT HANI  진입   07:50 Z  (7일, 태국)
         방콕         도착   09:50 Z  (7일, 급유 15만 LBS, 1박)
   다. 방콕 - 클라크 (태국, 말레이지아, 인니, 싱가폴, 필리핀, 미국)
         방콕         출발   02:00 Z  (8일, 태국)
         BELER       진입   03:40 Z  (8일, 싱가폴)
         NISOR       진입   06:40 Z  (8일, 인니)
         필리핀 ADIZ  진입   07:15 Z  (8일, 필리핀)
         클라크   도착   08:10 Z (8일, 필리핀, 미국, 급유15만 LBS, 1박)
   라. 클라크 - 김해 (필리핀, 미국, 대만, 일본)
         클라크      출발   01:00 Z  (9일)
         DOREX       진입   02:15 Z  (9일, 대만)
         SALMI       진입   03:55 Z  (9일, 일본)
         ATTOTI      진입   04:20 Z  (9일, 한국)
         김해         도착   05:20 Z  (9일, 한국시간 9일 14:20, 1박)
   마. 김해 - 서울 공항
         김해         출발   05:00 Z  (10일)
         서울         도착   07:00 Z  (10일, 서울기지 행사장 도착)
                                          /.....
```

10. 소요연료내역 (총 45만 LBS)

      ㅇ 종류 : JP - 4 혹은 JET A-1

11. 숙소 예약 : 콜롬보 (4월 6일 : 투윈 34실)

               방콕   (4월 7일 : 투윈 34실)

               클라크 (4월 8일 : 투윈 34실)

12. 영공 통과국 (FIR 통과국 포함)

    일본, 대만, 필리핀, 인니, 말레지아, 싱가폴, 인도, 스리랑카,

    태국, 바레인, 오만, UAE.

수신처 : 주 사우디, 오만, 인도, 스리랑카, 미얀마, 태국, 말레지아,

         싱가포르, 인니, 필리핀, 미국(클라크), 자유중국, 일본 대사

예 고 : 1991. 6. 30. 일반

WSB-0592   910321 1934 A0

WOM -0094   WND -0265   WSK -0126   WBM -0096   WTH -0519

WMA -0286   WSG -0202   WDJ -0316   WPH -0256   WUS -1106

WCH -0224   WJA -1288

0178

외 무 부

종 별 : 지 급

번 호 : NDW-0472

일 시 : 91 0321 1730

수 신 : 장관(중동일)

발 신 : 주 인도 대사

제 목 : 공군수송단 철수

　　　당관은 3.20 외교공한 첨부, 주재국 외무부 동아국을 통해 급유지원 요청을하였는바, 주재국측은 상부공람및 관계부서 협조후 내주초경 입장을 회신해 주겠다는 반응임.

　　　(대사 김태지-국장)

중아국

	분류번호	보존기간

발 신 전 보

WNB-0268   910322 1306 GH

번   호 :

종별 :   (사본: 주스리랑카 대사) WSK -0127

수   신 : 주   인도   대사. 총영사

발   신 : 장   관   (중동일)

제   목 : 공군 수송단 철수

연 : WND - 0242, 0592

대 : NPW-0472

연호 관련, 스리랑카 로부터 급유 허가를 받았으므로 국방부는 콜롬보
경유 철수를 희망하고 있으며 인도는 영공통과만 하게 되니 주재국 관계 당국에
적의 설명 ~~하여 연호 급유 교청진을 취소~~ 바람. 끝.

(중동아국장   이 해 순)

예고   1991. 6. 30 일반
의거 일반문서로 재분류

보 안 통 제	

앙고재	91년 3월 일 주동 과	기안자 성명		과 장	심의관	국 장		차 관	장 관	
						전결				외신과통제

0180

관리
번호 91/161

외 무 부

종 별 : 지 급
번 호 : MAW-0450   일 시 : 91 0325 1000
수 신 : 장관(중동일,국방)
발 신 : 주 말련 대사
제 목 : 군 수송단 철수

    1. 대호 C-130 H 수송기 5 대의 당지 FIR 통과와 관련 우선 외무부및 국방 당국에
전화 통보하였는바, 허가에 별 문제없으며 가급적 조속히 이를 통보해 주겠다고 함.
    2. 금일중 허가요청 공한 전달예정이며 주재국의 허가 통보시 추보하겠음. 끝
    (대사 홍순영-국장)

19 91.6.30 일반
의거 난 문서로

중아국   2차보   국방부

PAGE 1   91.03.25   11:32
                                                   외신 2과 통제관 BW
                                                       0181

관리 번호 이-1683

외 무 부

종 별 : 지 급

번 호 : JAW-1736

일 시 : 91 0325 1841

수 신 : 장관(중동일), 사본:주일대사

발 신 : 주 일 대사(일정)

제 목 : 군 수송단 철수

대 : WJA-1288

연 : JAW-0589

1. 대호 관련, 일측은 영공통과 여부의 정확한 판단을 위해서는 ATS 정보가 반드시 필요하다는바, 관계당국에 확인, 이를 지급 송부바람.

2. 연호 파견시와 같이 영공통과 허가가 필요치 않은 경우에도 일 관계기관에 대한 통고조치를 위해서는 상기 ATS 정보가 필요함을 참고바람. 끝

(대사대리 남홍우-국장)

예고:원본접수처:91.6.30. 일반

사본접수처:91.6.30. 파기 예고 의거 일반문서로 재분류됨

중아국 2차보 아주국

91.03.25 21:16
외신 2과 통제관 CE

0182

외 무 부

종 별 :

번 호 : NDW-0492   일 시 : 91 0325 1850

수 신 : 장관(중동일)

발 신 : 주 인도 대사

제 목 : 군수송단 철수

대:WND-0268

연:NDW-0472

1. 본직은 작일 SYAM SARAN 주재국 외무부 동아국장을 접촉한 기회에 철수하는 아국 군수송기와 관련, 급유는 그간 다른 대안을 찾았으며, 그러나 인도관할 상공통과가 필요하므로 그에 대한 호의적인 조치를 바란다고 한데 대하여 동국장은 다음과 같이 답변함.

가. 금번 한국 군수송기 운항과 관련한 급유등 협조요청에 대해서는 걸프전종결에 따른 상황의 변화를 감안, 그간 호의적인 방향으로 검토하고 있었음.

나. 인도관할 상공통과 허가에는 별문제 없을 것으로 봄.

2. 상기에 대해 본직은 다음과 같이 언급함.

가. 아측으로서는 인도측에 급유요청을 하면서 혹시 인도정부가 계속 민감한 사안으로 다루지 않을까 하는 생각도 있어서 다른 대안도 생각해 보았던 것이며, 마침 거번 급유지원을 했던 스리랑카측이 빨리 긍정적인 대답을 해 주었기 때문에 스리랑카에서 다시 급유를 받기로 된 것일 것임.

나. 연이나, 인도정부가 아측의 요청을 호의적으로 검토하고 있었다는데 대해서는 고맙게 생각하며, 본부에도 그점을 보고하겠음.

(대사 김태지-국장)

예고:91.6.30. 일반 예고문에
기 난문서로 대분류됨

| 중아국 | 차관 | 1차보 | 2차보 | 청와대 | 안기부 |

외 무 부

종   별 :

번   호 : SKW-0198

일   시 : 91 0325 1640

수   신 : 장관(중동일, 아서)

발   신 : 주 스리랑카 대사

제   목 : 군수송단 철수

대:WSK-0126(91.3.22)

연:SKW-0186(91.3.20)

1. 대호 운항계획에 따른 아국 군수송단의 주재국 기착, 급유등 요청사항을지난 3.22. 자 당관명의 공한으로 작성, 주재국 당국에 요청 하였음.

2. 주재국 외무부에 확인한바에 의하면 명 3.26. 중 정식 허가 통보가 예상됨을 중간 보고함.

(대사 장훈-국장)

예고:91.12.31 일반

검 토 필 (1991. 6. 30.)

중아국   1차보   2차보   아주국

91.03.26   08:19
외신 2과   통제관 FE

0184

＋

국　　　　방　　　　부

146 R 271736

군합 24411-5*9　　　　　　　(795-6217)　　　　　　'91. 3. 27.

　　　　　　　　　　　　　　　　　　　　　　　　　　　(1년)

수 신　의무사령관

참 조　종합 아부다비기지장

제 목　ATS 정보 및 항로통보 (의뢰)

　　1.　관련근거 ：　JAW-1736(91.3.25) 군수송단 접수

　　2.　위 근거에 의거 ATS 정보 및 자유통과대서 요청한 항로번호를 아래와 같이
통보 의뢰하오니 조처하여 주시기 바랍니다.

　　　　가.　ATS 정보 (주임대서 요청 사항)
　　　　　(항공교통 서비스)
　　　　　　1)　KAF 81, KAF 83, KAF 85, KAF 86, KAF 78 (5대)

　　　　　　2)　C-130 H SERIS

　　　　　　3)　크타크 1000　N0290　FLIGHT 0220

　　　　　　4)　크타크 TR 20, 591 APU 576

　　　　　　5)　CHJ A-586 KIMHAE　　　　　항공기의, 비고 .

　　　　나.　항로 (GMT) 번호 (자유통과 요청 사항)
　　　　　　1)　압아인(아부다비) - 곱답보 ： G 462

　　　　　　2)　곱답보 - 방콕 ： R 203, W 18, W 10

　　　　　　3)　방콕 - 크타크 ： R 201, G 577

　　　　　　4)　크나크 - 김해 ： TR 20, B 591, B 576, W 6.　끝.

　　　　　　　　　　국　　　　방　　　　부　　　장

0185

	분류번호	보존기간

발 신 전 보

WOM-0099 외 별지참조

번 호 : _____ 종별 : 지 급

WOM-0099 910327 1748 FO

수 신 : 주 수신처참조 대사 / 총영사 /

발 신 : WND -0265 (중동아국장) WBM -0110 WTH -0552 WMA -0310

제 목 : WSG -0202 WDJ -0345 WPH -0274 WUS -1190 WCH -0233

WJA -1397

연 : WSB - 0592외 별지 참조

연호 군수송기 이.착륙 및 영공 통과허가, 급유, 숙소예약(방콕, 마닐라)등 해당 공관별 진전사항을 보고 바람.

(중동아국장 이 해 순)

수신처 : 주 사우디, 오만, 인도, 스리랑카, 미얀마, 태국, 말레지아, 싱가포르, 인니, 필리핀, 미국(클라크), 자유중국, 일본 대사

연 호 : WOM-0094, WND-0265, WSK-0126, WBM-0096, WTH-0519, WMA-0286, WSG-0202, WDJ-0316, WPH-0256, WUS-1106, WCH-0224, WJA-1288.

예고 : 1991. 12. 31. 일반

검 토 필 (1991. 12. 31.)

보 안 통 제	7h

앙 고 재	91년 3월 31일 중동아과	기안자 성명		과 장	심의관	국 장 전결		차 관	장 관	

외신과통제

외 무 부

종 별 : 지 급

번 호 : CHW-0517

수 신 : 장관(중동일)

발 신 : 주 중 대사

제 목 : 군수송단 철수

일 시 : 91 0327 1730

대:WCH-0224

대호 군수송단 철수관련, 주재국당국에서는 영공봉과 항로번호를 요청하고 있으니

이를 지급 회시바람. 끝

(대사 한철수-국장)

중아국

91.03.27   19:11
외신 2과 통제관 BA

0187

외 무 부

종 별 :

번 호 : SKW-0207   일 시 : 91 0327 1410

수 신 : 장관(중동일,아서)

발 신 : 주 스리랑카 대사

제 목 : 군수송단 철수

대:WSK-0126

연:SKW-0198

주재국 외무부는 3.26 자 당관앞 회답 공한을 통하여 아국 수송단의 대호 주재국
기착및 급유에 관한 허가를 정식 통보해왔음.

(대사 장훈-국장)

예고:91.12.31 일반

검 토 필(19**91. 6. 30.**)

외 무 부

종 별 : 지 급

번 호 : PHW-0426   일 시 : 91 0327 0800

수 신 : 장관(중동일)

발 신 : 주 필리핀 대사

제 목 : 군수송단 철수

대:WPH-0274

1. 착륙 허가번호:부활절 연휴(3.26-3.31)관계로 4.1. 일 외무성에서 통보키로 약속함.

2. 숙소: 클라크 기지와 협조 완료함.(TWIN 34 실 예약)

3. 기타지원:클라크 기지 실무자와 무관 구대령이 완료하였으며, 항공기 점검, 연료보급, 승무원 수송 및 숙식 지원에 이상없음.

4. 공관장 주최 승무원 격려 만찬

-클라크 기지 장교회관 BALL ROOM 을 이용 도착 승무원에 대한 격려 만찬을4.8. 일에 계획하였으며, 클라크 기지와 협조 완료함.

(대사 노정기-국장)

예고:91.12.31. 일반

중아국   2차보   국방부

발 신 전 보

WCH-0236　　910328 1746　FL

번　　호 : ＿＿＿＿＿＿＿＿＿＿＿＿＿　　종별 : ＿＿＿＿＿

수　　신 : 주 중　　대사 . 총영사///

발　　신 : 장 관　　(중동일)

제　　목 : 군수송단 철수

대 : CHW - 0517

대호 항로(CMT)번호는 아래와 같음.

1. 알아인 (아부다비) - 콜롬보 : G462
2. 콜롬보 - 방콕 : R203, W18, W10.
3. 방콕 - 클라크 : R201, G577.
4. 클라크 - 김해 : TR20, B591, B576, W46.　　　끝.

(중동아국장 - 이해순)

예 고 :　1991. 6. 30. 일반고 문에
의거 일반문서로 재분류됨

0190

발 신 전 보

WJA-1415   910328 1747   FL

번   호 : _____   종별 : _____

수   신 : 주 일   대사 . 총영사 //

발   신 : 장 관   (중동일)

제   목 : 군수송단 철수

연 : WJA - 1288

대 : JAW - 1736

대호 ATS 정보를 아래와 같이 통보함.

1.   KAF 81, KAF 83, KAF 85, KAF 86, KAF 78 (5대)

2.   C - 130   M SIMIS

3.   클라크 1000 N0290 FLIGHT 0220

4.   클라크 TR 20, 591 APU 576

5.   CHJ A - 586 KIMHAE.   끝.

(중동아국장 - 이해순)

예   고 : 1991. 6. 30. 일반문서로 재분류함

앙 고 재	91년 3월 27일 중동일과	기안자 성명		과 장	심의관	국 장		차 관	장 관	
		03								외신과통제

0191

외 무 부

종 별 : 지 급

번 호 : USW-1462

일 시 : 91 0328 1902

수 신 : 장관(중동일)

발 신 : 주 미 대사

제 목 : 군 수송단 철수

연 : WUS-1190

연호, 이.착륙 하가 신청은 당관 무관부를 통해 미 국방부에 기제출 하였는바,

빠르면 금주말 이전 당관에 대한 허가 번호 회보가 가능할것이라 함을 중간 보고함.

(대사 현홍주-국장)

91.12.31 일반

검 토 필 (1991. 6. 30.)

중아국

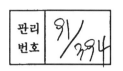

원 본

외 무 부

종 별 : 지 급

번 호 : SGW-0196   일 시 : 91 0328 1630

수 신 : 장관(중동일)

발 신 : 주 싱가폴 대사

제 목 : 대: WSG-0202,0214

    대호건 주재국 외무부 관계자는 아국 군수송단의 주재국 영공통과에는 아무런
문제가 없다고 하면서 내주초까지 공식적인 회답을 줄수 있을것이라고 언급함.끝.

    (대사 김성진-국장)

    예고: 91.12.31. 일반

검 토 필 (19 91. 6. 3.0 기)

중아국

PAGE 1   91.03.28   17:49
                                            외신 2과 통제관 BN

                                            0193

관리번호 91/393

외 무 부

종 별 :

번 호 : MAW-0472   일 시 : 91 0328 1430

수 신 : 장관(중동일,국방부)

발 신 : 주 말련 대사

제 목 : 군수송단 철수

대:WMA-0310

연:MAW-0450

연호관련 주재국 외무부에 재확인 한바, 주재국 영공통과에 별 문제가 없으며 주재국 관계기관의 회신을 받는 대로 4.1(월)중 우선 구두로 허가 통보 예정이라함. 끝

(대사 홍순영-국장)

91.12.31 일반

중아국   국방부

91.03.28   17:44
외신 2과 통제관 BN

0194

외 무 부

종 별 :

번 호 : BMW-0196

일 시 : 91 0328 1840

수 신 : 장관(중동일,아서)

발 신 : 주 미얀마 대사

제 목 : 군 수송단 철수

대:WBM-0096,0110

당관은 대호 해당사항이 없음을 보고함

(대사 김항경-국장)

예고:91.12.31 일반

검 토 필(1991. 6. 30.)

중아국   아주국

PAGE 1

91.03.28   23:02
외신 2과 통제관 FE

0195

외 무 부

관리번호 91/397

종 별 :

번 호 : NDW-0522   일 시 : 91 0328 1900

수 신 : 장관(중동일)

발 신 : 주 인도 대사

제 목 : 군수송단 철수

대:WND-0287

연:NDW-0492

주재국 외무부측에 진전사항을 재차 확인한바, 원칙적으로는 별문제 없을 것으로 본다고 하면서 관계부처 협조에 시간이 소요되므로 내주초경 회답을 줄수있을 것이라고 함.

(대사 김태지-국장)

예고:91.12.31. 일반

검 토 필 (19 91. 6. 20.)

중아국

	분류번호	보존기간

발 신 전 보

번 호 : WBH-0176   910329 1151 FL   종별 : _____

WKU -0061   WAE-23Y
WSB-632

수 신 : 주 ~~UAE~~ 쿠웨이트 대사 /총영사

발 신 : 장 관 (중동일)

제 목 : 공군 수송단 활용

관련 : AEW-0198
       KWW-0043.

~~대호~~. 3.28. 국방부는 군수송기의 주쿠웨이트 대사관 공수 지원이 가능함을
통보하여 왔으니 ~~주사우디 및 주쿠웨이트 대사관과 협조, KU 비행에 차질 없도록~~
~~조치 바람.~~ 실무협조는 주UAE 대사관을 통해 공군수송단과 협조바람.

(중동아국장   이 해 순)

사 본 : 주 ~~사우디, 쿠웨이트 대사~~ UAE, 사우디 대사.

예 고 : 91.12.31. 까지

검 토 필 (1991. 6. 30.) 재

보 안 통 제	√√

앙 고 재	91 년3 월2 일 중동일국	기안자 성명		과 장	심의관	국장		차 관	장 관	
				기2	전결					

외신과통제	

0197

관리 번호	91 1.415

외 무 부

종 별 : 지 급

번 호 : THW-0755

일 시 : 91 0330 0900

수 신 : 장 관(중동일)

발 신 : 주 태 국 대사

제 목 : 군수송단철수

대 : WTH-0552

1. 대호 군수송기 당지 경유관련, 이.착륙 및 영공통과허가, 급유등에 관해서는 주재국 외무성 및 군당국에 공한으로 협조요청하였는바 진전사항 있는대로 추보 예정임

2. 숙소관련 군수송단의 U.A.E. 향발도중 당지경유시와 마찬가지로 공군기지 인근 태국공군장병 막사를 사용코자 군당국과 교섭중에 있는바, 결과 추보예정임

(대사 정주년-국장)

예고 : 91.12.31. 일반

정 보 제 반 (91. 6. 30.) 정

중아국   국방부

PAGE 1

철수 군수송기 영공통과 허가 접수 현황

(3.31현재)

순위	국가명	공 관 보 고
1	오 만	~~미접~~ 3.31 영공통과허가득 :
2	인도(봄베이)	4.3 영공통과 허가. ~~원칙적으로 별 문제 없음. (4월초 회신 예정)~~
3	스리랑카 (콜롬보)	3.26 기착.급유허가 접수
4	미얀마(버마)	해당사항 무
5	태 국(방콕)	○ 이.착륙, 영공통과 허가, 급유등 ~~공항요청~~ 협조요청 협조 요청 ○ 숙소는 공군기지 인근 태국공군 막사 사용 교섭중
6	말 련	4.1 영공통과허가 ⊕접수 ~~별 문제 없음(4월초 구두로 허가 통보 접수 예정.)~~
7	싱 가 폴	~~미접~~ 4.2 영공통과허가접수
8	인 니	~~미접~~ 영공통과허가 접수.
9	필 리 핀	○ 4.1 착륙허가 접수 ~~예정~~ OK ○ 숙식등 기타 지원사항 클라크 기지와 협조 완료(트윈 34실 예약)
10	클라크(미국)	~~4월초 회신 예정~~ 4.3 허가 접수
11	자유중국	✓영공통과허가 접수 ~~미접(3.28 항로번호 주중 대사관에 통보)~~
12	일 본	미접(3.28 ATS 정보 주일 대사관에 등보)

* 3.27   미접 공관에 대해 독촉 전문 발송

0199

발 신 전 보

분류번호	보존기간

번   호 : WTH-0572   910401 1052 FO 종별 : _____

수   신 : 주 태국   대사.//총영사친 전)

발   신 : 장 관(중동아국장)

제   목 : 업 연

1. 지난번 대사님 일시 귀국시에는 복도에서 잠깐 뵈었을뿐 한번 모실 기회도
    없이 떠나시게 되어 죄송했습니다.

2. 이번에 다시 수송단 경유로 수고를 하시게 되었습니다. 잘 부탁드립니다.

3. 회의때 곧 뵈옵겠습니다. 축건승

보 안 통 제	

앙고재	91년4월1일	과	기안자 성명		과 장		국 장		차 관	장 관		외신과통제

0200

관리 번호	이 -/677

외 무 부

종 별 :

번 호 : MAW-0492

일 시 : 91 0401 0940

수 신 : 장관(중동일,아동,국방)

발 신 : 주 말련 대사

제 목 : 군 수송단 철수

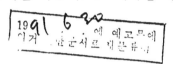

연:MAW-0472

대:WMA-0286

1. 대호관련 4.1 ZULKIFLY 주재국 외무부 영사과 부과장은 아국 군 수송단 C-130H 기 5 대의 주재국 영공봉과 허가를 통보해옴.

2. 봉과절차는 종전(91.1)과 동일하게 대호 비행일정에 따라 아국 수송기가주재국 영공 접근시 대호 CALL SIGN 을 보내면 영공봉과를 자동적으로 허가할 예정이라함. 끝

(대사 홍순영-국장)

91.6.30 일반

중아국	차관	1차보	2차보	아주국	국방부

관리
번호 91/427

외 무 부

종 별 :

번 호 : CHW-0535

수 신 : 장관(중동일)

발 신 : 주 중 대사

제 목 : 군수송단

일 시 : 91 0401 1700

대:WCH-0224,0233

대호 군수송기의 주재국 영공통과관련, 주재국당국의 허가득했음을 보고함.끝

(대사 한철수-국장)

예고:91.12.31. 일반

검 토 필 (1991. 6. 30)

중아국   국방부

PAGE 1

91.04.01   19:08
외신 2과 통제관 BS

0202

외 무 부

종 별 : 지 급

번 호 : OMW-0079

일 시 : 90 0401 1340

수 신 : 장관(중동일)

발 신 : 주 오만 대사

제 목 : 군용기 영공봉과 허가

대:WOM-0094

대호 아국 군수송기 5 대의 귀환을 위한 주재국 영공봉과 허가 3.31. 자로 허가를 득한바, 동허가번호는 "DGCAM-876"임.끝

(대사 강종원-국장)

예고:91.6.30. 일반

중아국   국방부

분류번호	보존기간

발 신 전 보

WOM-0104   910402 1130   FL

번   호 : _____   종별 : 지 급

수   신 : 주   수신처 참조   ~~대사~~ // ~~총영사~~ //

발   신 : 장 관 (중동일)

제   목 : 군수송단 철수

WSG -0229   WDJ -0361
WCH -0247   WJA -1501

연 : 수신처 참조

군수송기 철수 일정이 임박하였으니 연호건 조속 조치하고 결과
보고 바람.   끝.

(중동아국장 이 해 순)

수신처 : 주 오만(WOM-0094,99), 싱가폴(WSG-0202,0214),
인도네시아(WDJ-0316,0345), 자유중국(WCH-0224,0233),
일본(WJA-1288,1397) 대사

예 고 : 91. 12. 31. 일반

검 토 필 (19 91. 6 20)

	보 안 통 제		外

앙고재	91년 4월 1일	기안자성명		과장	심의관	국장		차관	장관		외신과통제

외 무 부

종 별 : 지 급

번 호 : DJW-0645

일 시 : 91 0402 1115

수 신 : 장관(중동일)

발 신 : 주 인니 대사

제 목 : 군수송단 철수

대:WDJ-0316,0345

대호, 주재국 정부는 4.1. 아국 군수송기의 영공통과를 허가하였으며, 허가번호(FLIGHT CLEARANCE NO.)는 580/UD/IV/91/P 임.끝.

(대사 김재춘-국장)

예고:91.12.31. 일반

검 토 필 (199 1. 6. 30.)

중아국   국방부

관리
번호 이-1676

외 무 부

종 별 : 지 급

번 호 : PHW-0442

일 시 : 91 0402 1705

수 신 : 장관(중동일,아동)

발 신 : 주 필리핀 대사

제 목 : 군수송단 철수

　　　연호 1 항관련, 주재국 외무부는 91.4.2. 자 구상서(번호 911348)로 아국
군수송기 착륙 허가를 통보하여 왔음.

　　　(대사 노정기-국장)

　　　예고:91.12.31. 일반

검 토 필 (19 91. 6. 30.)

중아국　　아주국　　국방부

PAGE 1

91.04.02　　19:11

외신 2과　통제관 CH

0206

관리 번호	이 -1673

외 무 부

종 별 : 지 급

번 호 : SKW-0222

일 시 : 91 0402 1530

수 신 : 장관(중동일),사본:주 UAE대사(중계필)

발 신 : 주 스리랑카 대사

제 목 : 군수송단 철수

대:WSK-0126

연:SKW-0207

　　아국 군수송단의 당지 경유시 부숙할 KATUNAYAKE 공군기지측 요청 이오니, 아국 수송단 병력중 장교및 비장교 구분별 인원수, 기내 잔류 당직 병력수, 지휘장교의 계급과 성명을 알려주시기 바람.

　　(대사 장훈-국장)

　　예고:91.12.31 일반

검 토 필(1991. 6. 30.)

중아국

PAGE 1

원　본

외　무　부

종　별 : 지　급

번　호 : SGW-0205

일　시 : 91 0403 1600

수　신 : 장관(중동일)

발　신 : 주 싱가폴 대사

제　목 : 군수송단 철수

연: SGW-0196

대: WSG-0202, 0214, 0229

주재국 외무부는 금 4.2. 자 외교공한으로 대호 아국 군수송단의 주재국 영공통과에 대해 이의없음을 공식 통보하여 왔음. 끝.

(대사 김성진 - 국장)

예고: 91.12.31. 일반

검 토 필 (1991. 6. 30.)

중아국

PAGE 1

91.04.03　18:01

외신 2과　통제관 BN

0208

외 무 부

종   별 : 지 급

번   호 : NDW-0552

일   시 : 91 0403 1700

수   신 : 장관(중동일)

발   신 : 주 인도 아국

제   목 : 군수송단 철수

대:WND-0287

연:NDW-0492,0522

1. 주재국측은 금일 아국 군수송단의 인도관할 상공봉과를 허가함을 봉보하면서, 인도양의 안다만제도 상공은 인도영공이므로 영공봉과번호를 부여하는 것이 원칙이나 특별히 허가번호 없이 봉과할수 있도록 조치하였다고 알려옴.

2. 주재국측은 아측이 원하는 경우 충분한 사전협의를 거쳐 급유지원도 고려 가능하다고 언급하였음을 참고로 보고함.

(대사 김태지-국장)

예고:91.6.30. 일반

중아국   2차보   국방부

91.04.03   21:46
외신 2과 통제관 CH

외 무 부

종 별 : 지 급

번 호 : THW-0795

일 시 : 91 0403 1900

수 신 : 장 관(중동일)

발 신 : 주 태 국 대사

제 목 : 군수송단 철수

대 : WTH-0552

연 : THW-0755

대호 군수송단 당지경유 관련 조치결과 아래보고함

1. 군수송기 이.착륙허가번호 : MOD 0312.4/1497

2. 도착. 출발공항: 방콕 국제공항 인근공군기지(DON MUANG AIR BASE)

3. 급유 : 수송기 도착직후 급유받을수 있도록 주재국 공군당국과 협조필

4. 수송단원 숙소 : 공군기지 인근에 위치한 태국공군 대공포 연대장병막사

(대사대리 주진엽-국장)

예고 : 91.1.31. 일반

중아국   국방부

관리번호 91/444

외 무 부

종 별 :

번 호 : USW-1574

일 시 : 91 0403 1906

수 신 : 장관(중동일)

발 신 : 주미 대사

제 목 : 군 수송단 철수

연:USW-1462

연호 관련, 미 국방부가 당관 무관부에 알려온바에 따르면 , 아군 수송기의클라크 공군기지 착륙허가 번호는 140-91-KOREA 라 하며, 기타 아측 요청사항에 대해서도 현지 사령부에 대해 지시하였다고 함.

(대사 현홍주- 국장)

91.12.31. 일반

검토필(1991. 6. 30.)

중아국

91.04.04   09:55

외신 2과 통제관 FE

0211

외 무 부

관리
번호 : 이-1665

종 별 : 지 급

번 호 : JAW-1966

일 시 : 91 0404 1352

수 신 : 장관(중동일)

발 신 : 주 일 대사(일정)

제 목 : 군수송단 철수

대: WJA-1501

연: JAW-0589

대호건 일측에 확인결과 금번 군수송기의 통과구역은 연호 파견시와 마찬가지로 일본 영공이 아닌 AID 구역으로서 일정부의 허가없이 통과가 가능하다함. 끝

(공사남홍우-국장)

예고:91.12.31. 일반

검 토 필 (199 1. 6. 30.)

중아국

PAGE 1

91.04.04 15:05

외신 2과 통제관 BN

0212

	분류번호	보존기간

발 신 전 보

WSK-0149   910404 1832 FL

번   호 : _____   종별 : 지급

수   신 : 주 스리랑카   대사. 송영식

발   신 : 장 관   (중동일)

제   목 : 군 수송단 철수

대 : SKW - 0222

    대호 군 수송단의 지휘장교는 이재기 대령(LEE, JE GEE)이며, 병력은
장교 36, 비장교 29명(총 65명), 기내 잔류 당직인원은 10명임.   끝.

(중동아국장 이 해 순)

예 고 : 91. 6. 30 일반

1991. 6. 30에 예고 의거 일반문서로 재분류함

		기안자 성 명		과 장	심의관	국 장		차 관	장 관
앙 고 재	91년 4월 4일 중 동 일 과	153		가	양	전결			우정

보 안 통 제	가

외신과통제	

0213

발 신 전 보

번   호 : WSK-0150   910404 1833 FO   종별: 지급

WPH -0297

수   신 : 주 스리랑카, 필리핀대사. 총영사//

발   신 : 장 관 (중동일)

제   목 : 공군 수송단 철수

연 : WSK-0126, WPH-0256

　　　국방부는 철수 군수송단의 귀지 경유시 65명분의 중식을 귀관이 사전
준비, 1박후 출발시(스리랑카 현지시간 4.7. 08:00, 필리핀 4.9. 08:00)
동 중식이 수송기에 적재 되도록 군 관계당국과 협조해 줄것을 요청한바, 동건
조치하고 결과 보고 바람.　중식 대금은 군수송단이 현지 도착시 지불하겠다
하니 참고 바람. 끝.

　　　　　　　　　　　　　　　　(중동아국장　　이 해 순)

예 고 : 91.6.30. 일반

1991
6   에 예고
인가   일반문서로 대외

보 안
통 제

앙 고 재	91 년 4 월 4 일 중동일과	기안자 성명		과 장 요의간	국 장		차 관	장 관		외신과통제
		153		기대	전결			후결		

0214

관리
번호 *이*
-1664

외 무 부

종 별 : 지 급
번 호 : SKW-0229
일 시 : 91 0405 1100
수 신 : 장관(중동일)사본:주 U.A.E.대사(본부중계요)
발 신 : 군수송단 철수
제 목 : 대:WSK-0150

1. 대호 군수송단의 당지 경유시 중식(4.7 용) 을 공군 기지측에서 준비(김치는 당관 제공) 수송기에 적재토록 조치 하였음.

2. 대호 수송단의 당지 경유후 출발시간 (당지시간 4.7 0800) 은 당초 본부통보시간(동일 0900 시 GMT 0330)과 상이한바 조속 확인 회보 바람.

(대사 장훈-국장)

예고:91.12.31 일반

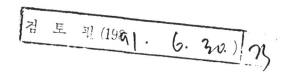
검 토 필 (1991. 6. 30.)

c 철수완료하면 감사더한 보냅시다.

중아국 국방부

91.04.05 14:52
외신 2과 통제관 FI

0215

원 본

외 무 부

종 별 :

번 호 : PHW-0454

일 시 : 91 0405 1510

수 신 : 장관(중동일,아동,국방부)

발 신 : 주 필리핀 대사

제 목 : 공군 수송단 철수

대:WPH-297

대호, 기조치 되었음.

(대사 노정기-국장)

예고:91.6.30. 일반

중아국   아주국   국방부

91.04.05   16:38

외신 2과 통제관 DO

0216

관리 번호	91 -166P

외 무 부

종   별 : 초긴급-0248   910405 1710 DO

번   호 : NDW-0571   일   시 : 91 0405 1240

수   신 : 장관(중동일)

발   신 : 주 인도 대사

제   목 : 군수송단 철수

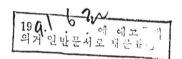

연:NDW-0552

1. 주재국 민간항공국측은 아국 군수송기의 인도관할 상공봉과와 관련, 필요한 경우 SIGNAL NUMBER 를 YA 066-04-050445 를 사용토록 봉보해 옴.

2. 주재국측에 의하면 군수송기의 영공봉과에 대해서는 봉상 주재국 공군본부에서 허가번호를 부여하나, 금번 경우에는 특별히 FIR 만 봉과하는 것으로 하여 공군본부에서 허가번호를 부여하지 않고 FIR 봉과시 필요한 경우 사용할 SIGNAL NUMBER 를 별도로 봉보한다고 함.

(대사 김태지-국장)

예고:91.6.30. 일반

19 91. 6.3 에 대고 기 의거 일반문서로 재분류

사본 : 주 U.A.E
대사에게 송부됨
4.5. 17:10
사본 : 국방부에 FAX
처송부됨
4.5.
17:00

중아국   국방부

PAGE 1   91.04.05   16:45

발 신 전 보

번 호 : WSK-0153   910406 0926 CG   종별 : 긴급

수 신 : 주 스리랑카   대사. 총영사//

발 신 : 장 관   (중동일)

제 목 : 군수송단 철수

대 : SKW-0207

대호 허가번호 긴급 보고 바람. 끝.

(중동아국장   이 해 순)

예 고 : 91.6.30. 일반

관리 번호	91- 1668

외 무 부

종   별 : 초긴급

번   호 : SKW-0231   일   시 : 91 0406 0900

수   신 : 장관(중동일)

발   신 : 주 스리랑카 대사

제   목 : 군수송단 철수

대:WSK-0153

　　대호 허가번호는 주재국 외무부의 91.3.26. 자 허가문서번호 (PR/CL/A/42)또는
전례에따라 아국 항공기의 호출번호 (KAF 81 등) 을 사용해도 무방하다고 금 4.6
주재국 외무부 의전장에 확인함

　　(대사 장훈-국장)

　　예고:91.6.30 일반

중아국

분류번호	보존기간

발 신 전 보

WSK-0156   910406 1759   FN

번 호 : _____   종별: 지급

수 신 : 주 스리랑카 대사. 총영사

발 신 : 장 관 (중동일)

제 목 : 군 수송기 철수

연: WSK-0150

대: SKW-0229

대호, 귀지 출발시간을 4.7. 09:00 (현지시간)
로 재확인 통보함. 끝.

(중동아국장   이해순)

예고: 91. 6. 30 일반.

19 91. 6. 30 에 예고
의거 일반문서로 재분류됨

| | 보 안 | 13 대 |
| | 통 제 | |

앙 고 재	91 년 4 월 6 일	중 동 일 국	기안자 성명 이해순		과 장		국 장 인회		차 관	장 관 류병

| | | 외신과통제 |

0220

원　본

외　무　부

종　별 : 긴급

번　호 : SKW-0232　　　　　　　　　일　시 : 91 0406 1820

수　신 : 장관(중동일),사본:주태대사(중계필)

발　신 : 주 스리랑카 대사

제　목 : 군수송단 철수

대:WSK-0153

연 SKW-0231

군수송단은 예정보다 빠른 금 4.6.(토) 1630(당지시간) 당지에 도착함

(대사 장훈-국장)

예고:91.6.30 일반

중아국　　1차보　　상황실　　국방부

PAGE 1

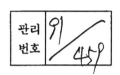

원 본

외 무 부

종 별 : 긴 급

번 호 : SKW-0233   일 시 : 91 0407 0920

수 신 : 장관(중동일, 아서)사본:주태대사(본부중계요)

발 신 : 주스리랑카대사

제 목 : 군수송단 철수

연:SKW-0222

대:WSK-0150

1. 대호 군수송단(5 대)은 예정보다 빠른 4.6(토) 1630 당지 도착,1 박후 금 4.7
(일) 0900(당지시간) 방콕향발함.

2. 대호 지시에 따른 65 명분 중식도 주재국 KATUNAYAKE 공군기지측 제공으로 준비
지참 시켰음

(대사 장훈-국장)

예고:91.6.30 일반

중아국   2차보   아주국   국방부

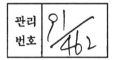

외 무 부

종 별 : 긴 급

번 호 : THW-0824   일 시 : 91 0407 1630

수 신 : 장 관(중동일,사본:필리핀대사-중계필)

발 신 : 주 태 국 대사대리

제 목 : 군수송단철수

　　　　대 : WTH-0519

　　　　대호 군수송단은 예정보다 빠른 금 4.7(일) 15:15(당지시간) 방콕 도착함

　　　　(대사대리 주진엽-국장)

　　　　예 고:91.6.30 일반

중아국　　상황실

원 본

외 무 부

종 별 : 긴 급

번 호 : THW-0826   일 시 : 91 0408 0940

수 신 : 장 관(중동일,국방부,사본:주필리핀대사(중계필)

발 신 : 주 태 국 대사대리

제 목 : 군수송단철수

대 : WTH-0552

연 : THW-0755

1. 대호 군수송기 5 대와 수송단 병력은 4.7(일) 15:15 당지 공군기지에 도착하였으며 동수송기는 도착직후 주재국 공군당국으로 부터 급유를 제공받았음. 수송단 병력은 주재국 공군당국의 협조로 공군기지 인근 대공표연대 장병막사에서 1 박하였음. 군수송기 3 대와 일부 수송단 병력은 예정대로 4.8(월) 09:00 당지를 출발, 필리핀 클라크 공군기지로 향발하였으며 나머지 수송기 2 대는 경미한 고장수리를 위해 2-3 시간 늦게 잔여병력과 함께 출발 예정임

2. 상기 군수송단 도착및 출발시 주진엽공사, 무관및 교민대표들이 공항출영. 송하하였음

(대사대리 주진엽-국장)

검 토 필 (1991. 6.30.)

예 고 : 91.12.31. 일반

중아국   국방부

91.04.08   13:00
외신 2과 통제관 BW

0224

외 무 부

종 별 : 긴 급

번 호 : THW-0827 일 시 : 91 0408 1100

수 신 : 장 관(중동일,국방부,사본:주필리핀대사(중계필)

발 신 : 주 태 국 대사대리

제 목 : 군수송단 철수

연 : THW-0826

연호 군수송기 2 번기는 공기 흡입장치의 작동불량으로 수리후 5 번기와 함께 예정보다 30 분늦게 4.8(월) 09:30 당지를 출발, 클라크공군기지로 향발하였음

(대사대리 주진엽-국장)

예 고 : 91.12.31. 일반

검 토 필 (19 91. 6. 30)

중아국   국방부

PAGE 1

외 무 부

종 별 : 긴 급

번 호 : PHW-0471

일 시 : 91 0408 1645

수 신 : 장관(중동일) 사본:국방부장관

발 신 : 주 필리핀 대사

제 목 : 군수송단 철수

대:WPH-256,307

대호 군수송기 5 대는 금 4.8.(월) 16:35 (필리핀시간)에 당지 클라크 미공군

기지에 무사히 도착하였음.

(대사 노정기-국장)

예고:91.12.31. 일반

검 토 필(1991. 6. 30).

중아국   국방부

PAGE 1

91.04.08   18:03

외신 2과   통제관 BN

0226

관리
번호 @91/483

외 무 부

종 별 : 지 급

번 호 : SKW-0242

일 시 : 91 0409 1800

수 신 : 장관(중동일) 사본:국방부 장관

발 신 : 주 스리랑카 대사

제 목 : 군수송단 (급유대금)

연:SKW-0137,0233

대:WSK-0156

1. 아국 군수송단의 지난 4.6-7 간 당지 기착중 급유대금(미화 19,045 불 81 센트)에 관한 주재국 석유공사의 청구서를 아국 군수송단편에 지참시켰음. 동 청구서 사본은 차파편 송부 하겠음.

2. 또한 석유 공사측은 지난 2 월 아국 군수송단의 당지 기착시 급유 대금 (연호 참조) 에 대하여 아직 지불되지 않았다고 하는바, 상기와 함께 조속 지불 되도록 조치해주시기 바람.

(대사 장훈-국장)

예고:91.6.30 일반

1991 6 2 예고
의거 일반문서로 재분류

중아국   국방부

원 본

외 무 부

종 별 : 긴 급

번 호 : PHW-0472　　　　　　　　　　　일 시 : 91 0409 0940

수 신 : 장관(중동일) 사본:국방부장관

발 신 : 주 필리핀 대사

제 목 : 군수송단 철수

　　　대:WPH-256

　　　연:PHW-0471

　　　연호, 군수송기 5 대는 금 4.9(화) 09:16(필리핀시간)에 당지 클라크 미공군
기지를 이륙 서울 향발하였음.

　　　(대사 노정기-국장)

　　　예고:91.12.31. 일반

검 토 필(91. 6. 30.)

중아국　　　국방부

주 스 리 랑 카 대 사 관

주스리(정)720-<del>125</del>   1991.4.10.

수신 : 외무부장관
참조 : 중동 아프리카국장
제목 : 군수송단 급유대금 청구서

연 : SKW-0242(91.4.9.)

    연호로 기보고한 바 있는 아국 군수송단의 지난 4.6. 당지 기착시
급유대금 청구서 사본을 별첨과 같이 송부합니다.

첨부 : 동 청구서 사본 각 2부.

주 스 리 랑 카 대

0229

스리랑카 급유대금 지불처

나. 송금방법(미화지불)

1)전신송금의 경우, 아래 구좌로 입금함.

INTERNATIONAL DIVISION, BANK OF CEYLON, 75, JANADHIPATHI MAWATHA, COLOMBO 1. SRI LANKA(ACC NO:6600100023)

2)수표의 경우: CEYLON PETROLEUM CORPORATION 앞 수표를 아래 장소로 송부함.

SENIOR DEPUTY FINANCE MANAGER(REVENUE)

FINANCE DIVISION, CEYLON PETROLEUM CORPORATION, P.O. BOX 634, COLOMBO 3, SRILANKA

0230

분류번호	보존기간

발 신 전 보

WSK-0768   10415 1352 CJ

번   호 : _____   종별 : _____

수   신 : 주 스리랑카   대사. 총영사//

발   신 : 장   관   (중동일)

제   목 :   군수송단 (급유대금)

　　　국방부는 대호 급유 대금을 4월말 이전 송금할 예정이라 하는바, 구체적
송금 절차(수신처, 구좌번호 등)를 회보 바람.   끝.

　　　　　　　　　　　　　　(중동아국장   이 해 순)

예   고 : 1991.6.30. 일반   1991. 6.30에 예고대체
　　　　　　　　　　　　　　　　의거 일반문서로 재분류함

보 안 통 제	가

| 앙
고
재 | 91년
4월
12일
중동
이후
박함득 | 기안자
성명 | 과 장
가 앙 | 국 장
정경리 | 차 관 | 장 관
후략 | 외신과통제 |

0231

관리
번호 91/542

외 무 부

종 별 :

번 호 : SKW-0262

수 신 : 장관(중동일)

발 신 : 주 스리랑카 대사

제 목 : 군수송단(급유대금)

일 시 : 91 0416 1800

대:WSK-0168

연:SKW-0137,0242

대호 급유대금 송금절차는 연호로 기보고한바 있음(전신송금 또는 수표 송부 방법)

(대사 장훈-국장)

예고:91.6.30 일반

중아국

91.04.16   22:30
외신 2과 통제관 DO
0232

18725 지 급

분류기호 문서번호	중동일 720-	기안용지 (720-2327)	시 행 상 특별취급	
보존기간	영구.준영구 10. 5. 3. 1		장 관	
수 신 처 보존기간				
시행일자	1991. 4. 25.			

보조 기관	국 장	전 결	협 조 기 관		문 서 통 제
	심의관				결 재 1991. 4. 26 통 제 관
	과 장				발 송 1991. 4. 26 외 무 부
기안책임자		박 규 옥			

경 유		발 신 명 의	
수 신	국방부장관		
참 조	군수국장		
제 목	군수송단 급유 대금 정산		

관련 : SKW - 0242 (91.4.9)

1. 주 스리랑카 대사관은 91.4.6 공군수송단의 스리랑카 기착시

급유대금 청구서 사본을 별첨과 같이 송부하여 왔는바, 동 급유대금을

아래 구좌로 송금 조치하여 주시기 바랍니다.

2. 또한 지난 91.2월 공군수송단의 스리랑카 기착시 급유대금도

상금 지불되지 않았다 하오니 4.6 급유대금 송금시에 동 대금도 함께

송금 조치하여 주시기 바랍니다.   /계속 ...

0233

3. 송금처

　　가. 전신송금의 경우, 아래 구좌로 입금함.

　　　　- INTERNATIONAL DIVISION, BANK OF CEYLON, 75,

　　　　JANADHIPATHI MAWATHA, COLOMBO 1, SRI LANKA

　　　　(ACC NO : 6600100023)

　　나. 수표의 경우 : CEYLON PETROLEUM CORPORATION 앞

　　　　수표를 아래 장소로 송부함.

　　　　- SENIOR DEPUTY FINANCE MANAGER (REVENUE)

　　　　FINANCE DIVISION, CEYLON PETROLEUM CORPORATION,

　　　　P.O.BOX 634, COLOMBO 3, SRILANKA.　　끝.

첨부 : 동 대금 청구서 사본. 끝.

주 스 리 랑 카 대 사 관

주스리(정)720-125   1991.4.10.

수신 : 외무부장관
참조 : 중동 아프리카국장
제목 : 군수송단 급유대금 청구서

연 : SKW-0242(91.4.9.)

　　　연호로 기보고한 바 있는 아국 군수송단의 지난 4.6. 당지 기착시
급유대금 청구서 사본을 별첨과 같이 송부합니다.

첨부 : 동 청구서 사본 각 2부.

주 　 스 　 리 　 랑 　 카 　 대

0235

CEYLON PETROLEUM CORPORATION
(Established by Act. of Parliament No 28 of 1961)
P.O. Box 634, Colombo 3, Republic of Sri Lanka.

Telephone: 25231 Cables: "CEYPETCO"   Telex 21167, 21235,

STATEMENT OF INVOICES

Invoice

Date: 09/04/91

NAME   : KOREAN AIRFORCE
EMBASSY OF THE REPUBLIC
OF KOREA

Account No. .....6811...........

Terms:

DELIVERED TO:
Port/Airfield   Katunayake

DESCRIPTION:	DATE	PRODUCT	QUANTITY	VALUE	
				U.S. Dollars	Rupees
AV 028716	06.04.91	0056	2998.36	3,598.03	146,439.82
AV 028717	06.04.91	0056	3143.65	3,772.39	153,536.27
AV 028718	06.04.91	0056	2784.38	3,341.26	135,989.28
AV 028719	06.04.91	0056	3529.35	4,235.22	172,373.45
AV 028720	06.04.91	0056	3415.76	4,098.91	166,825.64
			Grand Total	19,045.81	775,164.46

E & OE

Rate of Exchange = US $1 = Rs.

Please instruct your Bankers to remit to
Bank of Ceylon
22 - 24 CITY ROAD, LONDON EC1 Y2 AJ
UNITED KINGDOM
For the account of Ceylon Petroleum Corporation

....
Ceylon Petroleum Corporation

Q237

CEYLON PETROLEUM CORPORATION
(Established by Act. of Parliament No 28 of 1961)

P.O. Box 634, Colombo 3, Republic of Sri Lanka.

Telephone: 25231 Cables: "CEYPETCO" Telex: 21167, 21235.

Invoice AV 028716

Date: 06.04.91

NAME: KOREAN AIRFORCE
EMBASSY OF THE REPUBLIC
OF KOREA

DELIVERED TO: Katunayake
Port/Airfield

Account No. 6811
Terms: Credit

DESCRIPTION:	QUANTITY	UNIT	RATE	VALUE	
				U.S. Dollars	Rupees
L.A.T.F.	2998.36	US G.	1.20	3,598.03	146,439.82
			Grand Total	3,598.03	146,439.82

E & OE

Rate of Exchange = US $1 = Rs. 40.7000
N.IIH

Please instruct your Bankers to remit to
Bank of Ceylon
22 - 24 CITY ROAD, LONDON ECI Y2 AJ
UNITED KINGDOM
For the account of Ceylon Petroleum Corporation

Ceylon Petroleum Corporation

CEYLON PETROLEUM CORPORATION

(ESTABLISHED BY ACT OF PARLIAMENT NO. 28/OF 1961)
P.O. BOX 634, COLOMBO – SRI LANKA.

Phone Nos. 25231-7
Cables   Petroceyl
Telex   21167, 21235

Av. Inv. : № 023715

Date : 06-04-91

Airport : CMB

	CREDIT	1
	CASH	2
	"CR" FOR DEFUELLING	3

On Account Name	EMBASSY OF THE REPUBLIC OF KOREA
Address	
CUSTOMER'S ACCOUNT NO.	CREDIT

Deliver to .... KOREAN AIRFORCE

Flight No .... Aircraft Registration ROKAF 5181 Aircraft Type C130

Coming from .... U.A.E. Going to .... BKK

Fuel Load Figure Received .... Service Began 1700 .. Service Ended 1716

TYPE OF PRODUCT	PRODUCT CODE	PACKAGE CODE	BRAND NAME	BRAND CODE	QUANTITY IN WORDS	UNIT	QUANTITY IN FIGURES	UNIT PRICE	INVOICE VALUE	
									FOREIGN CURR	LOC. CURR. EQIV
F	056	00	JET A-1		ELEVEN THOUSAND Lts		11350			
U					THREE HUNDRED					
E					AND FIFTY ONLY					
L										

GRAND TOTAL

FOR FUELS ONLY	Refueller No.	Refueller No.	Refueller No. ①	Refueller No.	Refueller No.
Meter Reading — After			—	/	/
— Before					
Total Litres Delivered			11350		

Fuel Sample Bright & Clear Checked/ Not Checked
By Airline Representative

RECEIVED BY

CHOI DAE SUNG
Name in print

M/SGT
Designation in print

Signature

DELIVERED BY

SUMITHRAPALA
Name in print

R.O
Designation in print

Signature

LANKA AVIATION TURBINE FUEL SUPPLIED ON THIS INVOICE
CONFORMS TO D.ENG. R.D. SPECIFICATION 2494

0238.

COMMENTS IF ANY

Unschedule Contract

CEYLON PETROLEUM CORPORATION
(Established by Act of Parliament No 23 of 1961)

P.O. Box 634, Colombo 3, Republic of Sri Lanka.

Telephone: 25231 Cables: "CEYPETCO"   Telex 21167, 21235.

Invoice   AV 028717

Date: 05.04.91

NAME : KOREAN AIRFORCE
EMBASSY OF THE REPUBLIC
OF KOREA

DELIVERED TO: Katunayake
Port/Airfield

Account No. 6811
Terms: Credit

DESCRIPTION:	QUANTITY	UNIT	RATE	VALUE	
				U.S. Dollars	Rupees
L.A.T.F	3143.66	US G.	1.20	3,772.39	153,536.27
			Grand Total	3,772.39	153,536.27

E & OE

Rate of Exchange = US $1 = Rs.   40.7000
N.IPA

Please instruct your Bankers to remit to
Bank of Ceylon
22 - 24 CITY ROAD, LONDON EC1 Y2 AJ
UNITED KINGDOM
For the account of Ceylon Petroleum Corporation

Ceylon Petroleum Corporation

CEYLON PETROLEUM CORPORATION

(ESTABLISHED BY ACT OF PARLIAMENT NO. 28/OF 1961)
P.O. BOX 634, COLOMBO – SRI LANKA.

Phone Nos. 25231-7
Cables   Petroceyl
Telex   21167, 21235

Av. Inv.: No 923717

Date: 06-04-91

Airport: CMB

	CREDIT	1
	CASH	2
	"CR" FOR DEFUELLING	3

On Account Name .... EMBASSY OF KOREAN AIRFORCE
Address .... THE REPUBLIC ROKAF 5183
.... OF KOREA

Deliver to .... KOREAN AIRFORCE
Flight No .... ROKAF 5183 Aircraft Registration .... Aircraft Type: B130
Coming from .... U.A.E. Going to .... BKK
Fuel Load Figure Received .... Service Began 17:18 Service Ended 17:32

CUSTOMER'S ACCOUNT NO.   CREDIT

TYPE OF PRODUCT	PRODUCT CODE	PACKAGE CODE	BRAND NAME	BRAND CODE	QUANTITY IN WORDS		UNIT	QUANTITY IN FIGURES	UNIT PRICE	INVOICE VALUE	
										FOREIGN CURR	LOC. CURR. EQUIV
F U E L	056 00		JET A-1		ELEVEN THOUSAND NINE HUNDRED ONLY		Lt	11900			

GRAND TOTAL

Fuel Sample Bright & Clear Checked/ Not-Checked — By Airline Representative

FOR FUELS ONLY

Meter Reading – After
— Before

Total Litres Delivered 11900

Refueller No. (02)

Refueller No. ...	Refueller No. ...	Refueller No. ...	Refueller No. ...

COMMENTS IF ANY

Unschedule Contract

DELIVERED BY

SUMITH RAPAL
Name in print

R.O
Designation in print

Signature

RECEIVED BY

Jeon Bong Jin
Name in print

Maj
Designation in print

Signature

0240

CEYLON PETROLEUM CORPORATION
(Established by Act. of Parliament No 28 of 1961)

P.O. Box 634, Colombo 3, Republic of Sri Lanka.

Telephone: 25231 Cables: "CEYPETCO"   Telex: 21167, 21235,

Invoice   AV 028718

Date: 05.04.91

NAME : KOREAN AIRFORCE
EMBASSY OF THE REPUBLIC
OF KOREA

Account No. 6811
Terms:

DELIVERED TO: Katunayake
Port/Airfield

DESCRIPTION:	QUANTITY	UNIT	RATE	VALUE	
				U.S. Dollars	Rupees
L.A.T.F	2784.38	US G.	1.20	3,341.26	135,989.28
			Grand Total	3,341.26	135,989.28

E & OE

Rate of Exchange = US $1 = Rs.   40.7000
N1MH

Please instruct your Bankers to remit to
Bank of Ceylon

22 - 24 CITY ROAD, LONDON EC1 Y2 AJ
UNITED KINGDOM
For the account of Ceylon Petroleum Corporation

....
Ceylon Petroleum Corporation

CEYLON PETROLEUM CORPORATION

(ESTABLISHED BY ACT OF PARLIAMENT NO. 28/OF 1961)
P.O. BOX 634, COLOMBO – SRI LANKA.

Phone Nos. 25231-7
Cables   Petroceyl
Telex   21167, 21235

Av. Inv.: N9 028718

Date: 06-04-91

Airport: CMB

			CREDIT	✓	1
			CASH		2
			"CR" FOR DEFUELLING		3

On Account Name: EMBASSY OF THE REPUBLIC OF KOREA

Address:

CUSTOMER'S ACCOUNT NO. CREDIT

Deliver to: KOREAN AIRFORCE

Flight No.: ―   Aircraft Registration ROKAF5178 Aircraft Type C130

Coming from: U.A.E.   Going to: BKK

Fuel Load Figure Received: ―   Service Began 1640   Service Ended 1657

TYPE OF PRODUCT	PRODUCT CODE	PACKAGE CODE	BRAND NAME	BRAND CODE	QUANTITY IN WORDS	UNIT	QUANTITY IN FIGURES	UNIT PRICE	INVOICE VALUE FOREIGN CURR	LOC. CURR. EQIV
F	056	00	JET A-1		TEN THOUSAND	Lts	105440			
U					FIVE HUNDRED					
E					AND FORTY ONLY					
L										
								GRAND TOTAL		

FOR FUELS ONLY

Refueler No. ―   Refueler No. ―   Refueler No. ―   Refueler No. ―   Refueler No. ―   Refueler No. ✓

Meter Reading – After ―   Refueler No. 03

– Before ―

Total Litres Delivered 105440

COMMENTS IF ANY

Fuel Sample Bright & Clear Checked/ 'Not Checked'
By Airline Representative

RECEIVED BY
박진법 J   Name in print
T/s   Designation in print
[signature]   Signature

DELIVERED BY
SUMITHRAPALA   Name in print
R.O   Designation in print
[signature]   Signature

0242

Unschedule contract.

CEYLON PETROLEUM CORPORATION
(Established by Act. of Parliament No. 28 of 1961)
P.O. Box 634, Colombo 3, Republic of Sri Lanka.

Telephone: 25231 Cables: "CEYPETCO"   Telex: 21167, 21235,

NAME   KOREAN AIRFORCE
EMBASSY OF THE REPUBLIC
OF KOREA

Invoice   AV 028719

Date: 06.04.91

Account No.   6911
Terms: Credit

DELIVERED TO: Katunayake
Port/Airfield

DESCRIPTION:	QUANTITY	UNIT	RATE	VALUE	
				U.S. Dollars	Rupees
L.A.T.F	3529.35	US G.	1.20	4,235.22	172,373.45
			Grand Total	4,235.22	172,373.45

E & OE

Rate of Exchange = US $1 = Rs.   40.7000
NIMA

Please instruct your Bankers to remit to
Bank of Ceylon
22 - 24 CITY ROAD, LONDON EC1Y 2 AJ
UNITED KINGDOM
For the account of Ceylon Petroleum Corporation

Ceylon Petroleum Corporation

CEYLON PETROLEUM CORPORATION

(ESTABLISHED BY ACT OF PARLIAMENT NO. 28/OF 1961)
P.O. BOX 634, COLOMBO – SRI LANKA.

Phone Nos. 25231-7
Cables   Petroceyl
Telex   21167, 21235

Av. Inv.: N? 023719

Date: 06-04-91

Airport: CMB

	CREDIT	1
	CASH	2
	"CR" FOR DEFUELLING	3

On Account Name: EMBASSY OF THE REPUBLIC OF KOREA

Address: THE REPUBLIC OF KOREA

CUSTOMER'S ACCOUNT NO.: CREDIT

Deliver to: KOREAN AIRFORCE ROKAF 5185   Aircraft Type: C130

Flight No: —   Aircraft Registration: ROKAF 5185

Coming from: W.A.E.   Going to: BKK

Fuel Load Figure Received: —   Service Began HRS.   Service Ended 1752.

INVOICE VALUE
FOREIGN CURR	LOC. CURR. EQVT

TYPE OF PRODUCT	PRODUCT CODE	PACKAGE CODE	BRAND NAME	BRAND CODE	QUANTITY IN WORDS	UNIT	QUANTITY IN FIGURES	UNIT PRICE	FOREIGN CURR	LOC. CURR. EQVT
F U E L	056	00	JET A-1		THIRTEEN — THOUSAND THREE HUNDRED AND SIXTY ONLY	Lts	13360			

GRAND TOTAL

Fuel Sample Bright & Clear Checked/
Not Checked
By Airline Representative

FOR FUELS ONLY

Refueller No.	Refueller No.	Refueller No.	Refueller No.
(Q3)	/	/	/

Meter Reading — After
— Before

Total Litres Delivered   13360

COMMENTS IF ANY

Unschedule Contract

RECEIVED BY

Name in print: KIM JAK SU

Designation in print: MSG KIM JAK SU

Signature

DELIVERED BY

SUMITH RAPALA

Name in print

Designation in print: R.O

Signature

( )

0244

0245

CEYLON PETROLEUM CORPORATION
(Established by Act. of Parliament No 28 of 1961)
P.O. Box 634, Colombo 3, Republic of Sri Lanka.

Telephone: 25231 Cables: "CEYPETCO"   Telex 21167, 21235.

Invoice   AV 028720

Date: 06.04.91

NAME   KOREAN AIRFORCE
EMBASSY OF THE REPUBLIC
OF KOREA

Account No. 6811
Terms: Credit

DELIVERED TO: Katunayake
Port/Airfield

DESCRIPTION:	QUANTITY	UNIT	RATE	VALUE	
				U.S. Dollars	Rupees
L.A.T.F	3415.76	US G.	1.20	4,098.91	166,825.64
			Grand Total	4,098.91	166,825.64

E & OE

Rate of Exchange = US $1 = Rs.   40.7000

Please instruct your Bankers to remit to
Bank of Ceylon
22 - 24 CITY ROAD, LONDON EC1Y2 AJ
UNITED KINGDOM
For the account of Ceylon Petroleum Corporation

....
Ceylon Petroleum Corporation

CEYLON PETROLEUM CORPORATION

(ESTABLISHED BY ACT OF PARLIAMENT NO. 28/OF 1961)
P.O. BOX 634, COLOMBO – SRI LANKA.

Phone Nos. 25231-7
Cables : Petroceyl
Telex : 21167, 21235

Av. Inv.: № 028720

Date: 06-04-91

Airport: CMB

CREDIT	1
CASH	2
"CR" FOR DEFUELLING	3

On Account
Name .... KOREAN AIRFORCE

Address ...... EMBASSY OF THE REPUBLIC OF KOREA

CUSTOMER'S ACCOUNT NO. ...... CREDIT

Deliver to ....

Flight No ....

Aircraft Registration ROKAF 5186   Aircraft Type C130

Coming from ...... U.A.E.   Going to ...... B.I.CK.

Fuel Load Figure Received ....   Service Began 1755   Service Ended 1814.

TYPE OF PRODUCT	PRODUCT CODE	PACKAGE CODE	BRAND NAME	BRAND CODE	QUANTITY IN WORDS	UNIT	QUANTITY IN FIGURES	UNIT PRICE	INVOICE VALUE FOREIGN CURR	LOC. CURR. EQIV
F	05600		JET A-1		TWELVE THOUSAND NINE HUNDRED AND THIRTY ONLY	Lts	12930			
U										
E										
L										

GRAND TOTAL

FOR FUELS ONLY

Refueller No. 03	Refueller No.	Refueller No.	Refueller No.

Meter Reading – After 1

– Before 12930

Total Litres Delivered 12930

COMMENTS IF ANY

Unschedule Contract

Fuel Sample Bright & Clear Checked/
Not-Checked-
By Airline Representative

RECEIVED BY

GANG MAN KIM
Name in print

기소
Designation in print

GANG MAN KIM
Signature

DELIVERED BY

SUMITHRAPALA
Name in print

R.O
Designation in print

Signature

9246

외교문서 비밀해제: 걸프 사태 16
걸프 사태 의료지원단 및 수송단 파견 2

초판인쇄 2024년 03월 15일
초판발행 2024년 03월 15일

지은이 한국학술정보(주)
펴낸이 채종준
펴낸곳 한국학술정보(주)
주 소 경기도 파주시 회동길 230(문발동)
전 화 031-908-3181(대표)
팩 스 031-908-3189
홈페이지 http://ebook.kstudy.com
E-mail 출판사업부 publish@kstudy.com
등 록 제일산-115호(2000. 6. 19)

ISBN 979-11-6983-976-1 94340
      979-11-6983-960-0 94340 (set)